NINETEENTH CENTURY FRENCH VERSE

The Century Modern Language Series
Kenneth McKenzie, Editor

NINETEENTH CENTURY FRENCH VERSE

BY

JOSEPH S. GALLAND, Ph.D.

AND

ROGER CROS
AGRÉGÉ DE L'UNIVERSITÉ

Department of Romance Languages
Northwestern University

THE CENTURY CO.
New York & London

PREFACE

The purpose of this volume is to present in convenient form a body of representative poems with explanatory material for the study of French verse of the nineteenth century. The material selected does not aim to be in any wise exhaustive, yet it does present adequately the most outstanding and important aspects apparent in nineteenth century French verse, and represents quite faithfully the list of poems generally familiar to every well-educated Frenchman. Although the book was planned primarily to supply the poetry content of the Nineteenth Century French Prose and Poetry course taught at Northwestern University, at the same time it will lend itself easily to use in other courses, such as surveys of French literature. Furthermore, the book should prove valuable to the increasing number of general readers who might enjoy an introduction to modern French verse.

Previously published anthologies of French literature, whether they treat of a single century or whether they attempt to cover the whole extent of the subject from the beginning to the present day, generally contain selections of both prose and poetry. However, the nineteenth century has so many important writers and is so rich and varied in movements and influences of prime importance, that it would seem impossible to incorporate all the different literary elements adequately within the confines of a single book, without permitting at the same time a considerable amount of confusion to enter the mind of the reader. Therefore, the editors of the present volume believe that if this large body of literary material were divided into the convenient divisions of prose, poetry, and drama, the student would be afforded a better opportunity to retain a clear and unified idea of the contributions made by the individual writers in the development of the *genre* or in the great literary movements of the century. It is with this purpose in mind that they have limited their efforts to a presentation of the life and main works of seventeen representative poets who contributed most vitally to the important literary movements of the period. Three poets are included who were born in the nineteenth century, but whose main work has appeared since 1900.

As French verse of the nineteenth century is traditionally divided into three literary schools, the so-called Romantic, Parnassian, and Symbolist groups, the editors have considered it imperative to precede each of these divisions with a general introduction. This critical and explanatory material will give the reader the information which he needs for a proper understanding of the fundamental literary, philosophical, and esthetic theories characteristic of these schools. The seventeen sections devoted to the several poets are appropriately placed in their respective groups to emphasize the connection of each individual poet to his particular school; the poems selected from each author have likewise been arranged to illustrate the outstanding phases of his literary interests. An introduction containing significant facts concerning the poet's life, achievements, and influence precedes each of these sections. Then, in order that the reader may be led to a fuller comprehension and appreciation of the poems as poetry, the editors have preceded each poem with a short introduction containing the key to its meaning and intent. Finally, they have carefully prepared notes in order to spare the reader the necessity of spending more than a reasonable amount of time on linguistic difficulties and historical allusions—aspects which, as considered in this book, are secondary in the appreciation of poetry.

The editors wish to express their grateful appreciation to Mme Suzanne Cros and to Professor Kenneth McKenzie for their very helpful counsel and expert opinions.

J. S. G.
R. C.

Evanston, 1931

CONTENTS

		PAGE
I.	LE ROMANTISME	3
	I. Alphonse de Lamartine	7
	§ 1. le lyrisme	10
	Le lac	10
	L'isolement	13
	L'automne	15
	Le vallon	17
	Le crucifix	19
	§ 2. l'élargissement de l'inspiration	23
	L'occident	23
	Milly	25
	La Marseillaise de la Paix	30
	II. Alfred de Vigny	36
	§ 1. pessimisme et stoïcisme	38
	Moïse	38
	La Maison du berger	43
	Le Mont des Oliviers	51
	La mort du loup	56
	§ 2. la croyance au progrès	60
	La bouteille à la mer	60
	L'esprit pur	65
	§ 3. vigny artiste et évocateur du passé	69
	Le cor	69
	III. Victor Hugo	74
	§ 1. la nature et l'homme	80
	Soleils couchants	80
	Extase	83
	Tristesse d'Olympio	83
	Pasteurs et troupeaux	90

PAGE

Oceano Nox 92

La vache 94

§ 2. HUGO PENSEUR ET PHILOSOPHE 95

Fonction du poète 95

Le mendiant 100

A Villequier 102

Mors 108

Un groupe tout à l'heure était là . . 109

§ 3. HUGO POÈTE ÉPIQUE 110

La conscience 110

Le mariage de Roland 113

L'expiation 118

§ 4. HUGO POÈTE DE L'ENFANCE 125

Lorsque l'enfant paraît 125

Jeanne était au pain sec 127

§ 5. HUGO PEINTRE ET MUSICIEN 128

Les Djinns 128

Booz endormi 132

Saison des semailles. Le soir . . . 136

Choses du soir 137

IV. ALFRED DE MUSSET 141

§ 1. LA FANTAISIE ROMANTIQUE 144

Venise 144

§ 2. L'AMOUR ET LA DOULEUR 145

La nuit de Mai 145

La nuit d'Octobre 153

Souvenir 156

Tristesse 163

§ 3. MUSSET INTERPRÈTE DE SA GÉNÉRATION 163

Rolla 163

§ 4. MUSSET ARTISTE 167

Lucie 167

PAGE

II. DU ROMANTISME AU PARNASSE ET AU
SYMBOLISME 171

   V. Théophile Gautier 173

      § 1. la nature a travers l'art 175

         Paysage 175

         Pan de mur 176

      § 2. la poésie plastique 177

         In deserto 177

         Symphonie en blanc majeur 179

         Le Pot de fleurs 182

      § 3. les transpositions d'art 183

         A Zurbaran 183

         Vieux de la vieille 186

         Variations sur le carnaval de Venise

         Sur les Lagunes 191

      § 4. gautier théoricien du parnasse . . 193

         L'art 193

   VI. Charles Baudelaire 196

      § 1. le "frisson nouveau" 199

         Spleen 199

         La cloche fêlée 200

         Chant d'automne 201

         La chevelure 202

         La servante au grand cœur 204

         Les chats 205

         Le crépuscule du matin 206

         Le voyage 207

      § 2. baudelaire précurseur du symbo-
lisme 208

         Elévation 208

         Correspondances 209

         La vie antérieure 210

         Harmonie du soir 211

		PAGE
	Recueillement	212
	Invitation au voyage	213
III.	LE PARNASSE	217
VII.	LECONTE DE LISLE	220
	§ 1. L'UNION DE L'ART ET DE LA SCIENCE	223
	Sûryâ	223
	Le cœur de Hialmar	225
	Les hurleurs	227
	Sacra fames	229
	§ 2. PESSIMISME ET STOÏCISME	231
	Hypatie	231
	Le vent froid de la nuit	233
	Midi	234
	Les montreurs	236
	§ 3. LECONTE DE LISLE PEINTRE ANIMALIER	237
	Les éléphants	237
	Le sommeil du condor	239
VIII.	JOSÉ-MARIA DE HEREDIA	241
	Oubli	242
	La Trebbia	243
	Le Cydnus	244
	Soir de bataille	245
	Antoine et Cléopâtre	246
	Sur le Pont-Vieux	247
	Le laboureur	248
	Les Conquérants	249
IX.	SULLY PRUDHOMME	251
	§ 1. LE POÈTE DE LA VIE INTÉRIEURE	253
	Le vase brisé	253
	Les yeux	254
	Prière	255
	§ 2. LE PARNASSIEN	255
	Le cygne	255

PAGE

§ 3. LA POÉSIE SCIENTIFIQUE 257
  Le Zénith 257
IV. LE SYMBOLISME 265
  X. PAUL VERLAINE 269
   § 1. L'ÉVOCATEUR DES "FÊTES GALANTES" . 272
    Nuit de Walpurgis classique 273
    Clair de lune 275
   § 2. VERLAINE MUSICIEN 275
    Chanson d'automne 275
    La lune blanche 276
    Il pleure dans mon cœur 277
    Le son du cor 278
   § 3. VERLAINE POÈTE LYRIQUE 279
    Écoutez la chanson bien douce . . . 279
    Les chères mains 280
    Le ciel est, par-dessus le toit . . . 281
    Mon Dieu m'a dit 282
   § 4. VERLAINE THÉORICIEN DU SYMBOLISME 285
    Art poétique 285
  XI. ARTHUR RIMBAUD 288
    Voyelles 289
    Le dormeur du val 291
    Marine 291
    Bateau ivre 292
  XII. STÉPHANE MALLARMÉ 297
   § 1. L'INSPIRATION BAUDELAIRIENNE . . . 299
    L'Azur 299
    Brise marine 301
   § 2. LA POESIE MALLARMÉENNE 302
    L'éventail de Mademoiselle Mallarmé 302
    Le tombeau d'Edgar Poe 303
  XIII. ALBERT SAMAIN 306
    L'Infante 307

		PAGE
	Soir	309
	Versailles	310
	Le repas préparé	311
	La cuisine	312
XIV.	HENRI DE RÉGNIER	314
	L'onde ne chante plus	316
	Inscription pour la porte des guerriers	318
	Élégie double	319
	Odelette	321
	Le vase	322
V.	TROIS POÈTES CONTEMPORAINS	329
XV.	PAUL CLAUDEL	329
	Le Sombre Mai	330
	La Vierge à Midi	331
XVI.	PAUL VALÉRY	333
	Les grenades	334
	Le Cimetière marin	334
XVII.	LA COMTESSE DE NOAILLES	339
	Le pays	339
	Le verger	341
	Offrande	343
	Les vivants se sont tus	344
OUVRAGES A CONSULTER		345

I. LE ROMANTISME

I. LE ROMANTISME

Le romantisme a été précédé au 18e siècle par ce qu'on appelle le *préromantisme*. A côté de la littérature intellectuelle, froide, conventionelle on voit apparaître une littérature qui s'adresse à la sensibilité et qui est caractérisée par l'amour de la nature, le culte du sentiment, le goût de la mélancolie et de l'attendrissement. Auprès des "philosophes," on trouve des "âmes sensibles" qui sont déjà romantiques.

Cette réaction littéraire a été en grande partie provoquée par des influences étrangères.

Influences étrangères:

1. Influence anglaise:
   a. Richardson dans ses romans met à la mode la sensibilité et l'attendrissement.
   b. Influence des œuvres poétiques de Gray (mélancolie sereine), de Young (tragique funèbre), de Thomson (amour de la nature).
   c. Influence de l'*Ossian* de MacPherson (révèle le charme mélancolique des paysages du nord).
   d. On commence à sentir la grandeur des drames de Shakespeare.
2. Influence allemande:
   a. Goethe avec son roman *Werther* (mélancolie et désespoir romantique).
   b. Schiller avec ses drames (pittoresque, couleur locale).

Influence de Rousseau:

L'œuvre de Rousseau présente tous les traits du préromantisme (sentimentalité, goût de l'émotion, amour de la nature) et plusieurs des éléments du romantisme proprement dit (orgueil morbide, désir d'une littérature personnelle).

Remarque:

Ces influences se font sentir dans la prose. La poésie, prisonnière des règles de Malherbe et de Boileau, est élégante et vide. André

Chénier, le seul grand poète du 18ᵉ siècle, difficile d'ailleurs à classer, est avant tout un classique.

B. LES DÉBUTS DU ROMANTISME

Influences sociales:

    a. La Révolution. (1) En fermant les salons et les collèges où l'on conservait et enseignait la tradition classique, en dispersant la société cultivée, elle a facilité la rupture avec le passé et délivré les écrivains des traditions gênantes. (2) Elle a détruit l'ordre social, la religion, et n'a guère tenu ses promesses de liberté et de justice.

    b. L'Empire, après avoir soulevé l'enthousiasme des Français par ses victoires, se termine par la défaite et l'humiliation. Après 25 années de luttes, la France vaincue et épuisée voit s'établir la Restauration, période de paix monotone et sans gloire. La génération romantique, élevée dans l'espoir de la lutte et de la gloire, souffre de ces déceptions et de cette inaction. C'est ce découragement qu'on appelle "le mal du siècle."

Influences littéraires en France:

    Les deux théoriciens du romantisme sont:

    a. Chateaubriand. Son œuvre est à la base de tout le romantisme. Dans *Atala* il met à la mode l'exotisme; dans *René* il crée le type parfait du héros romantique, sombre et mélancolique; dans *Le Génie du Christianisme,* il montre la valeur sentimentale et esthétique de la religion chrétienne; dans *Les Martyrs,* il donne des exemples de couleur locale. Enfin par sa personnalité, par son orgueil, son ennui désabusé et sa mélancolie, il est le type parfait du romantique.

    b. Madame de Staël. Dans ses romans *Delphine* et *Corinne* elle prête à ses héroïnes son âme passionnée et développe le thème romantique du génie solitaire et méconnu; dans *De la littérature* et *De l'Allemagne* elle invite les Français à s'inspirer des littératures du nord, principalement de celle de l'Allemagne qu'elle leur révèle.

Influences des artistes:

Les peintres, plus libres que les écrivains, s'étaient déjà dégagés de la tradition classique; ils avaient introduit dans leurs œuvres l'amour de la couleur et le goût des sujets violents et tragiques, souvent empruntés à l'histoire. (Les peintres Gros, Géricault, Delacroix.)

Influences étrangères:

1. Influence anglaise:
   a. Influence d'*Ossian*.
   b. Influence du Roman Noir (intrigues compliquées, atmosphère mystérieuse, péripéties effrayantes).
   c. Influence de Walter Scott (met à la mode un moyen âge romanesque).
   d. Influence de Byron (personnalité romantique, défi aux conventions sociales, pessimisme amer et grandiloquent).
   e. Shakespeare est enfin compris et son génie inspire les romantiques.
   f. C'est surtout en Angleterre que les Français découvrent la Bible, dont la poésie inspire de nombreux écrivains romantiques.
2. Influence allemande:
   a. Goethe avec *Faust* (poésie philosophique), avec ses ballades et ses *lieder*.
   b. Les poètes romantiques allemands Tieck, Werner, Schlegel, Bürger (la chevalerie, le moyen âge à la fois religieux, héroïque et superstitieux).
   c. Hoffmann (goût du fantastique).
3. Influence italienne:
   a. Dante (mysticisme du moyen âge).
   b. Manzoni (couleur locale et pittoresque).
4. Influence espagnole:
   a. *Romancero* (moyen âge héroïque et brutal).

C. DÉFINITION DU ROMANTISME

Le romantisme est très complexe et plein de contradictions. D'une façon générale, c'est une réaction violente contre la littérature classique (Exemple: mépris injustifié pour Racine).

1. Le classicisme s'inspire des littératures grecque et latine; le romantisme s'inspire surtout des autres littératures européennes et de la poésie populaire.

2. Le classicisme aime la raison, l'ordre, l'harmonie; le romantisme admire la passion, même celle qui dédaigne les lois morales et va jusqu'au crime.

3. Le classicisme décrit l'homme en général, ou l'homme en société, mais refuse d'admettre une littérature personnelle; le romantisme est lyrique: l'auteur parle presque toujours de lui-même, en généralisant d'ailleurs l'expression de ses sentiments pour être compris de tous.

4. Le romantisme est un élargissement de la sensibilité: alors que le classicisme ne voulait peindre que des objets élégants, le romantisme veut être vrai, et s'intéresse au laid et à l'horrible. (Le moyen âge, méprisé des classiques comme laid et brutal, est l'époque de prédilection des romantiques.)

5. On pourrait dire aussi que le romantisme est une littérature "d'évasion": les lecteurs de cette époque semblent avoir voulu échapper à l'ennui d'une vie monotone par le rêve et l'imagination. C'est pourquoi le romantisme cherche à faire voyager les lecteurs dans l'espace et dans le temps. (Exotisme et roman historique).

6. Dans la forme le romantisme se débarrasse des règles données par le classicisme et réclame plus de liberté dans le style et la versification. (Enrichissement du vocabulaire, suppression du "style noble," assouplissement du vers, etc.)

Remarque:

Ces changements se sont produits lentement. Les romantiques n'échappent qu'avec peine aux influences classiques: dans leurs premières œuvres ils imitent presque toujours les écrivains du 18e siècle.

La littérature classique conserve la faveur d'une importante partie du public: l'écrivain le plus populaire du commencement du 19e siècle est Béranger, qui écrit dans l'esprit et le style du siècle précédent.

I. ALPHONSE DE LAMARTINE (1790–1869)

Alphonse de Lamartine est né à Mâcon d'une famille noble. Il passe une enfance heureuse à Milly, avec ses sœurs, sous la surveillance d'une mère douce et pieuse. Son éducation est assez négligée et consiste surtout en lectures, en rêveries, en longues promenades. En 1811, il fait un voyage en Italie. A la chute de l'Empire, il entre dans l'armée, qu'il quitte bientôt. En 1820, il publie un livre de poèmes, *Les Méditations*, en partie inspiré par le souvenir d'une amie perdue, qui a un succès retentissant. Il entre dans la diplomatie et devient secrétaire d'ambassade à Florence. Il démissionne en 1830, et de retour en France, après un voyage en Orient avec sa famille, il entre dans la vie politique (1833). Il se tient à l'écart des partis sans toutefois cacher ses sympathies pour les idées libérales, et remporte de beaux succès d'orateur. En 1848, il occupe dignement le poste de chef du gouvernement et exerce une grande influence, mais doit bientôt rentrer dans la vie privée. Il vit alors dans la retraite, et, après une vieillesse besogneuse mais digne, il meurt pauvre et oublié en 1869.

A. PRINCIPALES ŒUVRES DE LAMARTINE

1. Poésie: *Premières Méditations poétiques* (1820); *Nouvelles Méditations poétiques* (1823); *Harmonies poétiques et religieuses* (1830); *Jocelyn* (1836); *La Chute d'un ange* (1838); *Recueillements poétiques* (1839).
2. Prose:
    a. Romans: *Graziella* (1849); *Le tailleur de pierres de Saint-Point* (1851).
    b. Divers: *Voyage en Orient* (1832–1833); *Histoire des Girondins* (1847); *Les Confidences* (1849); *Nouveau voyage en Orient* (1853).

B. LA PERSONNALITÉ DE LAMARTINE

1. *Sensibilité et noblesse.*

Élevé par des femmes et des prêtres, admirateur de Saint-Pierre, de Rousseau et d'Ossian, Lamartine doit à ces influences une sensibilité rêveuse, une âme douce et noble.

2. *Sincérité, générosité, optimisme.*

Lamartine, profondément bon et généreux, a toujours été incapable de voir le mal: il garde une confiance inaltérable en la bonté de ses semblables et surtout en celle de Dieu.

3. *Vigueur et énergie.*

Mais Lamartine devait à son enfance saine au sein de la nature et à son amour des exercices physiques, une santé bien équilibrée et une grande vigueur corporelle et intellectuelle; sa mélancolie n'est jamais morbide, et sa douceur ne l'empêche pas d'être énergique.

C. L'ŒUVRE DE LAMARTINE

1. *Le poète lyrique:*

  a. *Thèmes généraux.* Ce sont: d'abord l'amour qui a inspiré à Lamartine ses plus beaux poèmes, puis un sentiment d'ennui et de mélancolie mêlé de vagues aspirations vers une autre vie. Il parle aussi de la famille au sein de laquelle nous prenons contact avec le monde; de la mort qui nous enlève ceux que nous aimons et termine nos joies et nos douleurs; de la nature, témoin bienveillant de notre activité; enfin et surtout de Dieu qui nous a créés, qui nous protège et qui nous jugera.

  b. *Traitement subjectif.* Lamartine n'expose pas des idées, ne décrit pas des paysages; ce qu'il décrit, c'est son âme quand elle entre en contact avec ces idées et ces paysages. Ses meilleurs poèmes sont des rêveries, des états d'âme reproduits avec une grande sincérité, des descriptions vagues et voilées qui ont un charme mélancolique et mystérieux.

  c. *Élargissement de l'inspiration.* Lamartine a constamment cherché à élargir son inspiration: dans son œuvre, l'amour de la nature n'est qu'une étape vers l'amour du Dieu tout puissant et très bon dont les beautés de l'univers prouvent la grandeur. Ses poèmes sur l'amour, l'amitié, les joies de la famille deviennent des hymnes qui chantent l'amour de l'humanité.

2. *Le poète épique:*

Lamartine a voulu écrire un grand poème dont le thème serait l'ascension de l'homme vers Dieu, par la souffrance humblement acceptée. Il n'en a publié que deux épisodes: *Jocelyn* (1836) et *La Chute d'un ange* (1838).

a. *Jocelyn* est l'histoire d'un jeune homme que des circonstances tragiques obligent à se faire prêtre, renonçant ainsi à la femme qu'il aime. Devenu curé d'une humble paroisse, il la retrouve après bien des années, au moment où elle va mourir; il la bénit et l'ensevelit pieusement. De très belles descriptions de la vie rustique, la touchante histoire d'amour, la tendre et stoïque personnalité de Jocelyn valurent à ce poème un succès mérité.

b. *La Chute d'un ange.* Pendant les premiers âges du monde, un ange s'éprend d'une mortelle et devient homme pour la conquérir: sans se plaindre, il subit les épreuves les plus terribles et meurt enfin avec celle qu'il aime.

Malgré quelques puissants tableaux, ce poème, trop différent de l'inspiration habituelle de Lamartine, ne vaut pas *Jocelyn*.

D. LA FORME

1. *Dédain de la forme.*

Lamartine déclarait n'être qu'un amateur distingué, et soutenait que la poésie ne doit pas être un métier, mais l'expression spontanée des sentiments, un épanchement du cœur; que tout souci de la forme nuit à la sincérité et tarit l'inspiration. Ainsi s'explique le caractère vague et vaporeux de certains de ses poèmes, et, dans d'autres, le manque de plan et parfois l'absence apparente d'idées.

2. *Faiblesse de la forme.*

C'est aussi l'explication des faiblesses du style et du vers de Lamartine où l'on trouve trop souvent des restes du style du 18e siècle (images banales, périphrases), des vers prosaïques, des incorrections de grammaire et de versification.

3. *Beautés de la forme.*

Mais le plus souvent la beauté de la forme est admirable. Lamartine a des vers d'un rythme parfait, d'une mélodie incomparable;

et sa poésie devient alors un chant ailé, la voix même de l'âme. Le secret de cette harmonie ne sera retrouvé en partie que bien des années plus tard, par les symbolistes.

E. L'ŒUVRE EN PROSE

La prose de Lamartine, sans valoir ses vers, est cependant de tout premier ordre. Harmonieuse et colorée, elle n'a d'autre défaut qu'un peu de prolixité. Dans *Les Confidences* il raconte sa vie, et traite en prose les thèmes qui faisaient le sujet de ses poèmes. Ce sont des documents très précieux sur l'auteur, sa famille et son temps.

F. CONCLUSION

Bien que les thèmes qu'il traite ne soient pas nouveaux, Lamartine, par sa sensibilité, sa sincérité, la beauté harmonieuse de ses vers a renouvelé l'inspiration poétique. C'est un grand poète: il est "la poésie même" (Gautier).

§ 1. LE LYRISME

LE LAC [1]

En 1816, pendant un séjour à Aix-les-Bains, Lamartine fit la connaissance d'une jeune femme atteinte d'une grave maladie de poitrine, venue là pour rétablir sa santé compromise: c'était Madame Charles, qu'il devait plus tard immortaliser sous le nom d'Elvire. Ils se revirent à Paris au début de 1817 et décidèrent de se retrouver à Aix-les-Bains à la fin de la même année. Quand Lamartine y arriva en août, il apprit que Madame Charles, très malade, ne viendrait pas; elle mourut en décembre 1817. C'est alors qu'il composa ce poème plein du regret de l'amie absente, et de pressentiments funèbres.

Ce thème du retour aux lieux où l'on a aimé avait déjà été traité par de nombreux écrivains, notamment par Rousseau (*La Nouvelle Héloïse*), et se rencontre souvent dans *Ossian*. Lamartine a trouvé une note très personnelle dans son attitude envers une nature bienveillante qui sympathise avec sa douleur et lui permet de revivre, par le souvenir, les jours heureux qu'il regrette.

[1] Le lac: le lac du Bourget près duquel est située la ville d'Aix-les-Bains.

Ainsi, toujours poussés vers de nouveaux rivages,
Dans la nuit éternelle emportés sans retour,
Ne pourrons-nous jamais sur l'océan des âges
    Jeter l'ancre un seul jour?

O lac! l'année [2] à peine a fini sa carrière,
Et près des flots chéris qu'elle devait revoir,
Regarde! je viens seul m'asseoir sur cette pierre
    Où tu la vis s'asseoir!

Tu mugissais ainsi sous ces roches profondes;
Ainsi tu te brisais sur leurs flancs déchirés;
Ainsi le vent jetait l'écume de tes ondes
    Sur ses pieds adorés.

Un soir, t'en souvient-il? nous voguions en silence;
On n'entendait au loin, sur l'onde et sous les cieux,
Que le bruit des rameurs qui frappaient en cadence
    Tes flots harmonieux.

Tout à coup des accents inconnus à la terre [3]
Du rivage charmé frappèrent les échos;
Le flot fut attentif, et la voix qui m'est chère
    Laissa tomber ces mots:

"O temps, suspends ton vol! et vous, heures propices,
    Suspendez votre cours!
Laissez-nous savourer les rapides délices
    Des plus beaux de nos jours!

"Assez de malheureux ici-bas vous implorent:
    Coulez, coulez pour eux;

---

[2] l'année: il écrivait ces vers un an après avoir fait la connaissance de Mme Charles.

[3] inconnus à la terre: la voix d'Elvire semble trop belle pour être celle d'une créature humaine.

Prenez avec leurs jours les soins [4] qui les dévorent;
    Oubliez les heureux.

"Mais je demande en vain quelques moments encore,
    Le temps m'échappe et fuit;
Je dis à cette nuit: "Sois plus lente"; et l'aurore
    Va dissiper la nuit.

"Aimons donc, aimons donc! de l'heure fugitive,
    Hâtons-nous, jouissons!
L'homme n'a point de port, le temps n'a point de rive;
    Il coule, et nous passons!"

Temps jaloux, se peut-il que ces moments d'ivresse,
Où l'amour à longs flots nous verse le bonheur,
S'envolent loin de nous de la même vitesse
    Que les jours de malheur?

Hé quoi! n'en pourrons-nous fixer au moins la trace?
Quoi! passés pour jamais? quoi! tout entiers perdus?
Ce temps qui les donna, ce temps qui les efface,
    Ne nous les rendra plus?

Éternité, néant, passé, sombres abîmes,
Que faites-vous des jours que vous engloutissez?
Parlez: nous rendrez-vous ces extases sublimes
    Que vous nous ravissez?

O lac! rochers muets! grottes! forêt obscure!
Vous que le temps épargne ou qu'il peut rajeunir,
Gardez de cette nuit, gardez, belle nature,
    Au moins le souvenir!

Qu'il soit dans ton repos, qu'il soit dans tes orages,
Beau lac, et dans l'aspect de tes riants coteaux,
Et dans ces noirs sapins, et dans ces rocs sauvages
    Qui pendent sur tes eaux!

[4] soins: archaïque pour "soucis" ("cares").

Qu'il soit dans le zéphyr qui frémit et qui passe,
Dans les bruits de tes bords par tes bords répétés,
Dans l'astre au front d'argent [5] qui blanchit ta surface
    De ses molles clartés!

Que le vent qui gémit, le roseau qui soupire,
Que les parfums légers de ton air embaumé,
Que tout ce qu'on entend, l'on voit ou l'on respire,
    Tout dise: "Ils ont aimé!"

Méditations poétiques

L'ISOLEMENT

Poème composé en 1818, quelques mois après la mort d'Elvire.
La beauté mélancolique d'un paysage au crépuscule fait naître
dans l'âme du poète le regret de sa solitude, puis le thème s'élargit,
et le poème se termine par un élan vers un au-delà mystérieux où
il espère retrouver le bonheur.

Souvent sur la montagne, à l'ombre du vieux chêne,
Au coucher du soleil, tristement je m'assieds;
Je promène au hasard mes regards sur la plaine,
Dont le tableau changeant se déroule à mes pieds.

Ici gronde le fleuve aux vagues écumantes;
Il serpente, et s'enfonce en un lointain obscur;
Là le lac immobile étend ses eaux dormantes
Où l'étoile du soir se lève dans l'azur.

Au sommet de ces monts couronnés de bois sombres,
Le crépuscule encor jette un dernier rayon;
Et le char vaporeux de la reine des ombres [6]
Monte, et blanchit déjà les bords de l'horizon.

[5] l'astre au front d'argent: une des périphrases employées par Lamartine pour désigner la lune.
[6] la reine des ombres: périphrase dans le goût du 18e siècle, pour désigner la lune.

Cependant, s'élançant de la flèche [7] gothique,
Un son religieux se répand dans les airs:
Le voyageur s'arrête, et la cloche rustique
Aux derniers bruits du jour mêle de saints concerts.

Mais à ces doux tableaux mon âme indifférente
N'éprouve devant eux ni charme ni transports;
Je contemple la terre ainsi qu'une ombre errante:
Le soleil des vivants n'échauffe plus les morts.

De colline en colline en vain portant ma vue,
Du sud à l'aquilon, de l'aurore au couchant, [8]
Je parcours tous les points de l'immense étendue,
Et je dis: "Nulle part le bonheur ne m'attend."

Que me font ces vallons, ces palais, ces chaumières,
Vains objets dont pour moi le charme est envolé?
Fleuves, rochers, forêts, solitudes si chères,
Un seul être vous manque, et tout est dépeuplé!

Que le tour du soleil ou commence ou s'achève,
D'un œil indifférent je le suis dans son cours;
En un ciel sombre ou pur qu'il se couche ou se lève,
Qu'importe le soleil? je n'attends rien des jours.

Quand je pourrais [9] le suivre en sa vaste carrière,
Mes yeux verraient partout le vide et les déserts:
Je ne désire rien de tout ce qu'il éclaire;
Je ne demande rien à l'immense univers.

Mais peut-être au-delà des bornes de sa sphère,
Lieux où le vrai soleil éclaire d'autres cieux,

[7] flèche: "spire" (of a church).
[8] aquilon: le vent du nord; par extension "le nord."—couchant: l'endroit de l'horizon où le soleil se couche: "l'ouest."
[9] Quand je pourrais: même si je pouvais.

Si je pouvais laisser ma dépouille [10] à la terre,
Ce que j'ai tant rêvé paraîtrait à mes yeux!

Là, je m'enivrerais à la source où j'aspire;
Là, je retrouverais et l'espoir et l'amour,
Et ce bien idéal que toute âme désire,
Et qui n'a pas de nom au terrestre séjour!

Que ne puis-je, porté sur le char de l'Aurore,
Vague objet de mes vœux, m'élancer jusqu'à toi!
Sur la terre d'exil pourquoi resté-je [11] encore?
Il n'est rien de commun entre la terre et moi.

Quand la feuille des bois tombe dans la prairie,
Le vent du soir s'élève et l'arrache aux vallons;
Et moi, je suis semblable à la feuille flétrie:
Emportez-moi [12] comme elle, orageux aquilons!

Méditations poétiques

L'AUTOMNE

Ce poème a été composé à Milly en 1819. Lamartine dont la santé donnait alors beaucoup d'inquiétudes venait de se voir refuser la main d'une jeune fille qu'il aimait. Cette déception provoqua chez lui une violente crise de mélancolie; son état s'aggrava, et l'idée de sa fin prochaine lui inspira ces vers. L'automne, image du déclin de la vie, est un des thèmes favoris de la littérature de cette époque, mais Lamartine a su donner une forme personnelle et harmonieuse à ces adieux à la vie d'un jeune poète mourant.

Salut, bois couronnés d'un reste de verdure,
Feuillages jaunissants sur les gazons épars!
Salut, derniers beaux jours! le deuil de la nature
Convient à la douleur et plaît à mes regards.

[10] dépouille: le corps qui empêche l'âme de prendre son vol vers ce monde idéal.
[11] resté-je: est-ce que je reste?
[12] Emportez-moi: comparer cette dernière strophe avec un passage bien connu du *René* de Chateaubriand et avec "Ode to the West Wind" de Shelley.

Je suis d'un pas rêveur le sentier solitaire;
J'aime à revoir encor, pour la dernière fois,
Ce soleil pâlissant, dont la faible lumière
Perce à peine à mes pieds l'obscurité des bois.

Oui, dans ces jours d'automne où la nature expire,
A ses regards voilés je trouve plus d'attraits;
C'est l'adieu d'un ami, c'est le dernier sourire
Des lèvres que la mort va fermer pour jamais.

Ainsi, prêt à quitter [13] l'horizon de la vie,
Pleurant de mes longs jours l'espoir évanoui,
Je me retourne encore, et d'un regard d'envie
Je contemple ces biens [14] dont je n'ai pas joui.

Terre, soleil, vallons, belle et douce nature,
Je vous dois une larme aux bords de mon tombeau;
L'air est si parfumé! la lumière est si pure!
Aux regards d'un mourant le soleil est si beau!

Je voudrais maintenant vider jusqu'à la lie [15]
Ce calice mêlé de nectar et de fiel: [16]
Au fond de cette coupe où je buvais la vie,
Peut-être restait-il une goutte de miel!

Peut-être l'avenir me gardait-il encore
Un retour de bonheur [17] dont l'espoir est perdu!
Peut-être, dans la foule, une âme que j'ignore
Aurait compris mon âme, et m'aurait répondu! . . .

La fleur tombe en livrant ses parfums au zéphire;
A la vie, au soleil, ce sont là ses adieux:

[13] prêt à quitter: Lamartine se croyait très gravement malade et envisageait l'idée de la mort.

[14] ces biens: les plaisirs que la vie offre aux hommes.

[15] jusqu'à la lie: "to the dregs."

[16] fiel: "gall."

[17] un retour de bonheur: allusion à ses projets de mariage, momentanément abandonnés.

Moi, je meurs; et mon âme, au moment qu'elle expire,
S'exhale comme un son triste et mélodieux.

Méditations poétiques

LE VALLON [13]

Ce poème a probablement été composé en 1819.

Lassé de l'agitation du monde, déçu et meurtri par la vie, le poète va chercher la paix et l'oubli dans le sein d'une nature compatissante.

Mon cœur, lassé de tout, même de l'espérance,
N'ira plus de ses vœux importuner le sort;
Prêtez-moi seulement, vallon de mon enfance,
Un asile d'un jour pour attendre la mort.

Voici l'étroit sentier de l'obscure vallée:
Du flanc de ces coteaux pendent des bois épais,
Qui, courbant sur mon front leur ombre entremêlée,
Me couvrent tout entier de silence et de paix.

Là, deux ruisseaux cachés sous des ponts de verdure
Tracent en serpentant les contours du vallon;
Ils mêlent un moment leur onde et leur murmure,
Et non loin de leur source ils se perdent sans nom.

La source de mes jours comme eux s'est écoulée;
Elle a passé sans bruit, sans nom et sans retour:
Mais leur onde est limpide, et mon âme troublée
N'aura pas réfléchi les clartés d'un beau jour.

La fraîcheur de leurs lits, l'ombre qui les couronne,
M'enchaînent tout le jour sur les bords des ruisseaux;
Comme un enfant bercé par un chant monotone,
Mon âme s'assoupit au murmure des eaux.

[13] Ce vallon est situé dans le Dauphiné, près d'un vieux château qui appartenait à un ami de Lamartine.

Ah! c'est là qu'entouré d'un rempart de verdure,
D'un horizon borné qui suffit à mes yeux,
J'aime à fixer mes pas, et, seul dans la nature,
A n'entendre que l'onde, à ne voir que les cieux.

J'ai trop vu, trop senti, trop aimé dans ma vie;
Je viens chercher vivant le calme du Léthé.[19]
Beaux lieux, soyez pour moi ces bords où l'on oublie;
L'oubli seul désormais est ma félicité.

Mon cœur est en repos, mon âme est en silence;
Le bruit lointain du monde expire en arrivant,
Comme un son éloigné qu'affaiblit la distance,
A l'oreille incertaine apporté par le vent.

D'ici je vois la vie, à travers un nuage,
S'évanouir pour moi dans l'ombre du passé;
L'amour seul est resté, comme une grande image
Survit seule au réveil dans un songe effacé.

Repose-toi, mon âme, en ce dernier asile,
Ainsi qu'un voyageur qui, le cœur plein d'espoir,
S'assied, avant d'entrer, aux portes de la ville,
Et respire un moment l'air embaumé du soir.

Comme lui, de nos pieds secouons la poussière;
L'homme par ce chemin ne repasse jamais:
Comme lui, respirons au bout de la carrière
Ce calme avant-coureur de l'éternelle paix.

Tes jours, sombres et courts comme les jours d'automne,
Déclinent comme l'ombre au penchant des coteaux;
L'amitié te trahit, la pitié t'abandonne,
Et, seule, tu descends le sentier des tombeaux.

[19] le Léthé: un des fleuves des Enfers, dont les eaux donnaient l'oubli.

Mais la nature est là qui t'invite et qui t'aime;
Plonge-toi dans son sein qu'elle t'ouvre toujours;
Quand tout change pour toi, la nature est la même,
Et le même soleil se lève sur tes jours.

De lumière et d'ombrage elle t'entoure encore:
Détache ton amour des faux biens que tu perds;
Adore ici l'écho qu'adorait Pythagore,[20]
Prête avec lui l'oreille aux célestes concerts.

Suis le jour dans le ciel, suis l'ombre sur la terre;
Dans les plaines de l'air vole avec l'aquilon;
Avec le doux rayon de l'astre du mystère
Glisse à travers les bois dans l'ombre du vallon.

Dieu, pour le concevoir, a fait l'intelligence:
Sous la nature enfin découvre son auteur!
Une voix à l'esprit parle dans son silence:
Qui n'a pas entendu cette voix dans son cœur?

Méditations poétiques

LE CRUCIFIX

Un ami de Lamartine lui apporta le crucifix que Madame Charles
avait contemplé et embrassé pendant son agonie. Le poète le
conserva pieusement et, en 1823, il en fit le sujet de ce poème qui est
à la fois un hommage à la morte et le développement de cette très
belle idée que nous devons avoir confiance en un Dieu qui a voulu
souffrir comme un homme, par amour pour les hommes.

Toi que j'ai recueilli [21] sur sa bouche expirante
Avec son dernier souffle et son dernier adieu,
Symbole deux fois saint, don d'une main mourante,
    Image de mon Dieu;

[20] Pythagore: allusion à la fameuse théorie du philosophe grec, d'après
laquelle les sphères en tournant autour de la terre produisent des sons harmonieux.
[21] j'ai recueilli: Lamartine suppose qu'il était présent aux derniers moments
de Mme Charles.

Que de pleurs ont coulé sur tes pieds que j'adore,
Depuis l'heure sacrée où, du sein d'un martyr,
Dans mes tremblantes mains tu passas, tiède encore
    De son dernier soupir!

Les saints flambeaux jetaient une dernière flamme;
Le prêtre murmurait ces doux chants de la mort,
Pareils aux chants plaintifs que murmure une femme
    A l'enfant qui s'endort.

De son pieux espoir [22] son front gardait la trace,
Et sur ses traits, frappés d'une auguste beauté,
La douleur fugitive avait empreint sa grâce,
    La mort sa majesté.

Le vent qui caressait sa tête échevelée
Me montrait tour à tour ou me voilait ses traits,
Comme l'on voit flotter sur un blanc mausolée
    L'ombre des noirs cyprès.

Un de ses bras pendait de la funèbre couche;
L'autre, languissamment replié sur son cœur,
Semblait chercher encore et presser sur sa bouche
    L'image du Sauveur.

Ses lèvres s'entr'ouvraient pour l'embrasser encore;
Mais son âme avait fui dans ce divin baiser,
Comme un léger parfum que la flamme dévore
    Avant de l'embraser.

Maintenant tout dormait sur sa bouche glacée,
Le souffle se taisait dans son sein endormi,
Et sur l'œil sans regard la paupière affaissée
    Retombait à demi.

[22] pieux espoir: l'espoir de la vie éternelle.

Et moi, debout, saisi d'une terreur secrète,
Je n'osais m'approcher de ce reste adoré,
Comme si du trépas [23] la majesté muette
    L'eût déjà consacré.

Je n'osais! . . . Mais le prêtre entendit mon silence,[24]
Et, de ses doigts glacés prenant le crucifix:
"Voilà le souvenir, et voilà l'espérance:
    Emportez-les, mon fils!"

Oui, tu me resteras, ô funèbre héritage!
Sept fois,[25] depuis ce jour, l'arbre que j'ai planté
Sur sa tombe sans nom [26] a changé de feuillage:
    Tu ne m'as pas quitté.

Placé près de ce cœur, hélas! où tout s'efface,
Tu l'as contre le temps défendu de l'oubli,
Et mes yeux goutte à goutte ont imprimé leur trace
    Sur l'ivoire amolli.

O dernier confident de l'âme qui s'envole,
Viens, reste sur mon cœur! parle encore, et dis-moi
Ce qu'elle te disait quand sa faible parole
    N'arrivait plus qu'à toi;

A cette heure douteuse où l'âme recueillie,
Se cachant [27] sous le voile épaissi sur nos yeux
Hors de nos sens glacés pas à pas se replie,
    Sourds aux derniers adieux;

---

[23] trépas: "death."
[24] entendit mon silence: devina le désir que je n'osais exprimer.
[25] Sept fois: il y avait en réalité six ans que Mme Charles était morte.
[26] sans nom: Lamartine n'a jamais voulu révéler le lieu de la sépulture d'Elvire.
[27] se cachant: les yeux n'ont plus d'expression.

Alors qu'entre la vie et la mort incertaine,
Comme un fruit par son poids détaché du rameau,
Notre âme est suspendue et tremble à chaque haleine
    Sur la nuit du tombeau;

Quand des chants, des sanglots la confuse harmonie
N'éveille déjà plus notre esprit endormi,
Aux lèvres du mourant collé dans l'agonie,
    Comme un dernier ami:

Pour éclaircir l'horreur de cet étroit passage,
Pour relever vers Dieu son regard abattu,
Divin consolateur, dont nous baisons l'image,
    Réponds, que lui dis-tu?

Tu sais, tu sais mourir![28] et tes larmes divines,
Dans cette nuit terrible[29] où tu prias en vain,
De l'olivier sacré baignèrent les racines
    Du soir jusqu'au matin.

De la croix, où ton œil sonda ce grand mystère,
Tu vis ta mère en pleurs et la nature en deuil;
Tu laissas comme nous tes amis sur la terre,
    Et ton corps au cercueil!

Au nom de cette mort, que ma faiblesse obtienne
De rendre sur ton sein ce douloureux soupir:
Quand mon heure viendra, souviens-toi de la tienne,
    O toi qui sais mourir!

Je chercherai la place où sa bouche expirante
Exhala sur tes pieds l'irrévocable adieu,
Et son âme viendra guider mon âme errante
    Au sein du même Dieu.

[28] tu sais mourir: tu connais les terreurs de la mort.   Le poète s'adresse à Jésus.
[29] la nuit terrible: au Jardin des Oliviers.

Ah! puisse, puisse alors sur ma funèbre couche,
Triste et calme à la fois, comme un ange éploré,
Une figure en deuil recueillir sur ma bouche
    L'héritage sacré!

Soutiens ses derniers pas,[30] charme sa dernière heure;
Et, gage consacré d'espérance et d'amour,
De celui qui s'éloigne à celui qui demeure
    Passe ainsi tour à tour,

Jusqu'au jour [31] où, des morts perçant la voûte sombre,
Une voix [32] dans le ciel, les appelant sept fois,
Ensemble éveillera ceux qui dorment à l'ombre
    De l'éternelle croix!

            Nouvelles Méditations

§ 2. L'ÉLARGISSEMENT DE L'INSPIRATION
L'OCCIDENT

    Le poète contemple un coucher de soleil et le déclin du jour le fait penser à la mort des êtres et des choses. Mais, pour lui, cette mort n'est qu'apparente: elle est en réalité le retour dans le sein du Dieu qui a tout créé.

Et la mer s'apaisait comme une urne écumante
Qui s'abaisse au moment où le foyer pâlit,[33]
Et, retirant du bord sa vague encor fumante,
Comme pour s'endormir, rentrait dans son grand lit;

Et l'astre qui tombait de nuage en nuage
Suspendait sur les flots un orbe sans rayon,
Puis plongeait la moitié de sa sanglante image,
Comme un navire en feu qui sombre [34] à l'horizon;

[30] ses derniers pas: les derniers pas de l'ami qui aura recueilli le crucifix.
[31] jusqu'au jour: le jour de la résurrection.
[32] Une voix: la voix des anges au son de laquelle les morts s'éveilleront.
[33] pâlit: la flamme du foyer devient moins ardente, et l'eau cesse de bouillir.
[34] sombre: "sinks."

Et la moitié du ciel pâlissait, et la brise
Défaillait dans la voile, immobile et sans voix,
Et les ombres couraient, et sous leur teinte grise
Tout sur le ciel et l'eau s'effaçait à la fois;

Et dans mon âme, aussi pâlissant à mesure,
Tous les bruits d'ici-bas tombaient avec le jour,
Et quelque chose en moi, comme dans la nature,
Pleurait, priait, souffrait, bénissait tout à tour.

Et, vers l'occident seul, une porte éclatante
Laissait voir la lumière à flots d'or ondoyer,
Et la nue empourprée imitait une tente
Qui voile sans l'éteindre un immense foyer;

Et les ombres, les vents, et les flots de l'abîme,
Vers cette arche de feu tout paraissait courir
Comme si la nature et tout ce qui l'anime
En perdant la lumière avait craint de mourir.

La poussière du soir y volait de la terre,
L'écume à blancs flocons sur la vague y flottait;
Et mon regard long, triste, errant, involontaire,
Les suivait, et de pleurs sans chagrin s'humectait.

Et tout disparaissait; et mon âme oppressée
Restait vide et pareille à l'horizon couvert;
Et puis il s'élevait une seule pensée,
Comme une pyramide au milieu du désert:

O lumière! où vas-tu?   Globe épuisé de flamme,
Nuages, aquilons, vagues, où courez-vous?
Poussière, écume, nuit; vous, mes yeux; toi, mon âme,
Dites, si vous savez, où donc allons-nous tous?

A toi, grand Tout,[35] dont l'astre est la pâle étincelle
En qui la nuit, le jour, l'esprit, vont aboutir!
Flux et reflux divin de vie universelle,
Vaste océan de l'Être où tout va s'engloutir! . . .

Harmonies poétiques et religieuses

MILLY

Lamartine passa son enfance dans la propriété de ses parents à Milly, près de Mâcon; cette demeure lui était très chère, et il l'a décrite dans plusieurs poèmes. Nous donnons ici le plus célèbre, écrit en 1827 pendant un séjour en Italie. On y trouvera quelques-uns des sujets favoris du poète: l'amour de la nature, l'amour de la famille, une mélancolie sans amertume à l'idée de la mort et une confiance sereine en une vie future, qui réunira ceux qui se sont aimés ici-bas.

Pourquoi le prononcer ce nom de la patrie?
Dans son brillant exil mon cœur en a frémi;
Il résonne de loin dans mon âme attendrie,
Comme les pas connus ou la voix d'un ami.

Montagnes que voilait le brouillard de l'automne,
Vallons que tapissait le givre du matin,
Saules dont l'émondeur [36] effeuillait la couronne,
Vieilles tours que le soir dorait dans le lointain,

Murs noircis par les ans, coteaux, sentier rapide,
Fontaine où les pasteurs accroupis tour à tour
Attendaient goutte à goutte une eau rare et limpide,
Et, leur urne à la main, s'entretenaient du jour;

[35] grand Tout: on remarquera combien cette religion est vague; certains critiques ont accusé Lamartine de panthéisme.
[36] émondeur: "pruner."

Chaumière où du foyer étincelait la flamme,
Toit que le pèlerin aimait à voir fumer,
Objets inanimés, avez-vous donc une âme
Qui s'attache à notre âme et la force d'aimer?

* * *

Voilà le banc rustique où s'asseyait mon père,
La salle où résonnait sa voix mâle et sévère,
Quand les pasteurs, assis sur leurs socs [37] renversés,
Lui comptaient les sillons par chaque heure tracés,
Ou qu'encor palpitant des scènes de sa gloire, [38]
De l'échafaud des rois [39] il nous disait l'histoire,
Et, plein du grand combat qu'il avait combattu,
En racontant sa vie enseignait la vertu!
Voilà la place vide où ma mère, à toute heure,
Au plus léger soupir sortait de sa demeure,
Et, nous faisant porter ou la laine ou le pain,
Vêtissait [40] l'indigence et nourrissait la faim.
Voilà les toits de chaume où sa main attentive
Versait sur la blessure ou le miel ou l'olive, [41]
Ouvrait près du chevet des vieillards expirants
Ce livre où l'espérance est permise aux mourants,
Recueillait leurs soupirs sur leur bouche oppressée,
Faisait tourner vers Dieu leur dernière pensée,
Et, tenant par la main les plus jeunes de nous,
A la veuve, à l'enfant, qui tombaient à genoux,
Disait, en essuyant les pleurs de leurs paupières:
"Je vous donne un peu d'or, rendez-leur vos prières!"
Voilà le seuil, à l'ombre, où son pied nous berçait,
La branche du figuier que sa main abaissait;

---

[37] socs: "ploughshares."
[38] sa gloire: il avait été blessé au service du roi pendant la Révolution.
[39] l'échafaud des rois: l'exécution de Louis XVI et de Marie Antoinette.
[40] vêtissait: pour "vêtait"; forme aujourd'hui incorrecte, mais courante au 18e siècle.
[41] l'olive: c'est-à-dire, l'huile.

Voici l'étroit sentier où, quand l'airain sonore [42]
Dans le temple lointain vibrait avec l'aurore,
Nous montions sur sa trace à l'autel du Seigneur
Offrir deux purs encens, innocence et bonheur!
C'est ici que sa voix pieuse et solennelle
Nous expliquait un Dieu que nous sentions en elle,
Et, nous montrant l'épi dans son germe enfermé,
La grappe distillant son breuvage embaumé,
La génisse [43] en lait pur changeant le suc des plantes,
Le rocher qui s'entr'ouvre aux sources ruisselantes,
La laine des brebis, dérobée aux rameaux,
Servant à tapisser les doux nids des oiseaux,
Et le soleil exact à ses douze demeures,
Partageant aux climats les saisons et les heures,
Et ces astres des nuits que Dieu seul peut compter,
Mondes où la pensée ose à peine monter,
Nous enseignait la foi par la reconnaissance,
Et faisait admirer à notre simple enfance
Comment l'astre ou l'insecte invisible à nos yeux
Avaient, ainsi que nous, leur père dans les cieux!

* * *

La vie a dispersé, comme l'épi sur l'aire,[44]
Loin du champ paternel les enfants et la mère,
Et ce foyer chéri ressemble aux nids déserts
D'où l'hirondelle a fui pendant de longs hivers.
Déjà l'herbe qui croît sur les dalles antiques
Efface autour des murs les sentiers domestiques,
Et le lierre,[45] flottant comme un manteau de deuil,
Couvre à demi la porte et rampe sur le seuil;

[42] l'airain sonore: la cloche.
[43] génisse: employé poétiquement pour "vache."
[44] l'aire: "threshing floor."
[45] lierre: "ivy": détail inventé par Lamartine. Sa mère, pour réparer cette
inexactitude en planta un elle-même.

Bientôt peut-être. . . . Écarte, ô mon Dieu, ce présage!
Bientôt un étranger, inconnu du village,
Viendra, l'or à la main, s'emparer de ces lieux
Qu'habite encor pour nous l'ombre de nos aïeux,
Et d'où nos souvenirs des berceaux et des tombes
S'enfuiront à sa voix, comme un nid de colombes
Dont la hache a fauché l'arbre dans les forêts,
Et qui ne savent plus où se poser après!
Ne permets pas, Seigneur, ce deuil et cet outrage!
Ne souffre pas, mon Dieu, que notre humble héritage
Passe de mains en mains troqué contre un vil prix,
Comme le toit du vice ou le champ des proscrits;
Qu'un avide étranger vienne d'un pied superbe
Fouler l'humble sillon de nos berceaux sur l'herbe,
Dépouiller l'orphelin, grossir, compter son or
Aux lieux où l'indigence avait seule un trésor,
Et blasphémer ton nom sous ces mêmes portiques
Où ma mère à nos voix enseignait tes cantiques!
Ah! que plutôt cent fois, aux vents abandonné,
Le toit pende en lambeaux sur le mur incliné;
Que les fleurs du tombeau, les mauves,[46] les épines,
Sur les parvis [47] brisés germent dans les ruines;
Que le lézard dormant s'y réchauffe au soleil,
Que Philomèle [48] y chante aux heures du sommeil,
Que l'humble passereau,[49] les colombes fidèles,
Y rassemblent en paix leurs petits sous leurs ailes,
Et que l'oiseau du ciel vienne bâtir son nid
Aux lieux où l'innocence eut autrefois son lit!

[46] mauves: "mallows."

[47] les parvis: place devant une cathédrale.   Ce mot désigne probablement ici la cour de la maison, où l'herbe et les fleurs poussent entre les dalles disjointes.

[48] Philomèle: personnification du rossignol ("nightingale") dans la poésie classique.

[49] passereau: famille à laquelle appartiennent tous les petits oiseaux: désigne probablement ici le "moineau" ("sparrow").

Ah! si le nombre écrit sous l'œil des destinées
Jusqu'aux cheveux blanchis prolonge mes années,
Puissé-je, heureux vieillard, y voir baisser mes jours
Parmi ces monuments de mes simples amours!
Et, quand ces toits bénis et ces tristes décombres
Ne seront plus pour moi peuplés que par des ombres,
Y retrouver au moins dans les noms, dans les lieux,
Tant d'êtres adorés disparus de mes yeux!
Et vous, qui survivrez à ma cendre glacée,
Si vous voulez charmer ma dernière pensée,
Un jour, élevez-moi. . . . Non, ne m'élevez rien!
Mais, près des lieux où dort l'humble espoir du chrétien,
Creusez-moi dans ces champs la couche que j'envie
Et ce dernier sillon où germe une autre vie!
Étendez sur ma tête un lit d'herbes des champs
Que l'agneau du hameau broute encore au printemps,
Où l'oiseau dont mes sœurs ont peuplé ces asiles
Vienne aimer et chanter durant mes nuits tranquilles.
Là, pour marquer la place où vous m'allez coucher,
Roulez de la montagne un fragment du rocher;
Que nul ciseau surtout ne le taille et n'efface
La mousse des vieux jours qui brunit sa surface
Et, d'hiver en hiver incrustée à ses flancs,
Donne en lettre vivante une date à ses ans!
Point de siècle ou de nom sur cette agreste page!
Devant l'éternité tout siècle est du même âge,
Et Celui dont la voix réveille le trépas
Au défaut d'un vain nom ne nous oubliera pas!
Là, sous des cieux connus, sous les collines sombres
Qui couvrirent jadis mon berceau de leurs ombres,
Plus près du sol natal, de l'air et du soleil,
D'un sommeil plus léger j'attendrai le réveil!
Là ma cendre, mêlée à la terre qui m'aime,
Retrouvera la vie avant mon esprit même,

Verdira dans les prés, fleurira dans les fleurs,
Boira des nuits d'été les parfums et les pleurs;
Et, quand du jour sans soir la première étincelle
Viendra m'y réveiller pour l'aurore éternelle,
En ouvrant mes regards je reverrai des lieux
Adorés de mon cœur et connus de mes yeux,
Les pierres du hameau, le clocher, la montagne,
Le lit sec du torrent et l'aride campagne;
Et, rassemblant de l'œil tous les êtres chéris
Dont l'ombre près de moi dormait sous ses débris,
Avec des sœurs, un père et l'âme d'une mère,
Ne laissant plus de cendre en dépôt à la terre,
Comme le passager qui des vagues descend
Jette encore au navire un œil reconnaissant,
Nos voix diront ensemble à ces lieux pleins de charmes
L'adieu, le seul adieu qui n'aura point de larmes!

Harmonies poétiques et religieuses

LA MARSEILLAISE DE LA PAIX

En 1840, pendant une période de tension diplomatique, le poète
allemand Becker avait écrit contre les Français un hymne agressif,
commençant par ces mots: "Ils ne l'auront pas, le libre Rhin
allemand." Lamartine y répondit par "La Marseillaise de la
Paix." Avec sa générosité habituelle, il accueille la provocation
par un hymne à la concorde et à la fraternité des peuples, montrant
que le grand fleuve doit être un trait d'union plutôt qu'une barrière
entre les deux grandes nations.

Roule libre et superbe entre tes larges rives,
Rhin, Nil de l'Occident, coupe des nations!
Et des peuples assis qui boivent tes eaux vives
Emporte les défis et les ambitions!

Il ne tachera plus le cristal de ton onde,
Le sang rouge [50] du Franc, le sang bleu [51] du Germain;
Ils ne crouleront plus sous le caisson qui gronde,
Ces ponts qu'un peuple à l'autre étend comme une main!

Les bombes et l'obus, arc-en-ciel des batailles,
Ne viendront plus s'éteindre en sifflant sur tes bords;
L'enfant ne verra plus, du haut de tes murailles,
Flotter ces poitrails blonds qui perdent leurs entrailles,
    Ni sortir des flots ces bras morts!

Roule libre et limpide, en répétant l'image
De tes vieux forts [52] verdis sous leurs lierres épais,
Qui froncent tes rochers, comme un dernier nuage
Fronce encor les sourcils sur un visage en paix.

Ces navires vivants dont la vapeur est l'âme
Déploieront sur ton cours la crinière du feu;
L'écume à coups pressés jaillira sous la rame;
La fumée en courant léchera ton ciel bleu.
Le chant des passagers, que ton doux roulis berce,
Des sept langues d'Europe étourdira tes flots,
Les uns tendant leurs mains avides de commerce,
Les autres allant voir, aux monts où Dieu te verse,
    Dans quel nid le fleuve est éclos.

Roule libre et béni!   Ce Dieu qui fond la voûte
Où la main d'un enfant pourrait te contenir
Ne grossit pas ainsi ta merveilleuse goutte
Pour diviser ses fils, mais pour les réunir!

[50] sang rouge: allusion au tempérament français qui passe pour vif et hardi.
[51] sang bleu: allusion au tempérament germanique qui, au temps de Lamartine,
passait pour être calme et enclin à la rêverie.
[52] les vieux forts: les "burgs" ou vieilles forteresses féodales dont les ruines
couronnent les coteaux de la vallée du Rhin.

Pourquoi nous disputer la montagne ou la plaine?
Notre tente est légère, un vent va l'enlever;
La table où nous rompons le pain est encor pleine,
Que la mort, par nos noms, nous dit de nous lever!
Quand le sillon finit, le soc le multiplie;
Aucun œil du soleil ne tarit les rayons;
Sous le flot des épis la terre inculte plie:
Le linceul, pour couvrir la race ensevelie,
     Manque-t-il donc aux nations?

Roule libre et splendide à travers nos ruines,
Fleuve d'Arminius,[53] du Gaulois, du Germain!
Charlemagne et César, campés sur tes collines,
T'ont bu sans t'épuiser dans le creux de leur main.

Et pourquoi nous haïr, et mettre entre les races
Ces bornes ou ces eaux qu'abhorre l'œil de Dieu?
De frontières au ciel voyons-nous quelques traces?
Sa voûte a-t-elle un mur, une borne, un milieu?
Nations, mot pompeux pour dire barbarie,
L'amour s'arrête-t-il où s'arrêtent vos pas?
Déchirez ces drapeaux; une autre voix vous crie:
"L'égoïsme et la haine ont seuls une patrie;
     La fraternité n'en a pas!"

Roule libre et royal entre nous tous, ô fleuve!
Et ne t'informe pas, dans ton cours fécondant,
Si ceux que ton flot porte ou que ton urne abreuve
Regardent sur tes bords l'aurore ou l'occident.

Ce ne sont plus des mers, des degrés, des rivières,
Qui bornent l'héritage entre l'humanité;
Les bornes des esprits sont leurs seules frontières;
Le monde en s'éclairant s'élève à l'unité.

[53] Arminius: chef germain et héros national allemand, célèbre pour avoir anéanti les légions romaines de Varus (9 ap. J.-C.).

Ma patrie est partout où rayonne la France,
Où son génie éclate aux regards éblouis!
Chacun est du climat de son intelligence:
Je suis concitoyen de toute âme qui pense:
    La vérité, c'est mon pays!

Roule libre et paisible entre ces fortes races
Dont ton flot frémissant trempa l'âme et l'acier,
Et que leur vieux courroux,[54] dans le lit que tu traces,
Fonde au soleil du siècle [55] avec l'eau du glacier!

Vivent les nobles fils de la grave Allemagne!
Le sang-froid de leurs fronts couvre un foyer ardent;
Chevaliers tombés rois des mains de Charlemagne,
Leurs chefs sont les Nestors [56] des conseils d'Occident.
Leur langue a les grands plis du manteau d'une reine,
La pensée y descend dans un vague profond;
Leur cœur sûr est semblable au puits de la sirène,
Où tout ce que l'on jette, amour, bienfait ou haine,
    Ne remonte jamais du fond.

Roule libre et fidèle entre tes nobles arches.
O fleuve féodal, calme mais indompté!
Verdis le sceptre aimé de tes rois patriarches:
Le joug que l'on choisit est encor liberté!

Et vivent ces essaims de la ruche [57] de France,
    Avant-garde de Dieu,[58] qui devancent ses pas!
Comme des voyageurs qui vivent d'espérance,
Ils vont semant la terre,[59] et ne moissonnent pas . . .

[54] vieux courroux: "ancient hatreds."
[55] soleil du siècle: la fraternité des peuples, conquête du 19e siècle, fera fondre les haines comme le soleil fait fondre la glace.
[56] Nestor: dans Homère, le plus âgé et le plus sage des chefs des Grecs.
[57] essaims de la ruche: les voyageurs et les soldats français qui ont parcourru le monde sont comparés à des essaims ("swarms") qui quittent la ruche ("bee-hive").
[58] Avant-garde de Dieu: allusion à une théorie, soutenue par d'anciens historiens, qui faisait du peuple français l'instrument de la Providence. On la trouve notamment dans un recueil de textes historiques intitulé: *Gesta Dei per Francos* (1611).
[59] semant la terre: allusion au rôle libérateur des armées de la Révolution.

Le sol qu'ils ont touché germe fécond et libre;
Ils sauvent sans salaire, ils blessent sans remord:
Fiers enfants, de leur cœur l'impatiente fibre
Est la corde de l'arc où toujours leur main vibre
    Pour lancer l'idée ou la mort!

Roule libre, et bénis ces deux sangs dans ta course;
Souviens-toi pour eux tous de la main d'où tu sors:
L'aigle et le fier taureau boivent l'onde à ta source;
Que l'homme approche l'homme, et qu'il boive aux deux bords!

Amis, voyez là-bas!—La terre est grande et plane!
L'Orient délaissé s'y déroule au soleil;
L'espace y lasse en vain la lente caravane,
La solitude y dort son immense sommeil!
Là, des peuples taris [60] ont laissé leurs lits vides;
Là, d'empires poudreux les sillons sont couverts:
Là, comme un stylet d'or, l'ombre des Pyramides [61]
Mesure l'heure morte à des sables livides
    Sur le cadran nu des déserts!

Roule libre à ces mers où va mourir l'Euphrate,
Des artères du globe enlace le réseau;
Rends l'herbe et la toison [62] à cette glèbe [63] ingrate:
Que l'homme soit un peuple, [64] et les fleuves une eau!

Débordement armé des nations trop pleines,
Au souffle de l'aurore envolés les premiers,
Jetons les blonds essaims des familles humaines
Autour des nœuds des cèdres [65] et du tronc des palmiers!

---

[60] taris: "extinguished."
[61] l'ombre des Pyramides: chaque pyramide semble indiquer l'heure sur le sable comme le style sur un cadran solaire ("sun-dial").
[62] la toison: c'est-à-dire les troupeaux de moutons: "fleece."
[63] glèbe: mot poétique pour "sol": "soil."
[64] un peuple: c'est-à-dire que l'humanité ne forme plus qu'une seule nation.
[65] cèdres: "cedars."

Allons, comme Joseph,[66] comme ses onze frères,
Vers les limons [67] du Nil que labourait Apis,[68]
Trouvant de leurs sillons les moissons trop légères,
S'en allèrent jadis aux terres étrangères [69]
  Et revinrent courbés d'épis!

Roule libre, et descends des Alpes étoilées
L'arbre pyramidal [70] pour nous tailler nos mâts,
Et le chanvre et le lin [71] de tes grasses vallées;
Tes sapins sont les ponts qui joignent les climats.

Allons-y, mais sans perdre un frère dans la marche,
Sans vendre à l'oppresseur un peuple gémissant,
Sans montrer au retour aux yeux du patriarche,
Au lieu d'un fils qu'il aime, une robe de sang!
Rapportons-en le blé, l'or, la laine et la soie,
Avec la liberté, fruit qui germe en tout lieu;
Et tissons [72] de repos, d'alliance et de joie
L'étendard sympathique où le monde déploie
  L'unité, ce blason de Dieu!

Roule libre, et grossis tes ondes printanières,
Pour écumer d'ivresse autour de tes roseaux;
Et que les sept couleurs qui teignent nos bannières,
Arc-en-ciel de la paix, serpentent dans tes eaux!

        Poésies diverses

[66] Joseph: *Génèse*, XXXVII.
[67] les limons: les terres fertilisées par les inondations du Nil.
[68] Apis: le bœuf sacré des Égyptiens.
[69] les terres étrangères: dans cette strophe Lamartine donne aux nations européennes un conseil plein de bon sens; au lieu de chercher à s'arracher des territoires au prix de guerres sanglantes, elles devraient employer leur énergie à coloniser les pays fertiles et peu peuplés.
[70] L'arbre pyramidal: le sapin (allusion à sa forme).
[71] le chanvre et le lin: "hemp," "flax."
[72] tissons: "let us weave."

II. ALFRED DE VIGNY (1797–1863)

Né à Loches d'une famille noble, il devint officier en 1814, comme il était de tradition chez ses ancêtres. La paix était venue, et au lieu de la gloire dont il avait rêvé, il ne connut que la vie sévère et monotone de l'armée en temps de paix, et en 1827 il donna sa démission. Il se consacra alors entièrement aux lettres, mais ne conquit que difficilement la faveur du public. Ses tentatives pour réussir dans la politique furent également malheureuses. Découragé, il abandonna la lutte et termina sa vie dans une retraite presque absolue.

A. PRINCIPALES ŒUVRES DE VIGNY

1. Poésie: *Poèmes* (1822); *Poèmes antiques et modernes* (1826); *Poèmes* (1829); *Poèmes antiques et modernes* (1837); *Les Destinées* (1864).
2. Prose: *Cinq-Mars* (1826); *Stello* (1832); *Servitude et grandeur militaires* (1835).
3. Théâtre: *Othello* (1829); *La Maréchale d'Ancre* (1831); *Chatterton* (1835).

B. LA PERSONNALITÉ DE VIGNY

1. *Le gentilhomme.*

Vigny était avant tout un gentilhomme, très fier de sa naissance. Ses manières hautaines ont éloigné bien des sympathies et on lui a reproché de se renfermer dans sa "tour d'ivoire."[1] Mais sa distinction et la dignité avec laquelle il a subi les épreuves d'une vie malheureuse, lui ont du moins valu le respect de tous.

2. *Le penseur.*

Seul peut-être de tous les romantiques, Vigny est un penseur profond: il a créé tout un système philosophique. Son œuvre est caractérisée par un amer pessimisme que sa vie n'explique qu'en partie, et qui a été longuement élaboré dans la méditation et l'étude.

[1] "tour d'ivoire": le mot est de Sainte-Beuve.

C. L'ŒUVRE DE VIGNY

I. LE FOND

1. *Pessimisme.*

D'après Vigny, le christianisme n'a pas amélioré le sort de l'homme, qui reste le jouet d'un destin aveugle (*Les Destinées*); le génie rend l'homme isolé et malheureux ("Moïse"). D'ailleurs tous les hommes sont solitaires, car la nature est froidement indifférente ("La Maison du Berger"), la femme est perfide et dangereuse ("La colère de Samson" [2]), enfin, Dieu, s'il existe, est impuissant ou cruel ("Le Mont des Oliviers").

2. *Stoïcisme.*

La conclusion de Vigny, c'est qu'il faut lutter jusqu'au bout sans espoir, souffrir sans se plaindre et mourir en silence ("La mort du Loup").

3. *Amour et pitié.*

Mais ce stoïcisme ne doit pas nous rendre égoïstes ou durs. Si l'homme doit mépriser Dieu et la nature, éternels et indifférents, il doit aimer son semblable qui souffre et meurt comme lui ("La Maison du Berger"). Cette idée d'amour et de sacrifice est à la base du poème d'Eloa, l'ange né d'une larme du Christ qui abandonne le ciel pour l'enfer par pitié pour Satan.

4. *Optimisme.*

Il y a cependant un rayon d'espoir dans l'œuvre sombre de Vigny: il pense que le règne de l'intelligence approche, et que la science résoudra un jour tous les problèmes qui rendent l'humanité misérable ("La bouteille à la mer"). C'est pourquoi le penseur, le savant, le poète sont au-dessus des autres hommes, car c'est la pensée qui confère la véritable noblesse ("L'esprit pur").

II. LA FORME

1. *Le symbole.*

Vigny parle rarement de lui-même, et pour exprimer ses idées, il a choisi une forme impersonnelle. Chaque idée est présentée sous

---

[2] La colère de Samson: ce poème a été inspiré à Vigny par la trahison de Mme Dorval, une actrice qu'il aimait.

une forme dramatique par un symbole; il évite ainsi le ridicule des confidences romantiques, et la pensée s'augmente de la beauté de l'image qui la recouvre.

2. *Style et versification.*

Vigny travaillait assez difficilement et chez lui, la forme est très inégale: la composition, généralement excellente, est souvent alourdie par des digressions, et son vers est parfois gauche et prosaïque. Mais quand il est inspiré, il sait exprimer sa pensée avec une force incomparable, et certains de ses vers sont parmi les plus beaux de notre poésie.

D. ŒUVRES EN PROSE DE VIGNY

Elles confirment la philosophie des poèmes.

a. Romans: *Stello* (1832) raconte la mort de trois jeunes poètes, Gilbert, Chatterton et André Chénier, et montre le sort malheureux des hommes de génie. *Servitude et grandeur militaires* (1835) étudie la vie obscure du soldat, faite de résignation et de sacrifice. *Cinq-Mars* (1826), roman historique, fait revivre les luttes de Richelieu contre la noblesse.

b. Théâtre: *Chatterton* (1835).

E. CONCLUSION

Vigny a peu produit; mais par l'originalité et la profondeur de sa pensée, la puissance et la beauté de ses vers, il mérite d'être placé au tout premier rang des poètes français.

§ 1. PESSIMISME ET STOICÏSME

MOÏSE

L'idée que le génie et le pouvoir sont des obstacles au bonheur, a été exprimée par plusieurs écrivains romantiques, notamment par Chateaubriand et Madame de Staël. Vigny donne à cette pensée un relief saisissant par le symbole qu'il a choisi, et que lui-même a expliqué ainsi: "Mon Moïse n'est pas celui des Juifs. Ce grand nom ne sert que de masque à un homme de tous les siècles et plus moderne qu'antique: l'homme de génie, las de son éternel veuvage et désespéré de voir sa solitude de plus en plus vaste et plus aride à mesure qu'il grandit. Fatigué de sa grandeur, il demande le néant." (Lettre écrite en 1838).

Le soleil prolongeait sur la cime des tentes
Ces obliques rayons, ces flammes éclatantes,
Ces larges traces d'or qu'il laisse dans les airs,
Lorsqu'en un lit de sable il se couche aux déserts.
La pourpre et l'or semblaient revêtir la campagne.
Du stérile Nébo [3] gravissant la montagne,
Moïse, homme de Dieu, s'arrête, et, sans orgueil,
Sur le vaste horizon promène un long coup d'œil.
Il voit d'abord Phasga, que des figuiers entourent;
Puis, au delà des monts [4] que ses regards parcourent,
S'étend tout Galaad, Ephraïm, Manassé,
Dont le pays fertile à sa droite est placé;
Vers le Midi, Juda, grand et stérile, étale
Ses sables où s'endort la mer occidentale; [5]
Plus loin, dans un vallon que le soir a pâli,
Couronné d'oliviers, se montre Nephtali;
Dans des plaines de fleurs magnifiques et calmes,
Jéricho s'aperçoit: c'est la ville des palmes;
Et, prolongeant ses bois, des plaines de Phogor,
Le lentisque touffu s'étend jusqu'à Ségor.
Il voit tout Chanaan, [6] et la terre promise,
Où sa tombe, il le sait, ne sera point admise.
Il voit; sur les Hébreux étend sa grande main,
Puis vers le haut du mont il reprend son chemin.

Or, des champs de Moab [7] couvrant la vaste enceinte,
Pressés au large pied de la montagne sainte,

[3] Nébo: montagne à l'est de la mer Morte.
[4] au delà des monts: la chaîne du Liban ("Lebanon").
[5] la mer occidentale: nom de la Méditerranée dans la Bible.
[6] Chanaan: "Canaan."
[7] Moab: pays situé au sud du Nébo, où les Hébreux s'étaient arrêtés avant de pénétrer sur la terre promise.

Les enfants d'Israël s'agitaient au vallon
Comme les blés épais qu'agite l'aquilon.

Dès l'heure où la rosée humecte l'or des sables
Et balance sa perle au sommet des érables,[8]
Prophète centenaire, environné d'honneur,
Moïse était parti pour trouver le Seigneur.
On le suivait des yeux aux flammes de sa tête,
Et, lorsque du grand mont il atteignit le faîte,
Lorsque son front perça le nuage de Dieu
Qui couronnait d'éclairs la cime du haut lieu,
L'encens brûla partout sur les autels de pierre.
Et six cent mille Hébreux, courbés dans la poussière,
A l'ombre du parfum [9] par le soleil doré,
Chantèrent d'une voix le cantique sacré;
Et les fils de Lévi,[10] s'élevant sur la foule,
Tels qu'un bois de cyprès sur le sable qui roule,
Du peuple avec la harpe accompagnant les voix,
Dirigeaient vers le ciel l'hymne du Roi des Rois.

Et, debout devant Dieu, Moïse ayant pris place,
Dans le nuage obscur lui parlait face à face.

Il disait au Seigneur: "Ne finirai-je pas?
Où voulez-vous encore que je porte mes pas?
Je vivrai donc toujours puissant et solitaire?
Laissez-moi m'endormir du sommeil de la terre.—
Que vous ai-je donc fait pour être votre élu?
J'ai conduit votre peuple où vous avez voulu.
Voilà que son pied touche à la terre promise.

[8] érables: "maples."
[9] A l'ombre du parfum: allusion aux vapeurs de l'encens.
[10] les fils de Lévi: les descendants de Lévi, ou lévites, étaient consacrés au culte religieux.

De vous à lui qu'un autre accepte l'entremise,[11]
Au coursier d'Israël qu'il attache le frein; [12]
Je lui lègue mon livre [13] et la verge d'airain.[14]

"Pourquoi vous fallut-il tarir mes espérances,
Ne pas me laisser homme avec mes ignorances,
Puisque du mont Horeb [15] jusques au mont Nébo
Je n'ai pas pu trouver le lieu de mon tombeau?
Hélas! vous m'avez fait sage parmi les sages!
Mon doigt du peuple errant a guidé les passages.[16]
J'ai fait pleuvoir le feu [17] sur la tête des rois;
L'avenir à genoux adorera mes lois; [18]
Des tombes des humains j'ouvre la plus antique,[19]
La mort trouve à ma voix une voix prophétique,
Je suis très grand, mes pieds sont sur les nations,
Ma main fait et défait les générations.—
Hélas! je suis, Seigneur, puissant et solitaire,
Laissez-moi m'endormir du sommeil de la terre!

"Hélas! je sais aussi tous les secrets des cieux,
Et vous m'avez prêté la force de vos yeux.
Je commande à la nuit de déchirer ses voiles; [20]
Ma bouche par leur nom a compté les étoiles,
Et, dès qu'au firmament mon geste l'appela,
Chacune s'est hâtée en disant: "Me voilà."

[11] l'entremise: la mission de transmettre la volonté de Dieu.
[12] frein: "bit."
[13] mon livre: le *Pentateuque*, première partie de l'Ancien Testament, que la tradition attribue à Moïse.
[14] la verge d'airain: celle avec laquelle Moïse frappa le rocher dans le désert pour faire jaillir de l'eau.
[15] le mont Horeb: montagne dans le désert de Sinaï. C'est là que Dieu apparut pour la première fois à Moïse.
[16] a guidé les passages: la traversée du désert et celle de la mer Rouge.
[17] pleuvoir le feu: la grêle et le feu que Moïse fit pleuvoir sur l'Égypte.
[18] mes lois: le *Décalogue*.
[19] la plus antique: peut-être une allusion à la première mort humaine, celle d'Abel, que décrit Moïse dans la *Genèse*.
[20] déchirer ses voiles: allusion à la colonne de feu qui guida les Hébreux dans le désert.

J'impose mes deux mains sur le front des nuages
Pour tarir dans leurs flancs la source des orages;
J'engloutis les cités sous les sables mouvants;
Je renverse les monts sous les ailes des vents;
Mon pied infatigable est plus fort que l'espace;
Le fleuve [21] aux grandes eaux se range quand je passe,
Et la voix de la mer se tait devant ma voix.
Lorsque mon peuple souffre, ou qu'il lui faut des lois,
J'élève mes regards, votre esprit me visite;
La terre alors chancelle et le soleil hésite,
Vos anges sont jaloux et m'admirent entre eux.—
Et cependant, Seigneur, je ne suis pas heureux;
Vous m'avez fait vieillir puissant et solitaire,
Laissez-moi m'endormir du sommeil de la terre!

"Sitôt que votre souffle a rempli le berger,[22]
Les hommes se sont dit: "Il nous est étranger";
Et les yeux se baissaient devant mes yeux de flamme,
Car ils venaient, hélas! d'y voir plus que mon âme.[23]
J'ai vu l'amour s'éteindre et l'amitié tarir;
Les vierges se voilaient et craignaient de mourir.[24]
M'enveloppant alors de la colonne noire,
J'ai marché devant tous, triste et seul dans ma gloire,
Et j'ai dit dans mon cœur: "Que vouloir à présent?"
Pour dormir sur un sein mon front est trop pesant,
Ma main laisse l'effroi sur la main qu'elle touche,
L'orage est dans ma voix, l'éclair est sur ma bouche;
Aussi, loin de m'aimer, voilà qu'ils tremblent tous,
Et, quand j'ouvre les bras,[25] on tombe à mes genoux.

[21] Le fleuve: la mer Rouge.
[22] le berger: Moïse avait gardé les troupeaux de son beau-père Jéthro.
[23] voir plus que mon âme: ils voyaient dans les yeux de Moïse la lumière de l'inspiration divine.
[24] craignaient de mourir: elles craignaient de commettre un sacrilège en aimant l'homme inspiré par Dieu.
[25] j'ouvre les bras: on remarquera combien ce Moïse tendre et affectueux est différent du farouche prophète de la Bible.

O Seigneur! j'ai vécu puissant et solitaire,
Laissez-moi m'endormir du sommeil de la terre!"

Or, le peuple attendait, et, craignant son courroux,
Priait sans regarder le mont du Dieu jaloux; [26]
Car, s'il levait les yeux, les flancs noirs du nuage
Roulaient et redoublaient les foudres de l'orage,
Et le feu des éclairs, aveuglant les regards,
Enchaînait tous les fronts courbés de toutes parts.
Bientôt le haut du mont reparut sans Moïse.—
Il fut pleuré.—Marchant vers la terre promise,
Josué [27] s'avançait pensif, et pâlissant,
Car il était déjà l'élu du Tout-Puissant.

Poèmes antiques et modernes

LA MAISON DU BERGER

À ÉVA

On ignore le nom de la femme qui a inspiré ce poème et à laquelle il est dédié.   Le titre en a été emprunté par Vigny à un passage des *Martyrs* [28] de Chateaubriand.   Il est très long et très touffu; nous n'en donnons qu'un extrait.

1ère partie: Le poète invite son amie à venir vivre avec lui dans la solitude où ils cacheront leur amour dans la " Maison du Berger." (Nous omettons la fin de cette première partie, digression souvent maladroite sur les chemins de fer qui détruisent la poésie et la beauté.)

2ème partie (omise ici): Ce qui fait la valeur de la vie, c'est la poésie, forme supérieure de la pensée; elle sera révélée aux deux voyageurs parce qu'ils vivront dans la solitude, nécessaire à la pensée.

[26] le Dieu jaloux: expression biblique.
[27] Josué: "Joshua"; il avait été désigné par Moïse comme son successeur. C'est lui qui conduisit les Hébreux dans le pays de Chanaan.
[28] *Les Martyrs*, Chap. X: Velléda, prêtresse gauloise, dit au soldat romain Eudore, qu'elle aime: "Je n'ai jamais aperçu au coin d'un bois la hutte roulante d'un berger sans penser qu'elle me suffirait avec toi."

3ème partie (donnée en entier): Elle débute par un hymne d'amour à la femme dont l'intelligence complète celle de l'homme et l'aide à découvrir les secrets de l'univers; l'amour est donc nécessaire au penseur et au poète.   La femme doit être adorée comme une idole et la nature n'est qu'un cadre qui doit mettre en valeur sa beauté. La nature, loin d'être maternelle et consolatrice, est indifférente et hostile à l'homme; celui-ci devra donc réserver son amour et sa pitié pour ses semblables qui souffrent et meurent comme lui, et surtout pour la femme, qui a besoin de son appui.

Il faut remarquer dans ce poème:

1. L'idéalisation de la femme, qu'on trouve dans l'œuvre de Vigny à côté de violentes attaques comme "La colère de Samson."

2. L'attitude de Vigny envers la nature, très différente de celle des autres romantiques, et qui montre l'originalité de son inspiration poétique.

I

Si ton cœur, gémissant du poids de notre vie,
Se traîne et se débat comme un aigle blessé,
Portant comme le mien, sur son aile asservie,
Tout un monde fatal, écrasant et glacé;
S'il ne bat qu'en saignant par sa plaie immortelle,
S'il ne voit plus l'amour, son étoile fidèle,
Éclairer pour lui seul l'horizon effacé;

Si ton âme enchaînée,[29] ainsi que l'est mon âme,
Lasse de son boulet et de son pain amer,
Sur sa galère en deuil laisse tomber la rame,
Penche sa tête pâle et pleure sur la mer,
Et cherchant dans les flots une route inconnue,
Y voit,[30] en frissonnant, sur son épaule nue,
La lettre sociale [31] écrite avec le fer;

[29] enchaînée: l'âme d'élite enchaînée par les contraintes de la vie sociale est comparée au galérien qui traîne son boulet.
[30] Y voit: voit son image reflétée dans la mer.
[31] La lettre sociale: la lettre marquée au fer rouge sur l'épaule des forçats, punis par la société.

Si ton corps, frémissant des passions secrètes,
S'indigne des regards,[32] timide et palpitant;
S'il cherche à sa beauté de profondes retraites
Pour la mieux dérober au profane insultant;
Si ta lèvre se sèche au poison des mensonges,[33]
Si ton beau front rougit de passer dans les songes
D'un impur inconnu qui te voit et t'entend,

Pars courageusement, laisse toutes les villes;
Ne ternis plus tes pieds aux poudres du chemin,
Du haut de nos pensers vois les cités serviles
Comme les rocs fatals [34] de l'esclavage humain.
Les grands bois et les champs sont de vastes asiles,
Libres comme la mer autour des sombres îles.
Marche à travers les champs une fleur à la main.

La Nature t'attend dans un silence austère;
L'herbe élève à tes pieds son nuage des soirs,
Et le soupir d'adieu du soleil à la terre
Balance les beaux lis comme des encensoirs.
La forêt a voilé ses colonnes profondes,
La montagne se cache, et sur les pâles ondes
Le saule a suspendu ses chastes reposoirs.[35]

Le crépuscule ami s'endort dans la vallée,
Sur l'herbe d'émeraude et sur l'or du gazon,
Sous les timides joncs de la source isolée

[32] S'indigne des regards: peut-être une allusion au sort d'une comédienne livrée sur la scène à la curiosité du public. On a voulu voir là une allusion à Mme Dorval.
[33] mensonges: la comédienne feint d'éprouver les sentiments et les passions du personnage qu'elle interprète.
[34] les rocs fatals: les villes sont comparées à des rochers sur lesquels l'homme est enchaîné. Le poète pense sans doute à Prométhée.
[35] reposoirs: les berceaux formés par le feuillage du saule sont comparés à des reposoirs ("temporary altars").

Et sous le bois rêveur qui tremble à l'horizon,
Se balance en fuyant dans les grappes sauvages,
Jette son manteau gris sur le bord des rivages,
Et des fleurs de la nuit entr'ouvre la prison.[36]

Il est sur ma montagne une épaisse bruyère
Où les pas du chasseur ont peine à se plonger,
Qui plus haut que nos fronts lève sa tête altière,
Et garde dans la nuit le pâtre et l'étranger.
Viens y cacher l'amour et ta divine faute; [37]
Si l'herbe est agitée ou n'est pas assez haute,
J'y roulerai pour toi la Maison du Berger.

Elle va doucement avec ses quatre roues,
Son toit n'est pas plus haut que ton front et tes yeux;
La couleur du corail et celle de tes joues
Teignent le char nocturne et ses muets essieux.
Le seuil est parfumé, l'alcôve est large et sombre,
Et, là, parmi les fleurs, nous trouverons dans l'ombre,
Pour nos cheveux unis, un lit silencieux.

Je verrai, si tu veux, les pays de la neige,
Ceux où l'astre amoureux [38] dévore et resplendit,
Ceux que heurtent les vents, ceux que la mer assiège,
Ceux où le pôle obscur sous sa glace est maudit.
Nous suivrons du hasard la course vagabonde.
Que m'importe le jour, que m'importe le monde?
Je dirai qu'ils sont beaux quand tes yeux l'auront dit.

*   *   *   *   *   *   *   *   *

[36] la prison: allusion à certaines fleurs qui ne s'ouvrent que la nuit.
[37] ta divine faute: idéalisation romantique de la passion.
[38] l'astre amoureux: le soleil, dont la flamme est comparée à celle de la passion.

III

Éva, qui donc es-tu? Sais-tu bien ta nature?
Sais-tu quel est ici ton but et ton devoir?
Sais-tu que, pour punir l'homme, sa créature,
D'avoir porté la main sur l'arbre du savoir,
Dieu permit qu'avant tout, de l'amour de soi-même
En tout temps, à tout âge, il fît son bien suprême,
Tourmenté de s'aimer, tourmenté de se voir?

Mais si Dieu près de lui t'a voulu mettre, ô femme!
Compagne délicate! Éva! sais-tu pourquoi?
C'est pour qu'il se regarde au miroir d'une autre âme,
Qu'il entende ce chant qui ne vient que de toi:
—L'enthousiasme pur dans une voix suave.
C'est afin que tu sois son juge et son esclave
Et règnes sur sa vie en vivant sous sa loi.

Ta parole joyeuse a des mots despotiques;
Tes yeux sont si puissants, ton aspect est si fort,
Que les rois d'Orient ont dit dans leurs cantiques
Ton regard redoutable à l'égal de la mort; [39]
Chacun cherche à fléchir tes jugements rapides . . .
—Mais ton cœur, qui dément tes formes intrépides,
Cède sans coup férir aux rudesses du sort.

Ta pensée a des bonds comme ceux des gazelles,
Mais ne saurait marcher sans guide et sans appui.
Le sol meurtrit ses pieds, l'air fatigue ses ailes,
Son œil se ferme au jour dès que le jour a lui;
Parfois, sur les hauts lieux [40] d'un seul élan posée,
Troublée au bruit des vents, ta mobile pensée
Ne peut seule y veiller sans crainte et sans ennui.

[39] la mort: "L'amour est fort comme la mort (Salomon dans le *Cantique des Cantiques*, VIII, 6.).
[40] sur les hauts lieux: les sommets de la pensée philosophique.

Mais aussi tu n'as rien de nos lâches prudences,
Ton cœur vibre et résonne au cri de l'opprimé,
Comme dans une église aux austères silences
L'orgue entend un soupir et soupire alarmé.
Tes paroles de feu meuvent les multitudes,
Tes pleurs lavent l'injure et les ingratitudes,
Tu pousses par le bras l'homme . . . il se lève armé.

C'est à toi qu'il convient d'ouïr les grandes plaintes
Que l'humanité triste exhale sourdement.
Quand le cœur est gonflé d'indignations saintes,
L'air des cités l'étouffe à chaque battement.
Mais de loin les soupirs des tourmentes civiles,
S'unissant au-dessus du charbon noir des villes,
Ne forment qu'un grand mot qu'on entend clairement.

Viens donc! le ciel pour moi n'est plus qu'une auréole
Qui t'entoure d'azur, t'éclaire et te défend;
La montagne est ton temple et le bois sa coupole;
L'oiseau n'est sur la fleur balancé par le vent,
Et la fleur ne parfume et l'oiseau ne soupire
Que pour mieux enchanter l'air que ton sein respire;
La terre est le tapis de tes beaux pieds d'enfant.

Éva, j'aimerai tout dans les choses créées,
Je les contemplerai dans ton regard rêveur
Qui partout répandra ses flammes colorées,
Son repos gracieux, sa magique saveur:
Sur mon cœur déchiré viens poser ta main pure,
Ne me laisse jamais seul avec la Nature;
Car je la connais trop pour n'en pas avoir peur.

Elle me dit: "Je suis l'impassible théâtre
Que ne peut remuer le pied de ses acteurs;
Mes marches d'émeraude et mes parvis d'albâtre,
Mes colonnes de marbre ont les dieux pour sculpteurs.[41]

[41] ont les dieux pour sculpteurs: la nature est l'œuvre des dieux et non des hommes. Elle est en-dehors de l'humanité.

Je n'entends ni vos cris ni vos soupirs; à peine
Je sens passer sur moi la comédie humaine [42]
Qui cherche en vain au ciel ses muets spectateurs.

"Je roule [43] avec dédain, sans voir et sans entendre,
A côté des fourmis les populations;
Je ne distingue pas leur terrier [44] de leur cendre,
J'ignore en les portant les noms des nations,
On me dit une mère, et je suis une tombe.
Mon hiver prend vos morts comme son hécatombe,[45]
Mon printemps ne sent pas vos adorations.

"Avant vous, j'étais belle et toujours parfumée,
J'abandonnais au vent mes cheveux tout entiers,
Je suivais dans les cieux ma route accoutumée,
Sur l'axe harmonieux [46] des divins balanciers,
Après vous, traversant l'espace où tout s'élance,
J'irai seule et sereine, en un chaste silence
Je fendrai l'air du front et de mes seins altiers." [47]

C'est là ce que me dit sa voix triste et superbe,[48]
Et dans mon cœur alors je la hais et je vois
Notre sang dans son onde et nos morts sous son herbe
Nourrissant de leurs sucs la racine des bois.
Et je dis à mes yeux qui lui trouvaient des charmes:
Ailleurs tous vos regards, ailleurs toutes vos larmes,
Aimez ce que jamais on ne verra deux fois.[49]

[42] la comédie humaine: allusion au titre que Balzac venait de donner (1842) à l'ensemble de son œuvre.

[43] Je roule: la nature se confond ici avec la terre qui tourne et semble "rouler" dans l'espace.

[44] terrier: le gîte d'un animal, creusé dans la terre, employé dédaigneusement pour désigner les habitations humaines: "burrow."

[45] hécatombe: dans les religions antiques sacrifice de cent bœufs à la divinité. L'idée ici est que la nature, hostile et cruelle, exige des sacrifices humains.

[46] l'axe harmonieux: allusion aux lois mathématiques qui déterminent la course des astres et peut-être aussi à la théorie de "l'harmonie des sphères."

[47] mes seins altiers: Vigny représente maintenant la terre sous les traits d'une déesse à la beauté sculpturale qui fend l'espace.

[48] superbe: ici, orgueilleuse, hautaine.

[49] on ne verra deux fois: c'est-à-dire l'individu humain avec sa personnalité particulière.

Oh! qui verra deux fois ta grâce et ta tendresse,
Ange doux et plaintif qui parle en soupirant?
Qui naîtra comme toi portant une caresse
Dans chaque éclair tombé de ton regard mourant,
Dans les balancements de ta tête penchée,
Dans ta taille indolente et mollement couchée,[50]
Et dans ton pur sourire amoureux et souffrant?

Vivez, froide Nature, et revivez sans cesse
Sous nos pieds, sur nos fronts, puisque c'est votre loi;
Vivez, et dédaignez, si [51] vous êtes déesse,
L'homme, humble passager, qui dut [52] vous être un roi;
Plus que tout votre règne et que ses splendeurs vaines,
J'aime la majesté des souffrances humaines,
Vous ne recevrez pas un cri d'amour de moi.

Mais toi, ne veux-tu pas, voyageuse indolente,
Rêver sur mon épaule, en y posant ton front?
Viens du paisible seuil de la maison roulante
Voir ceux qui sont passés et ceux qui passeront.
Tous les tableaux humains qu'un Esprit pur [53] m'apporte
S'animeront pour toi quand, devant notre porte,
Les grands pays muets longuement s'étendront.

Nous marcherons ainsi, ne laissant que notre ombre
Sur cette terre ingrate où les morts ont passé;
Nous nous parlerons d'eux à l'heure où tout est sombre,
Où tu te plais à suivre un chemin effacé,
A rêver, appuyée aux branches incertaines,
Pleurant, comme Diane [54] au bord de ses fontaines,
Ton amour taciturne [55] et toujours menacé.

[50] couchée: inclinée.
[51] si: puisque.
[52] qui dut: vieille construction pour "aurait dû."
[53] Esprit pur: l'intelligence.
[54] Diane: peut-être une allusion aux pleurs de Diane, déesse des forêts et des sources, à la mort du chasseur Orion qu'elle aimait.
[55] taciturne: la femme qui craint toujours de perdre l'amour de l'homme qu'elle aime, le tient caché comme un secret.

Les Destinées

LE MONT DES OLIVIERS

Vigny s'est inspiré dans ce poème des passages des *Écritures* qui relatent que, pendant la nuit qu'il passa au Jardin des Oliviers, Jésus faiblit à l'idée du sort qui l'attendait et demanda à Dieu de l'épargner. Vigny donne à ces faits une interprétation personnelle: ce que le Christ craignait, c'était que sa mort ne fût inutile. En échange de sa vie, il demanda que l'humanité fût libérée des maux qui l'affligent: mais Dieu ne répondit pas à sa prière. On peut rapprocher ce poème du plan d'un poème que Vigny voulait écrire: "Le jugement dernier." "Ce sera ce jour-là que Dieu viendra se justifier devant toutes les âmes et tout ce qui est vie. Il paraîtra et parlera, il dira clairement pourquoi la création et pourquoi la souffrance et la mort de l'innocence, etc. En ce moment, ce sera le genre humain ressuscité qui sera le juge, et l'Éternel, le Créateur sera jugé par les générations rendues à la vie." (*Journal d'un poète.*)

I

Alors il était nuit et Jésus marchait seul,
Vêtu de blanc ainsi qu'un mort de son linceul;
Les disciples dormaient au pied de la colline.
Parmi les oliviers, qu'un vent sinistre incline,
Jésus marche à grands pas en frissonnant comme eux,
Triste jusqu'à la mort, l'œil sombre et ténébreux,
Le front baissé, croisant les deux bras sur sa robe
Comme un voleur de nuit cachant ce qu'il dérobe;
Connaissant les rochers mieux qu'un sentier uni,
Il s'arrête en un lieu nommé Gethsémani.
Il se courbe, à genoux, le front contre la terre,
Puis regarde le ciel en appelant: "Mon Père!"
—Mais le ciel reste noir, et Dieu ne répond pas.
Il se lève étonné, marche encore à grands pas,
Froissant les oliviers qui tremblent. Froide et lente,
Découle de sa tête une sueur sanglante.[56]
Il recule, il descend, il crie avec effroi:

[56] une sueur sanglante: *Saint Luc, XXII. 44–45* . . . et il lui vint une sueur comme de gouttes de sang qui découlaient jusqu'à terre.

"Ne pouviez-vous prier et veiller avec moi?"
Mais un sommeil de mort accable les apôtres,
Pierre à la voix du maître est sourd comme les autres.
Le Fils de l'Homme alors remonte lentement.
Comme un pasteur d'Égypte [57] il cherche au firmament
Si l'Ange ne luit pas au fond de quelque étoile.
Mais un nuage en deuil s'étend comme le voile
D'une veuve, et ses plis entourent le désert.
Jésus, se rappelant ce qu'il avait souffert
Depuis trente-trois ans, devint homme, et la crainte
Serra son cœur mortel d'une invincible étreinte.
Il eut froid.   Vainement il appela trois fois:
"Mon Père!"—Le vent seul répondit à sa voix.
Il tomba sur le sable assis, et, dans sa peine,
Eut sur le monde et l'homme une pensée humaine.
—Et la terre trembla, sentant la pesanteur
Du Sauveur qui tombait aux pieds du Créateur.

II

Jésus disait: "O Père, encor laisse-moi vivre!
Avant le dernier mot ne ferme pas mon livre!
Ne sens-tu pas le monde et tout le genre humain
Qui souffre avec ma chair et frémit dans ta main?
C'est que la Terre a peur de rester seule et veuve,
Quand meurt celui qui dit une parole neuve,
Et que tu n'as laissé dans son sein desséché
Tomber qu'un mot du ciel par ma bouche épanché.
Mais ce mot est si pur et sa douceur est telle,
Qu'il a comme enivré la famille mortelle
D'une goutte de vie et de divinité,
Lorsqu'en ouvrant les bras j'ai dit: FRATERNITÉ!
"—Père, oh! si j'ai rempli mon douloureux message,
Si j'ai caché le Dieu sous la face du sage,

[57] un pasteur d'Égypte: la tradition rapporte que les premières observations
astronomiques furent faites par des bergers chaldéens et égyptiens.

Du sacrifice humain si j'ai changé le prix,
Pour l'offrande des corps recevant les esprits,
Substituant partout aux choses le symbole,[58]
La parole au combat,[59] comme aux trésors l'obole,[60]
Aux flots rouges du sang les flots vermeils du vin,
Aux membres de la chair le pain blanc sans levain;
Si j'ai coupé les temps en deux parts, l'une esclave
Et l'autre libre;[61]—au nom du passé que je lave
Par le sang de mon corps qui souffre et va finir,
Versons-en la moitié pour laver l'avenir!
Père libérateur! jette aujourd'hui, d'avance,
La moitié de ce sang d'amour et d'innocence
Sur la tête de ceux qui viendront en disant:
"—Il est permis pour tous de tuer l'innocent."[62]
Nous savons qu'il naîtra, dans le lointain des âges,
Des dominateurs durs escortés de faux sages
Qui troubleront l'esprit de chaque nation
En donnant un faux sens à ma rédemption.
—Hélas! je parle encor que déjà ma parole
Est tournée en poison dans chaque parabole;
Éloigne ce calice[63] impur et plus amer
Que le fiel, ou l'absinthe, ou les eaux de la mer.
Les verges qui viendront, la couronne d'épine,
Les clous des mains, la lance au fond de ma poitrine,
Enfin toute la croix qui se dresse et m'attend,
N'ont rien, mon Père, oh! rien qui m'épouvante autant!

[58] le symbole: aux sacrifices sanglants des religions primitives Jésus avait substitué le sacrifice symbolique du pain et du vin.
[59] parole au combat: *Saint Mathieu, V., 9:* "Bienheureux ceux qui sont pacifiques."
[60] l'obole: allusion à *Saint Marc, XII. 41-44:* l'obole de la veuve ("the widow's mite").
[61] libre: le Christ représente son œuvre comme ayant amené la libération de l'humanité.
[62] tuer l'innocent: allusion aux fanatiques religieux ou politiques qui tuent pour faire le bonheur de l'humanité.
[63] ce calice: *Saint Luc, XXII. 42:* "Mon père, si vous voulez, éloignez ce calice de moi."

"Quand les Dieux veulent bien s'abattre sur les mondes,
Ils n'y doivent laisser que des traces profondes,
Et si j'ai mis le pied sur ce globe incomplet,
Dont le gémissement sans repos m'appelait,
C'était pour y laisser deux anges à ma place
De qui la race humaine aurait baisé la trace,
La Certitude heureuse et l'Espoir confiant,
Qui, dans le Paradis, marchent en souriant.
Mais je vais la quitter, cette indigente terre,
N'ayant que soulevé ce manteau de misère
Qui l'entoure à grands plis, drap lugubre et fatal,
Que d'un bout tient le Doute et de l'autre le Mal.

"Mal et Doute!   En un mot je puis les mettre en poudre.
Vous les aviez prévus, laissez-moi vous absoudre
De les avoir permis.—C'est l'accusation
Qui pèse de partout sur la création!—
Sur son tombeau désert faisons monter Lazare.
Du grand secret des morts qu'il ne soit plus avare,
Et de ce qu'il a vu donnons-lui souvenir;
Qu'il parle.—Ce qui dure et ce qui doit finir,
Ce qu'a mis le Seigneur au cœur de la Nature,
Ce qu'elle prend et donne à toute créature,
Quels sont avec le ciel ses muets entretiens,
Son amour ineffable et ses chastes liens,
Comment tout s'y détruit et tout s'y renouvelle,
Pourquoi ce qui s'y cache et ce qui s'y révèle;
Si les astres des cieux tout à tour éprouvés
Sont comme celui-ci coupables et sauvés;
Si la Terre est pour eux ou s'ils sont pour la Terre; [64]
Ce qu'a de vrai la fable et de clair le mystère,
D'ignorant le savoir et de faux la raison;
Pourquoi l'âme est liée en sa faible prison,

[64] C'est-à-dire, la Terre est-elle le centre de l'Univers ou au contraire n'en est-elle qu'une partie insignifiante?

Et pourquoi nul sentier entre deux larges voies,
Entre l'ennui du calme et des paisibles joies
Et la rage sans fin des vagues passions,
Entre la léthargie et les convulsions;
Et pourquoi pend la Mort comme une sombre épée
Attristant la Nature à tout moment frappée;
Si le Juste et le Bien, si l'Injuste et le Mal
Sont de vils accidents en un cercle fatal,
Ou si de l'univers ils sont les deux grands pôles,
Soutenant terre et cieux sur leurs vastes épaules;
Et pourquoi les Esprits du mal sont triomphants
Des maux immérités, de la mort des enfants;
Et si les Nations sont des femmes guidées
Par les étoiles d'or des divines idées,
Ou de folles enfants sans lampes dans la nuit,
Se heurtant et pleurant et que rien ne conduit;
Et si, lorsque des temps l'horloge périssable
Aura jusqu'au dernier versé ses grains de sable,
Un regard de vos yeux, un cri de votre voix,
Un soupir de mon cœur, un signe de ma croix,
Pourra faire ouvrir l'ongle aux Peines Éternelles,
Lâcher leur proie humaine et reployer leurs ailes:
Tout sera révélé dès que l'homme saura
De quels lieux il arrive et dans quels il ira."

III

Ainsi le divin Fils parlait au divin Père.
Il se prosterne encore, il attend, il espère,
Mais il renonce et dit: "Que votre volonté
Soit faite et non la mienne [65] et pour l'éternité!"
Une terreur profonde, une angoisse infinie
Redoublent sa torture et sa lente agonie.

---

[65] non la mienne: *Saint Luc, XXII. 42.* "Néanmoins que ce ne soit pas ma volonté qui se fasse mais la vôtre."

Il regarde longtemps, longtemps cherche sans voir.
Comme un marbre de deuil tout le ciel était noir;
La Terre sans clartés, sans astre et sans aurore,
Et sans clartés de l'âme ainsi qu'elle est encore,
Frémissait.—Dans le bois il entendit des pas,
Et puis il vit rôder la torche de Judas.[66]

LE SILENCE [67]

S'il est vrai qu'au Jardin sacré des Écritures,
Le Fils de l'Homme ait dit ce qu'on voit rapporté;
Muet, aveugle et sourd au cri des créatures,
Si le Ciel nous laissa comme un monde avorté,
Le juste opposera le dédain à l'absence,
Et ne répondra plus que par un froid silence
Au silence éternel de la Divinité.

Les Destinées

LA MORT DU LOUP

L'idée première de ce poème a été suggérée à Vigny soit par des souvenirs personnels, soit par des récits de chasse entendus dans sa jeunesse. Le titre est inspiré par deux vers de Byron dans *Childe Harold*.[68]

C'est le plus important des poèmes de Vigny car c'est celui dans lequel il donne les conclusions auxquelles aboutit sa théorie pessimiste de l'existence. C'est aussi un des plus beaux par la clarté du symbole, l'harmonie entre l'idée et le décor, la netteté de la composition et la perfection de la forme.

[66] Judas: *Saint Jean, XVIII*, 3, ". . . il vint en ce lieu avec des lanternes, des flambeaux et des armes."
[67] Le Silence: cette strophe fut ajoutée en 1862, près de vingt ans après la publication du poème.
[68] *Childe Harold*, (*IV, XXI*):

> And the wolf dies in silence,—not bestow'd
> In vain should such example be.

I

Les nuages couraient sur la lune enflammée
Comme sur l'incendie on voit fuir la fumée,
Et les bois étaient noirs jusques à l'horizon.
Nous marchions, sans parler, dans l'humide gazon,
Dans la bruyère épaisse et dans les hautes brandes,[69]
Lorsque, sous des sapins pareils à ceux des Landes,[70]
Nous avons aperçu les grands ongles marqués
Par les loups voyageurs que nous avions traqués.
Nous avons écouté, retenant notre haleine
Et le pas suspendu.—Ni le bois ni la plaine
Ne poussaient un soupir dans les airs; seulement
La girouette [71] en deuil criait au firmament,
Car le vent, élevé bien au-dessus des terres,
N'effleurait de ses pieds que les tours solitaires,
Et les chênes d'en bas, contre les rocs penchés,
Sur leurs coudes semblaient endormis et couchés.
Rien ne bruissait donc, lorsque, baissant la tête,
Le plus vieux des chasseurs qui s'étaient mis en quête [72]
A regardé le sable en s'y couchant; bientôt,
Lui que jamais ici l'on ne vit en défaut,[73]
A déclaré tout bas que ces marques récentes
Annonçaient la démarche et les griffes puissantes
De deux grands loups-cerviers [74] et de deux louveteaux.
Nous avons tous alors préparé nos couteaux,
Et, cachant nos fusils et leurs lueurs trop blanches,
Nous allions, pas à pas, en écartant les branches.
Trois s'arrêtent, et moi, cherchant ce qu'ils voyaient,
J'aperçois tout à coup deux yeux qui flamboyaient,

---

[69] brandes: sortes de broussailles.
[70] Landes: région située au sud de Bordeaux le long de la côte de l'Océan Atlantique.
[71] girouette: "weather vane."
[72] en quête: terme de chasse: "chercher la piste du gibier."
[73] en défaut: terme de chasse qui veut dire "perdre la piste": "in fault."
[74] loup-cervier: ce mot désigne généralement le lynx. Souvent employé, comme ici, dans le sens de grand loup.

Et je vois au-delà quatre formes légères
Qui dansaient sous la lune au milieu des bruyères,
Comme font, chaque jour, à grand bruit sous nos yeux,
Quand le maître revient, les lévriers [75] joyeux.
Leur forme était semblable et semblable la danse;
Mais les enfants du Loup se jouaient en silence,
Sachant bien qu'à deux pas, ne dormant qu'à demi,
Se couche dans ses murs l'homme, leur ennemi.
Le père était debout, et plus loin, contre un arbre,
La Louve reposait, comme celle de marbre
Qu'adoraient les Romains et dont les flancs velus
Couvaient les demi-dieux Rémus et Romulus.
Le Loup vient et s'assied, les deux jambes dressées,
Par leurs ongles crochus dans le sable enfoncées.
Il s'est jugé perdu, puisqu'il était surpris,
Sa retraite coupée et tous ses chemins pris;
Alors il a saisi, dans sa gueule brûlante,
Du chien le plus hardi la gorge pantelante,
Et n'a pas desserré ses mâchoires de fer,
Malgré nos coups de feu qui traversaient sa chair,
Et nos couteaux aigus qui, comme des tenailles,
Se croisaient en plongeant dans ses larges entrailles,
Jusqu'au dernier moment où le chien étranglé,
Mort longtemps avant lui, sous ses pieds a roulé.
Le Loup le quitte alors et puis il nous regarde.
Les couteaux lui restaient au flanc jusqu'à la garde,[76]
Le clouaient au gazon tout baigné dans son sang;
Nos fusils l'entouraient en sinistre croissant.
Il nous regarde encore, ensuite il se recouche,
Tout en léchant le sang répandu sur sa bouche,
Et, sans daigner savoir comment il a péri,
Refermant ses grands yeux, meurt sans jeter un cri.

[75] lévrier: "greyhound."
[76] garde: "hilt."

II

J'ai reposé mon front sur mon fusil sans poudre,
Me prenant à penser, et n'ai pu me résoudre
A poursuivre sa Louve et ses fils, qui, tous trois,
Avaient voulu l'attendre, et, comme je le crois,
Sans ses deux louveteaux, la belle et sombre veuve
Ne l'eût pas laissé seul subir la grande épreuve;
Mais son devoir était de les sauver, afin
De pouvoir leur apprendre à bien souffrir la faim,
A ne jamais entrer dans le pacte des villes
Que l'homme a fait avec les animaux serviles [77]
Qui chassent devant lui, pour avoir le coucher,
Les premiers possesseurs [78] du bois et du rocher.

III

Hélas! ai-je pensé, malgré ce grand nom d'Hommes,
Que j'ai honte de nous, débiles que nous sommes!
Comment on doit quitter la vie et tous ses maux,
C'est vous qui le savez, sublimes animaux!
A voir ce que l'on fut sur terre et ce qu'on laisse,
Seul le silence est grand; tout le reste est faiblesse.
—Ah! je t'ai bien compris, sauvage voyageur,[79]
Et ton dernier regard m'est allé jusqu'au cœur!
Il disait: "Si tu peux, fais que ton âme arrive,
A force de rester studieuse et pensive,
Jusqu'à ce haut degré de stoïque fierté
Où, naissant dans les bois, j'ai tout d'abord monté.[80]

[77] les animaux serviles: les chiens soumis à l'homme.
[78] Les premiers possesseurs: les animaux sauvages.
[79] sauvage voyageur: allusion à la vie errante du loup.
[80] j'ai tout d'abord monté: le loup qui connaît les lois impitoyables de la nature atteint sans effort cet idéal de courage stoïque auquel l'homme, amolli par la civilisation, ne peut parvenir que par l'effort et la méditation.

Gémir, pleurer, prier, est également lâche.
Fais énergiquement ta longue et lourde tâche
Dans la voie où le Sort a voulu t'appeler,
Puis, après, comme moi, souffre et meurs sans parler."

Les Destinées

§ 2.   LA CROYANCE AU PROGRÈS

LA BOUTEILLE A LA MER

Vigny, dont le grand-père maternel était capitaine de vaisseau
a toujours eu un goût très vif pour les scènes de la vie maritime.
La bouteille à la mer est un symbole dont il semble avoir pris
l'idée dans un passage sur la formation des marées, dans les *Études
de la Nature* de Bernardin de Saint-Pierre.

La bouteille, lancée à la mer par le capitaine, renferme des
renseignements précieux sur la position de l'écueil qui a causé la
perte de son navire; après avoir été longtemps ballotée par les
flots, elle arrive au port, et ainsi, le dernier message du capitaine
pourra sauver la vie des navigateurs de l'avenir.

De même, l'idée que renferme un livre est lancée par l'écrivain
dans la foule des hommes, innombrables comme les vagues de la
mer.   Longtemps retardée par l'ignorance et les préjugés, elle est
enfin acceptée et contribue à la marche du progrès.

II

Quand un grave marin voit que le vent l'emporte
Et que les mâts brisés pendent tous sur le pont,
Que dans son grand duel la mer est la plus forte
Et que par des calculs l'esprit en vain répond;
Que le courant l'écrase et le roule en sa course,
Qu'il est sans gouvernail et partant [81] sans ressource,
Il se croise les bras dans un calme profond.

[81] partant: par conséquent.

III

Il voit les masses d'eau, les toise [82] et les mesure,
Les méprise en sachant qu'il en est écrasé,[83]
Soumet son âme au poids de la matière impure
Et se sent mort ainsi que son vaisseau rasé.[84]
—A de certains moments, l'âme est sans résistance;
Mais le penseur s'isole et n'attend d'assistance
Que de la forte foi dont il est embrasé.

IV

Dans les heures du soir, le jeune Capitaine
A fait ce qu'il a pu pour le salut des siens.
Nul vaisseau n'apparaît sur la vague lointaine,
La nuit tombe, et le brick [85] court aux rocs indiens.
—Il se résigne, il prie; ils se recueille, il pense
A celui qui soutient les pôles et balance
L'équateur hérissé des longs méridiens.

V

Son sacrifice est fait; mais il faut que la terre
Recueille du travail le pieux monument.
C'est le journal savant, le calcul solitaire,
Plus rare que la perle et que le diamant;
C'est la carte des flots faite dans la tempête,
La carte de l'écueil [86] qui va briser sa tête:
Aux voyageurs futurs sublime testament.

---

[82] toise: a ici le sens de "contempler, mesurer du regard": "to scan."
[83] écrasé: allusion à un passage de Pascal que Vigny admirait beaucoup. Sur le manuscript de "La Maison du Berger" Vigny avait écrit: "Pascal a dit à peu près: Je suis plus grand que l'univers parce que je sais qu'il m'écrase, et il m'écrase sans le savoir."
[84] rasé: qui a perdu ses mâts.
[85] le brick: navire à voiles à deux mâts: "brig."
[86] l'écueil: "reef."

VI

Il écrit: "Aujourd'hui, le courant nous entraîne,
Désemparés,[87] perdus, sur la Terre-de-Feu.[88]
Le courant porte à l'est.   Notre mort est certaine:
Il faut cingler [89] au nord pour bien passer ce lieu.
—Ci-joint est mon journal, portant quelques études
Des constellations des hautes latitudes.[90]
Qu'il aborde, si c'est la volonté de Dieu!"

VII

Puis, immobile et froid, comme le cap des brumes [91]
Qui sert de sentinelle au détroit Magellan,[92]
Sombre comme ces rocs au front chargé d'écumes,
Ces pics [93] noirs dont chacun porte un deuil castillan,[94]
Il ouvre une bouteille et la choisit très forte,
Tandis que son vaisseau que le courant emporte
Tourne en un cercle étroit comme un vol de milan.[95]

XIV

Le Capitaine encor jette un regard au pôle
Dont il vient d'explorer les détroits inconnus.
L'eau monte à ses genoux et frappe son épaule;
Il peut lever au ciel l'un de ses deux bras nus.
Son navire est coulé, sa vie est révolue:[96]
Il lance la Bouteille à la mer, et salue
Les jours de l'avenir qui pour lui sont venus.

[87] Désemparés: "disabled."
[88] la Terre-de-Feu: îles à l'extrémité de l'Amérique du Sud.
[89] cingler: naviguer dans une direction déterminée: "steer."
[90] les hautes latitudes: les latitudes éloignées de l'équateur.
[91] le cap des brumes: le cap Horn.
[92] le détroit Magellan: entre la Terre de Feu et l'Amérique du Sud.
[93] Ces pics: les pics San Diego, San Ildefonso (Note de Vigny).
[94] deuil castillan: les Espagnols et les Portugais furent les premiers explorateurs de ces régions dangereuses.
[95] milan: oiseau de proie: "kite."
[96] révolue: achevée.

XV

Il sourit en songeant que ce fragile verre
Portera sa pensée et son nom jusqu'au port,
Que d'une île inconnue [97] il agrandit la terre,
Qu'il marque un nouvel astre [98] et le confie au sort,
Que Dieu peut bien permettre à des eaux insensées
De perdre des vaisseaux, mais non pas des pensées,
Et qu'avec un flacon il a vaincu la mort.

XVI

Tout est dit.   A présent, que Dieu lui soit en aide!
Sur le brick englouti l'onde a pris son niveau.
Au large flot de l'est le flot de l'ouest succède,
Et la Bouteille y roule en son vaste berceau.
Seule dans l'Océan, la frêle passagère
N'a pas pour se guider une brise légère;
—Mais elle vient de l'arche [99] et porte le rameau.

XVII

Les courants l'emportaient, les glaçons la retiennent,
Et la couvrent des plis d'un épais manteau blanc.
Les noirs chevaux de mer [100] la heurtent, puis reviennent
La flairer avec crainte, et passent en soufflant.
Elle attend que l'été, changeant ses destinées,
Vienne ouvrir le rempart des glaces obstinées,
Et vers la ligne ardente [101] elle monte en roulant.

XX

Seule dans l'Océan, seule toujours!—Perdue
Comme un point invisible en un mouvant désert,
L'aventurière passe errant dans l'étendue,
Et voit tel cap secret qui n'est pas découvert.

[97] île inconnue: l'écueil sur lequel le navire a fait naufrage.
[98] astre: allusion aux "études des constellations" (strophe VI).
[99] l'arche: allusion assez peu exacte à la colombe de l'arche de Noé.
[100] chevaux de mer: les marsouins appelés plutôt "cochons de mer": "porpoises."
[101] la ligne ardente: l'équateur.

Tremblante voyageuse à flotter condamnée,
Elle sent sur son col que depuis une année
L'algue et les goémons [102] lui font un manteau vert.

XXI

Un soir enfin, les vents qui soufflent des Florides
L'entraînent vers la France et ses bords pluvieux.
Un pêcheur accroupi sous des rochers arides
Tire dans ses filets le flacon précieux.
Il court, cherche un savant et lui montre sa prise,
Et, sans l'oser ouvrir, demande qu'on lui dise
Quel est cet élixir [103] noir et mystérieux.

XXII

Quel est cet élixir!   Pêcheur, c'est la science,
C'est l'élixir divin que boivent les esprits,
Trésor de la pensée et de l'expérience;
Et si tes lourds filets, ô pêcheur, avaient pris
L'or qui toujours serpente aux veines du Mexique,
Les diamants de l'Inde et les perles d'Afrique,
Ton labeur de ce jour aurait eu moins de prix.

XXIII

Regarde.—Quelle joie ardente et sérieuse!
Une gloire de plus luit sur la nation.
Le canon tout-puissant et la cloche pieuse
Font sur les toits tremblants bondir l'émotion.
Aux héros du savoir plus qu'à ceux des batailles
On va faire aujourd'hui de grandes funérailles.
Lis ce mot sur les murs: "Commémoration!"

XXIV

Souvenir éternel, gloire à la découverte
Dans l'homme ou la nature, égaux en profondeur,
Dans le Juste et le Bien, source à peine entr'ouverte,
Dans l'Art inépuisable, abîme de splendeur!

---

[102] L'algue et les goémons: "algae," "sea-weeds."
[103] élixir: breuvage qui possède des propriétés merveilleuses: "elixir."

Qu'importe oubli, morsure, injustice insensée,
Glaces et tourbillons de notre traversée?
Sur la pierre des morts croît l'arbre de grandeur.

XXV

Cet arbre est le plus beau de la terre promise,
C'est votre phare à tous, Penseurs laborieux!
Voguez sans jamais craindre où les flots ou la brise
Pour tout trésor scellé du cachet précieux.
L'or pur doit surnager, et sa gloire est certaine.
Dites en souriant, comme ce Capitaine:
"Qu'il aborde, si c'est la volonté des Dieux!"

XXVI

Le vrai Dieu, le Dieu fort, est le Dieu des idées.
Sur nos fronts où le germe est jeté par le sort,
Répandons le savoir en fécondes ondées;
Puis, recueillant le fruit tel que de l'âme il sort,
Tout empreint du parfum des saintes solitudes,
Jetons l'œuvre à la mer, la mer des multitudes:
—Dieu la prendra du doigt pour la conduire au port.

Les Destinées

L'ESPRIT PUR

À Eva

Écrit en 1863, six mois avant la mort de Vigny, ce poème peut être considéré comme une sorte de testament poétique.

Après avoir évoqué la gloire de ses ancêtres, il déclare fièrement qu'il est le véritable chef de sa race, car la pensée passe avant l'action. Seules comptent les œuvres de l'Esprit dont le règne approche dans le monde, et, au seuil de la mort, le vieux poète lègue avec orgueil et espoir son œuvre à la postérité.

I

Si l'orgueil prend ton cœur quand le peuple me nomme,
Que de mes livres seuls [104] te vienne ta fierté.
J'ai mis sur le cimier [105] doré du gentilhomme
Une plume de fer qui n'est pas sans beauté.
J'ai fait illustre un nom qu'on m'a transmis sans gloire.
Qu'il soit ancien, qu'importe? il n'aura de mémoire [106]
Que du jour seulement où mon front l'a porté.

II

Dans le caveau des miens plongeant mes pas nocturnes,
J'ai compté mes aïeux, suivant leur vieille loi.
J'ouvris leurs parchemins, je fouillai dans leurs urnes
Empreintes sur le flanc des sceaux de chaque roi.
A peine une étincelle [107] a relui dans leur cendre.
C'est en vain que d'eux tous le sang m'a fait descendre:
Si j'écris leur histoire, ils descendront de moi.

III

Ils furent opulents, seigneurs de vastes terres;
Grands chasseurs devant Dieu, comme Nemrod; jaloux
Des beaux cerfs qu'ils lançaient des bois héréditaires
Jusqu'où voulait la mort les livrer à leurs coups;
Suivant leur forte meute [108] à travers deux provinces,
Coupant [109] les chiens du Roi, déroutant [110] ceux des princes,
Forçant [111] les sangliers et détruisant les loups;

---

[104] de mes livres seuls: et non de mon origine aristocratique.
[105] le cimier: le sommet du casque, souvent surmonté d'un panache: "crest."
[106] il n'aura de mémoire: il ne sera célèbre.
[107] une étincelle: un peu de gloire.
[108] meute: "pack of hounds."
[109] coupant: terme de vénerie: traversant la piste que suivaient les chiens.
[110] déroutant: terme de vénerie: faisant perdre la piste aux chiens en le entraînant avec les leurs: "leading astray."
[111] forçant: "hunting down."

IV

ialants guerriers sur terre et sur mer; [112] se montrèrent
iens d'honneur en tout temps comme en tous lieux, cherchant
)e la Chine au Pérou les Anglais, qu'ils brûlèrent [113]
ur l'eau qu'ils écumaient [114] du levant au couchant;
'uis, sur leur talon rouge,[115] en quittant les batailles,
'arfumés et blessés, revenaient à Versailles
aser [116] à l'Œil-de-bœuf [117] avant de voir leur champ.

V

Iais les champs de la Beauce [118] avaient leurs cœurs, leurs âmes,
eurs soins; ils les peuplaient d'innombrables garçons,
)e filles, qu'ils donnaient aux chevaliers pour femmes,
)ignes de suivre en tout l'exemple et les leçons;
imples, et satisfaits si chacun de leur race
pposait saint Louis [119] en croix sur sa cuirasse,
'omme leurs vieux portraits qu'aux murs noirs nous plaçons.

VI

Iais aucun, au sortir d'une rude campagne,
e sut se recueillir, quitter le destrier,[120]
)ételer pour un jour ses palefrois [120] d'Espagne,
Ii des coursiers de chasse enlever l'étrier

[112] sur terre et sur mer: le père de Vigny avait fait la guerre de Sept ans et son
rand-père maternel avait été officier de marine.
[113] qu'ils brûlèrent: dont ils incendiaient les navires avec des brûlots ("fire-
ips").
[114] ils écumaient: ils parcouraient les mers en détruisant les vaisseaux ennemis:
they scoured."
[115] talon rouge: chaussures à talons rouges que portaient les seigneurs à la
our.
[116] jaser: "gossip."
[117] l'Œil-de-bœuf: salle du château de Versailles éclairée par une seule fenêtre
nde ou œil-de-bœuf ("bull's eye"). C'est là que les courtisans attendaient
vant de pénétrer chez le roi.
[118] Beauce: province au sud-ouest de Paris où les aieux de Vigny avaient de
randes propriétés.
[119] saint Louis: la croix de Saint Louis, décoration militaire très estimée.
[120] le destrier . . . palefrois: on distinguait autrefois les chevaux en "des-
iers," ou chevaux de bataille et "palefrois," chevaux de marche pour les
oyages.

Pour graver quelque page et dire en quelque livre
Comme son temps vivait et comment il sut vivre,
Dès qu'ils n'agissaient plus, se hâtant d'oublier.

VII

Tous sont morts en laissant leur nom sans auréole;
Mais sur le disque d'or [121] voilà qu'il est écrit,
Disant: "Ici passaient deux races [122] de la Gaule,
"Dont le dernier vivant monte au Temple et s'inscrit,
"Non sur l'obscur amas des vieux noms inutiles
"Des orgueilleux méchants et des riches futiles,
"Mais sur le pur tableau des titres de l'ESPRIT."

VIII

Ton règne est arrivé, PUR ESPRIT, roi du monde!
Quand ton aile [123] d'azur dans la nuit nous surprit,
Déesse de nos cœurs, la guerre vagabonde
Régnait sur nos aieux. Aujourd'hui, c'est l'ÉCRIT,
L'ÉCRIT UNIVERSEL, parfois impérissable,
Que tu graves au marbre ou traces sur le sable,
Colombe au bec d'airain! VISIBLE SAINT-ESPRIT!

IX

Seul et dernier anneau de deux chaînes brisées,
Je reste, et je soutiens encor dans les hauteurs,
Parmi les maîtres purs de nos savants musées, [124]
L'IDÉAL du poète et des graves penseurs.
J'éprouve sa durée [125] en vingt ans de silence,

Et toujours, d'âge en âge encor, je vois la France
Contempler mes tableaux et leur jeter des fleurs.

---

[121] le disque d'or: allusion aux boucliers votifs qu'on suspendait aux murs d[es] temples, dans l'antiquité.

[122] deux races: la famille du père de Vigny et celle de sa mère.

[123] aile: image amenée par la comparaison de l'Esprit pur avec le Sain[t] Esprit généralement représenté sous la forme d'une colombe.

[124] musées: a ici le sens primitif de "sanctuaire des muses."

[125] J'éprouve sa durée: au moment où il a écrit ce poème (1863) Vigny n'ava[it] à peu près rien publié depuis de longues années et cependant sa gloire alla[it] grandissant.

X

ｅune postérité d'un vivant qui vous aime!
Ｉes traits dans vos regards ne sont pas effacés;
ｅ peux en ce miroir *me connaître moi-même.*
-Juge toujours nouveau de nos travaux passés!
ｌots d'amis renaissants!   Puissent mes destinées
ｖous amener à moi, de dix en dix années,
ｖttentifs à mon œuvre, et pour moi c'est assez!

Les Destinées

§ 3.   VIGNY ARTISTE ET ÉVOCATEUR DU PASSÉ
LE COR

Vigny se trouvait en garnison dans les Pyrénées quand ce poème
ｖublié en 1826) fut composé.

Le son du cor dans la nuit plonge le poète dans une rêverie où
ｉévoque le souvenir de Roland [126] qui, ayant trop tardé à sonner du
ｖr pour appeler Charlemagne à son secours, mourut dans le défilé
ｅ Roncevaux avec ses compagnons d'armes.

La légende héroïque a inspiré à Vigny ces très beaux vers, pleins
ｅ cette mélancolie hautaine qui donne tant de charme aux récits
ｅ *Servitude et grandeur militaires.*

I

J'aime le son du Cor, le soir, au fond des bois,
Soit qu'il chante les pleurs de la biche [127] aux abois,[128]
Ou l'adieu du chasseur que l'écho faible accueille,
Et que le vent du nord porte de feuille en feuille.

[126] Roland: personnage historique.   Il commandait l'arrière-garde de l'armée
ｅ Charlemagne qui fut attaquée et détruite, probablement par les montagnards
ｖasques, dans le défilé de Roncevaux.   La légende, répandue par la célèbre
ｈanson de Roland, a fait de lui le neveu de Charlemagne, a changé les Basques
ｎ Sarrazins, et a attribué la défaite à la trahison de Ganelon.   Il faut d'ailleurs
ｅmarquer que Vigny ne connaissait pas la "Chanson" qui ne fut publiée qu'en
Ｂ37.

[127] biche: "hind."

[128] aux abois: on dit qu'un animal chassé est aux abois ("at bay"), quand la
ｖtigue l'a obligé à s'arrêter et que les chiens l'entourent en aboyant.   A ce
ｗoment les cors sonnent une fanfare appelée "hallali."   Les chasseurs pré-
ｅndent que le cerf et la biche aux abois versent des pleurs.

Que de fois, seul, dans l'ombre à minuit demeuré,
J'ai souri de l'entendre, et plus souvent pleuré!
Car je croyais ouïr de ces bruits prophétiques
Qui précédaient la mort des Paladins [129] antiques.

O montagne d'azur! ô pays adoré!
Rocs de la Frazona,[130] cirque du Marboré,
Cascades qui tombez des neiges entraînées,
Sources, gaves,[131] ruisseaux, torrents des Pyrénées;

Monts gelés et fleuris, trône des deux saisons,
Dont le front est de glace et le pied de gazons!
C'est là qu'il faut s'asseoir, c'est là qu'il faut entendre
Les airs lointains d'un Cor mélancolique et tendre.

Souvent un voyageur, lorsque l'air est sans bruit,
De cette voix d'airain fait retentir la nuit;
A ses chants cadencés autour de lui se mêle
L'harmonieux grelot du jeune agneau qui bêle.

Une biche attentive, au lieu de se cacher,
Se suspend immobile au sommet du rocher,
Et la cascade unit, dans une chute immense,
Son éternelle plainte aux chants de la romance.

Âmes des Chevaliers, revenez-vous encor?
Est-ce vous qui parlez avec la voix du Cor?
Roncevaux! Roncevaux! dans ta sombre vallée
L'ombre du grand Roland n'est donc pas consolée!

[129] Paladins: nom donné d'abord aux seigneurs compagnons d'armes de Charlemagne. Il a pris ensuite le sens général de "chevaliers."
[130] Frazona, Marboré: deux massifs des Pyrénées.
[131] gaves: nom local des torrents des Pyrénées.

II

Tous les preux [132] étaient morts, mais aucun n'avait fui.
Il reste seul debout, Olivier [133] près de lui;
L'Afrique [134] sur le mont l'entoure et tremble encore.
"Roland, tu vas mourir, rends-toi, criait le More; [134]
"Tous tes pairs sont couchés dans les eaux des torrents."—
Il rugit comme un tigre, et dit: "Si je me rends,
"Africain, ce sera lorsque les Pyrénées
"Sur l'onde avec leurs corps rouleront entraînées."

—"Rends-toi donc, répond-il, ou meurs, car les voilà."
Et du plus haut des monts un grand rocher roula.
Il bondit, il roula jusqu'au fond de l'abîme,
Et de ses pins, dans l'onde, il vint briser la cime.

—"Merci, cria Roland; tu m'as fait un chemin."
Et jusqu'au pied des monts le roulant d'une main,
Sur le roc affermi comme un géant s'élance,
Et, prête à fuir, l'armée à ce seul pas balance. [135]

III

Tranquilles cependant, [136] Charlemagne et ses preux
Descendaient la montagne et se parlaient entre eux.
A l'horizon déjà, par leurs eaux signalées,
De Luz et d'Argelès se montraient les vallées.

L'armée applaudissait.   Le luth du troubadour [137]
S'accordait pour chanter les saules de l'Adour; [138]
Le vin français coulait dans la coupe étrangère;
Le soldat, en riant, parlait à la bergère.

[132] les preux: les vaillants compagnons de Roland.
[133] Olivier: le fidèle compagnon de Roland. La "Chanson" le représente sage et prudent.
[134] L'Afrique, le More: vieille tournure pour "les Africains, les Mores."
[135] balance: hésite.
[136] cependant: a le sens primitif de "pendant ce temps."
[137] troubadour: il y a ici un anachronisme. Nous sommes en 778 et les troubadours appartiennent au 11e siècle.
[138] Adour: fleuve qui prend sa source dans les Pyrénées et se jette dans le Golfe de Gascogne.

Roland gardait les monts; tous passaient sans effroi.
Assis nonchalamment sur un noir palefroi
Qui marchait revêtu de housses violettes,
Turpin [139] disait, tenant les saintes amulettes: [140]

"Sire, on voit dans le ciel des nuages de feu;
"Suspendez votre marche; il ne faut tenter Dieu.
"Par monsieur saint Denis,[141] certes ce sont des âmes
"Qui passent dans les airs sur ces vapeurs de flammes.

"Deux éclairs ont relui, puis deux autres encor."
Ici l'on entendit le son lointain du Cor.—
L'Empereur étonné, se jetant en arrière,
Suspend du destrier la marche aventurière.[142]

"Entendez-vous? dit-il—Oui, ce sont des pasteurs
"Rappelant les troupeaux épars sur les hauteurs,
"Répondit l'archevêque, ou la voix étouffée
"Du nain vert Obéron,[143] qui parle avec sa Fée." [144]

Et l'Empereur poursuit; mais son front soucieux
Est plus sombre et plus noir que l'orage des cieux.
Il craint la trahison, et, tandis qu'il y songe,
Le Cor éclate et meurt, renaît et se prolonge.

"Malheur! c'est mon neveu! malheur! car, si Roland
"Appelle à son secours, ce doit être en mourant.
"Arrière, chevaliers, repassons la montagne!
"Tremble encor sous nos pieds, sol trompeur de l'Espagne!"

[139] Turpin: archevêque de Reims au 8e siècle.   Dans la "Chanson," c'est un prélat vaillant et belliqueux, qui est tué avec Roland.
[140] amulettes: ici les reliques d'un saint.
[141] monsieur saint Denis: apôtre des Gaules, premier évêque de Paris.
[142] aventurière: a ici le sens de "aventureuse."
[143] Obéron: le roi des génies aériens dans la mythologie scandinave.
[144] sa Fée: Titania.

IV

Sur le plus haut des monts s'arrêtent les chevaux;
L'écume les blanchit; sous leurs pieds, Roncevaux
Des feux mourants du jour à peine se colore.
A l'horizon lointain fuit l'étendard du More.

—"Turpin, n'as-tu rien vu dans le fond du torrent?
—"J'y vois deux chevaliers: l'un mort, l'autre expirant.
"Tous deux sont écrasés sous une roche noire;
"Le plus fort, dans sa main, élève un Cor d'ivoire,
"Son âme en s'exhalant nous appela deux fois."

Dieu! que le son du Cor est triste au fond des bois!

Poèmes antiques et modernes

III. VICTOR HUGO (1802–1885)

Victor Hugo naquit à Besançon, le 26 février 1802. Fils d'un général de Napoléon et d'une mère royaliste, il subit successivement ces deux influences contradictoires. En 1811, son père l'emmena en Espagne et en Italie dont il garda quelques vagues souvenirs. Après la séparation de ses parents, il fut élevé à Paris par sa mère dans la maison des Feuillantines dont le jardin éveilla en lui l'amour de la nature.

De bonne heure, il se voua à la littérature; il voulait "être Chateaubriand ou rien." Il fut lauréat des Jeux Floraux de Toulouse en 1819, fonda avec son frère un journal, le "Conservateur Littéraire," et publia en 1820 un premier recueil de poèmes qui lui valut une pension du roi Louis XVIII; il put ainsi épouser une amie d'enfance, Adèle Foucher.

En 1827, la préface de son drame *Cromwell* fait de lui le porte-parole de l'école romantique, dont il devint le chef incontesté après le triomphe d'*Hernani* en 1830. A partir de ce moment, Victor Hugo connut tous les succès; il produisit avec une prodigieuse abondance une œuvre très variée qui le fit recevoir à l'Académie Française en 1841. En 1843, découragé par l'échec des *Burgraves* et profondément affecté par la mort de sa fille, il cessa d'écrire pour se consacrer à la politique.

Il devint successivement pair de France en 1846, puis député en 1848. D'abord partisan de Louis-Napoléon, il protesta contre le coup d'état du 2 décembre 1851 et fut exilé en 1852. Il passa en Belgique, puis à Jersey, et enfin à Guernesey où il s'établit jusqu'en 1870. Dans le calme de l'exil, il reprit son œuvre littéraire et de nouveau produisit une série de chefs-d'œuvre. La chute de l'Empire lui permit de rentrer à Paris; il revint en triomphateur et devint le champion des idées républicaines et humanitaires. Vénéré de toute l'Europe, il mourut dans une sorte d'apothéose en 1885. Après des funérailles nationales, son corps fut déposé au Panthéon.

A. PRINCIPALES ŒUVRES DE HUGO

I. Poésie

1. Poésie lyrique: *Odes et poésies diverses* (1822); *Odes et Ballades* (1826); *Les Orientales* (1829); *Les Feuilles d'automne* (1831); *Les Chants du crépuscule* (1835); *Les Voix intérieures* (1837); *Les Rayons et les Ombres* (1840); *Les Contemplations* (1856); *Les Chansons des rues et des bois* (1865); *L'Art d'être grand-père* (1877); *Les Quatre Vents de l'esprit* (1881).
2. Poésie épique: *La Légende des siècles* (1859, 1877, 1883).
3. Poésie satirique: *Les Châtiments* (1853).

II. Prose

1. Romans: *Bug-Jargal* (1819–1826); *Han d'Islande* (1823); *Notre-Dame de Paris* (1831); *Les Misérables* (1862); *Les Travailleurs de la mer* (1866); *L'Homme qui rit* (1869); *Quatre-Vingt-Treize* (1873).
2. Œuvres diverses: *Napoléon le petit* (1852); *Histoire d'un crime* (1852–1877); *Littérature et philosophie mêlées* (1834); *Le Rhin* (1842); *William Shakespeare* (1864).

III. Théâtre

Cromwell (1827); *Hernani* (1830); *Marion de Lorme* (1831); *Le Roi s'amuse* (1832); *Marie Tudor* (1833); *Ruy Blas* (1838); *Les Burgraves* (1843).

B. PERSONNALITÉ DE HUGO

1. *La vanité.*

Le trait dominant de sa nature est la vanité, ce qui explique l'étalage de sa personnalité et des moindres détails de sa vie qu'on trouve partout dans son œuvre. C'est elle aussi qui explique son rôle de chef d'école au début du romantisme et son attitude favorite de "mage" et de conducteur de peuples. Elle explique encore ses rancunes et les railleries parfois cruelles et injustes qu'il lançait à ceux qui l'avaient attaqué.

2. *Il est essentiellement bourgeois.*

Il devait à ses origines plébéiennes une nature saine et vigoureuse, manquant parfois de raffinement, mais rarement de générosité et de bonté:

   a. Il aime la vie de famille: ses poèmes sur ses enfants et petits-enfants sont parmi les plus sincères et les plus spontanés.

   b. Il aime le travail et l'ordre: il s'est astreint pendant toute son existence à un travail continu et régulier et il a su acquérir et conserver une fortune considérable.

   c. Il aime le peuple: une grande pitié le portait vers les faibles et les opprimés; les sentiments humanitaires dont il fit souvent un étalage grandiloquent sont cependant sincères.

   d. Il aime sa patrie et croit à la mission humanitaire de la France dont il a chanté avec passion la gloire et les souffrances.

3. *Sa sensibilité.*

Comme il est naturel chez une nature un peu vulgaire, la sensibilité de Victor Hugo n'est pas très vive; il n'a pas la délicatesse féminine d'un Lamartine, ni la fierté ombrageuse d'un Vigny, ni la spontanéité juvénile d'un Musset. Aussi n'est-il pas le poète de l'amour, le peintre de la femme: il peint le sentiment mieux que la passion.

4. *Son imagination.*

Ce que sa sensibilité limitée ne pouvait percevoir, Victor Hugo l'atteignait par l'imagination, qui est sa faculté maîtresse. Ni artiste délicat, ni grand penseur, il fut surtout un grand visionnaire.

C. THÉORIES LITTÉRAIRES DE HUGO

Victor Hugo n'a pas énoncé ses théories sous forme de système; elles sont éparses dans son œuvre.

Contrairement aux idées de Lamartine, il pense que la poésie ne doit pas être uniquement l'expression spontanée d'un état d'âme. Elle ne doit pas non plus n'avoir pour but que le beau, ni faire de l'art pour l'art. S'il permet et recommande l'expression du "moi" sous tous ses aspects, c'est parce que le poète en se chantant lui-même, célèbre en même temps toute l'humanité; il doit être un "écho" des joies et des souffrances de tous les hommes. Cependant, il doit toujours se tenir au-dessus des foules qu'il a mission d'éclairer et de conduire. C'est pourquoi il doit être non seulement un artiste mais aussi un philosophe, un politicien et un sociologue. Victor Hugo a prétendu être tout cela.

D. ŒUVRE DE HUGO

L'œuvre immense de Victor Hugo est due à différentes sources d'inspiration. Tout en notant que souvent un même poème peut être à la fois lyrique, épique, satirique et dramatique, ou contenir un mélange variable de ces divers éléments, on peut néanmoins distinguer:

I. L'inspiration lyrique

C'est la plus fréquente. L'œuvre lyrique de Victor Hugo est en grande partie une confession, nous permettant de suivre les différents événements de sa vie. Il a voulu être aussi l'interprète des grands sentiments et des passions de ses contemporains et de toute l'humanité.

1. *Principaux thèmes lyriques.*

Victor Hugo a traité les principaux thèmes lyriques chers aux romantiques, et particulièrement:

    a. La nature. La nature est pour lui le cadre où Dieu a placé les sentiments et les passions des hommes. Ce cadre possède une âme vague que le poète sait comprendre et une beauté merveilleuse qu'il admire et se plaît à contempler.

    b. L'amour. Victor Hugo n'a jamais su peindre les grandes passions. L'amour, chez lui, est tantôt une exaltation sentimentale et romanesque, tantôt un sentiment léger, maniéré, parfois lourd et de mauvais goût et presque toujours empreint de sensualité.

    c. La mort. La mort lui inspire parfois une note réaliste quoique sans morbidité ni pessimisme; car, pour lui, l'âme est immortelle et la vie n'est qu'un "commencement."

2. *Principaux recueils lyriques:*

    a. Les Feuilles d'automne (1831), qui, dit-il, "sont des vers sereins et paisibles, des vers comme tout le monde en fait ou en rêve, des vers de la famille, du foyer domestique, de la vie privée; des vers de l'intérieur de l'âme" (Préface).

b. *Les Chants du crépuscule* (1835); *Les Voix intérieures* (1837); *Les Rayons et les Ombres* (1840).   Dans ces trois recueils à peu près identiques, il évoque des souvenirs personnels et traite des questions d'actualité politique, d'art et de philosophie.   Il peint "cet étrange état crépusculaire de l'âme et de la société dans le siècle où nous vivons . . . cette brume au dehors, cette incertitude au dedans" (Préface).

c. *Les Contemplations* (1856), le plus personnel de tous ces recueils: "c'est ce qu'on pourrait appeler . . . les mémoires d'une âme" (Préface).

II. L'inspiration épique

Le don le plus rare de Victor Hugo est son génie épique.   C'est son imagination incomparable qui lui permet de transformer, par le merveilleux et le mystère, l'histoire ou la vie en une épopée et d'en faire quelque chose de plus grand et de plus noble que la réalité.

1. *Recueil épique:*

a. *La Légende des siècles* (1859–1877–1883).   (*Les Châtiments*, *Les Misérables*, et *Notre-Dame de Paris* sont en partie dus à l'inspiration épique.)

b. *Sujet de "La Légende des siècles."*   Victor Hugo se proposait un double but:

(1) *But historique:* Faire une histoire pittoresque de l'humanité depuis "Ève, mère des hommes, jusqu'à la Révolution, mère des peuples."

(2) *But philosophique:* Étudier l'évolution de la conscience humaine, son éveil, ses progrès, montrer l'homme "montant des ténèbres à l'idéal."

Remarque.   Le plan trop vaste ne fut pas suivi; la *Légende* ne peut être considérée que comme un fragment.

III. L'inspiration satirique

Victor Hugo a employé la poésie comme une arme dans la controverse politique.

1. *Principal recueil satirique:*

Les *Châtiments* (1853), dans lequel il attaque Napoléon III, son ennemi personnel en même temps que l'ennemi de la République et de la liberté.

2. *Caractères de la satire:*

L'insulte et l'ironie sont les principaux moyens satiriques dont se sert Victor Hugo. Il se montre toujours d'une grande violence qui souvent le rend injuste et grandiloquent. Parfois cependant, la sincérité évidente de son indignation lui fait atteindre une véritable grandeur.

E. L'ART DE HUGO

Malgré certains défauts, Victor Hugo reste un des plus grands artistes de la littérature française. Les principaux éléments de son art sont:

1. *Les images.*

Victor Hugo est surtout un visuel; souvent même il pense par images. C'est l'image qui fait naître la pensée, ce qui explique, chez lui, l'emploi constant de la métaphore et le don de créer des mythes.

2. *L'antithèse.*

L'antithèse est un des procédés favoris de Victor Hugo. Chaque idée appelle son contraire, chaque image fait naître une image opposée. Il a souvent abusé de ce procédé.

3. *Le rythme.*

Victor Hugo est un versificateur d'une prodigieuse habileté. Dans son œuvre immense, on trouve des exemples de tous les rythmes possibles, qu'il savait varier et toujours parfaitement adapter à ses différents sujets; il était sensible à la musique des mots dont il a parfois tiré des effets admirables.

4. *Le vocabulaire.*

Son vocabulaire est le plus vaste qu'aucun poète ait jamais employé. Il fait entrer dans sa poésie la langue populaire, la langue familière, la vieille langue et toutes les langues techniques;

il aimait les mots pour eux-mêmes et se plaisait aux longues énumérations.

F. CONCLUSION

Au cours d'une vie de plus de 80 ans, Victor Hugo, comme penseur et comme artiste, a subi une lente évolution. Royaliste et catholique dans sa jeunesse, il est devenu de plus en plus libéral, puis démocrate et républicain, détaché de toute religion quoique toujours déiste. Poète presque classique dans sa jeunesse, il suit Lamartine et devient de plus en plus personnel et original. Ses premiers vers, purement imaginatifs et pittoresques, s'enrichissent de valeur humaine à mesure que la vie instruit le poète, pour se charger à la fin de philosophie, ce qui rend les derniers recueils emphatiques et obscurs. Malgré des inégalités son œuvre, aux aspects si divers, est non seulement un résumé du romantisme, mais encore la source du Parnasse et du symbolisme: Victor Hugo est la grande figure littéraire qui domine tout le 19ᵉ siècle.

§ 1. LA NATURE ET L'HOMME
SOLEILS COUCHANTS

Écrits à quelques mois d'intervalle ces deux poèmes montrent comment, chez Victor Hugo, la contemplation du monde extérieur fait naître la pensée. La splendeur du ciel au soleil couchant n'éveille d'abord en lui qu'une émotion artistique; dans le second poème, le même spectacle est le point de départ d'une rêverie mélancolique.

I

J'aime les soirs sereins et beaux, j'aime les soirs,
Soit qu'ils dorent le front des antiques manoirs
    Ensevelis dans les feuillages;
Soit que la brume au loin s'allonge en bancs de feu;
Soit que mille rayons brisent [1] dans un ciel bleu
    A des archipels de nuages.

[1] brisent: terme de marine qui décrit les vagues heurtant les rochers.

Oh! regardez le ciel! cent nuages mouvants,
Amoncelés là-haut sous le souffle des vents,
    Groupent leurs formes inconnues;
Sous leurs flots par moments flamboie un pâle éclair,
Comme si tout à coup quelque géant de l'air
    Tirait son glaive dans les nues.

Le soleil, à travers leurs ombres, brille encor;
Tantôt fait, à l'égal des larges dômes d'or,[2]
    Luire le toit d'une chaumière;[3]
Ou dispute aux brouillards les vagues horizons;
Ou découpe, en tombant sur les sombres gazons,
    Comme de grands lacs de lumière.

Puis voilà qu'on croit voir, dans le ciel balayé,
Pendre un grand crocodile au dos large et rayé,
    Aux trois rangs de dents acérées;[4]
Sous son ventre plombé glisse un rayon du soir;
Cent nuages ardents luisent sous son flanc noir
    Comme des écailles dorées.

Puis se dresse un palais.   Puis l'air tremble, et tout fuit.
L'édifice effrayant des nuages détruit
    S'écroule en ruines pressées;
Il jonche [5] au loin le ciel, et ses cônes vermeils
Pendent, la pointe en bas, sur nos têtes, pareils
    A des montagnes renversées.

Ces nuages de plomb, d'or, de cuivre, de fer,
Où l'ouragan, la trombe,[6] et la foudre, et l'enfer
    Dorment avec de sourds murmures,

---

[2] dômes d'or: le poète pense sans doute au dôme doré des Invalides.
[3] chaumière: "cottage" au toit de paille, qui brille comme de l'or aux rayons du soleil.
[4] acérées: "sharp."
[5] jonche: littéralement, "strews"; c'est-à-dire les ruines du palais sont dispersées à travers le ciel par le vent.
[6] trombe: "waterspout."

C'est Dieu qui les suspend en foule aux cieux profonds,
Comme un guerrier qui pend aux poutres des plafonds
    Ses retentissantes armures.

Tout s'en va!   Le soleil, d'en haut précipité,
Comme un globe d'airain qui, rouge, est rejeté
    Dans les fournaises remuées,
En tombant sur leurs flots que son choc désunit
Fait en flocons de feu jaillir jusqu'au zénith
    L'ardente écume des nuées.

Oh! contemplez le ciel! et dès qu'a fui le jour,
En tout temps, en tout lieu, d'un ineffable amour,
    Regardez à travers ses voiles;
Un mystère est au fond de leur grave beauté,
L'hiver, quand ils sont noirs comme un linceul, l'été,
    Quand la nuit les brode d'étoiles.

II

Le soleil s'est couché ce soir dans les nuées.
Demain viendra l'orage, et le soir, et la nuit;
Puis l'aube, et ses clartés de vapeurs obstruées;
Puis les nuits, puis les jours, pas du temps qui s'enfuit!

Tous ces jours passeront; ils passeront en foule
Sur la face des mers, sur la face des monts,
Sur les fleuves d'argent, sur les forêts où roule
Comme un hymne confus des morts que nous aimons.

Et la face des eaux, et le front des montagnes,
Ridés et non vieillis, et les bois toujours verts
S'iront rajeunissant; le fleuve des campagnes
Prendra sans cesse aux monts le flot qu'il donne aux mers.

Mais moi, sous chaque jour courbant plus bas ma tête,
Je passe, et, refroidi sous ce soleil joyeux,
Je m'en irai bientôt, au milieu de la fête,
Sans que rien manque au monde, immense et radieux!

Les Feuilles d'automne

EXTASE

J'étais seul près des flots, par une nuit d'étoiles.
Pas un nuage aux cieux, sur les mers pas de voiles.
Mes yeux plongeaient plus loin que le monde réel.
Et les bois, et les monts, et toute la nature,
Semblaient interroger dans un confus murmure
    Les flots des mers, les feux du ciel.

Et les étoiles d'or, légions infinies,
A voix haute, à voix basse, avec mille harmonies,
Disaient, en inclinant leurs couronnes de feu;
Et les flots bleus, que rien ne gouverne et n'arrête,
Disaient, en recourbant l'écume de leur crête:
    —C'est le Seigneur, le Seigneur Dieu!

Les Orientales

TRISTESSE D'OLYMPIO

Victor Hugo a traité dans ce célèbre poème le thème romantique
du souvenir; c'est lui-même qu'il met en scène, et l'on pourra comparer son attitude à celle de Lamartine et de Musset dans "Le Lac"
et "Souvenir." Il a écrit "La tristesse d'Olympio" en 1837
pendant une visite à la maison de Jouy-en-Josas, près de Paris,
qui avait été le témoin des débuts de sa liaison avec Juliette Drouet.
Alors que pour Lamartine la nature garde fidèlement nos souvenirs,
pour Victor Hugo elle est changeante et si quelque chose subsiste
de nos sentiments, c'est en nous, non en elle, qu'il faut en chercher
la trace; pour Musset le monde extérieur est un rêve, le souvenir
seul est réel et éternel. On remarquera également comment les

trois thèmes, la nature, l'amour et la mort s'unissent ici en une merveilleuse symphonie.

Les champs n'étaient point noirs, les cieux n'étaient pas mornes.
Non, le jour rayonnait dans un azur sans bornes
   Sur la terre étendu,
L'air était plein d'encens et les prés de verdures
Quand il revit ces lieux où par tant de blessures
   Son cœur s'est répandu!

L'automne souriait; les coteaux vers la plaine
Penchaient leurs bois charmants qui jaunissaient à peine;
   Le ciel était doré;
Et les oiseaux, tournés vers celui que tout nomme,
Disant peut-être à Dieu quelque chose de l'homme,
   Chantaient leur chant sacré!

Il voulut tout revoir, l'étang [7] près de la source,
La masure [8] où l'aumône avait vidé leur bourse,
   Le vieux frêne [9] plié,
Les retraites d'amour au fond des bois perdues,
L'arbre [10] où dans les baisers leurs âmes confondues
   Avaient tout oublié!

Il chercha le jardin, la maison isolée,
La grille [11] d'où l'œil plonge en une oblique allée,
   Les vergers en talus.[12]
Pâle, il marchait.—Au bruit de son pas grave et sombre,
Il voyait à chaque arbre, hélas! se dresser l'ombre
   Des jours qui ne sont plus!

[7] étang: "pond."
[8] masure: pauvre maison: "hovel."
[9] frêne: "ash."
[10] arbre: un châtaignier sous lequel ils s'étaient abrités pendant un orage.
[11] grille: "iron railing."
[12] vergers en talus: "orchards on the slope of a hill."

Il entendait frémir dans la forêt qu'il aime
Ce doux vent qui, faisant tout vibrer en nous-même,
      Y réveille l'amour,
Et, remuant le chêne ou balançant la rose,
Semble l'âme de tout qui va sur chaque chose
      Se poser tour à tour!

Les feuilles qui gisaient dans le bois solitaire,
S'efforçant sous ses pas de s'élever de terre,
      Couraient dans le jardin;
Ainsi, parfois, quand l'âme est triste, nos pensées
S'envolent un moment sur leurs ailes blessées,
      Puis retombent soudain.

Il contempla longtemps les formes magnifiques
Que la nature prend dans les champs pacifiques;
      Il rêva jusqu'au soir;
Tout le jour il erra le long de la ravine,
Admirant tout à tour le ciel, face divine,
      Le lac, divin miroir!

Hélas! se rappelant ses douces aventures,
Regardant, sans entrer, par-dessus les clôtures,[13]
      Ainsi qu'un paria,[14]
Il erra tout le jour.   Vers l'heure où la nuit tombe,
Il se sentit le cœur triste comme une tombe,
      Alors il s'écria:

"O douleur! j'ai voulu, moi dont l'âme est troublée,
Savoir si l'urne encor conservait la liqueur,
Et voir ce qu'avait fait cette heureuse vallée [15]
De tout ce que j'avais laissé là de mon cœur!

[13] clôtures: "fences" ou "hedges."
[14] paria: dans l'Inde, la classe la plus basse ("pariah"); a ici le sens de "proscrit" ("outcast").   Le poète ne peut pas entrer dans la maison qui ne lui appartient plus.
[15] heureuse vallée: la jolie vallée de la Bièvre, au sud de Versailles.

"Que peu de temps suffit pour changer toutes choses!
Nature au front serein,[16] comme vous oubliez!
Et comme vous brisez dans vos métamorphoses
Les fils [17] mystérieux où nos cœurs sont liés!

"Nos chambres de feuillage en halliers [18] sont changées!
L'arbre où fut notre chiffre [19] est mort ou renversé;
Nos roses dans l'enclos [20] ont été ravagées
Par les petits enfants qui sautent le fossé.

"Un mur clôt la fontaine où, par l'heure échauffée,[21]
Folâtre, elle buvait en descendant des bois;
Elle prenait de l'eau dans sa main, douce fée,
Et laissait retomber des perles de ses doigts!

"On a pavé la route âpre et mal aplanie,
Où, dans le sable pur se dessinant si bien,
Et de sa petitesse étalant l'ironie,
Son pied charmant semblait rire à côté du mien!

"La borne [22] du chemin, qui vit des jours sans nombre,
Où jadis pour m'attendre elle aimait à s'asseoir,
S'est usée en heurtant, lorsque la route est sombre,
Les grands chars gémissants [23] qui reviennent le soir.

"La forêt ici manque et là s'est agrandie.
De tout ce qui fut nous [24] presque rien n'est vivant;
Et, comme un tas de cendre éteinte et refroidie,
L'amas des souvenirs se disperse à tout vent!

[16] au front serein: pour Hugo, comme pour Vigny, la nature est un "impassible théâtre."
[17] fils: "threads."
[18] halliers: buissons hauts et épais: "thickets."
[19] notre chiffre: nos initiales.
[20] enclos: jardin.
[21] par l'heure échauffée: après une longue course au soleil.
[22] borne: "milestone."
[23] gémissants: "creaking."
[24] ce qui fut nous: les objets que nous avons associés à notre vie.

"N'existons-nous donc plus?   Avons-nous eu notre heure?
Rien ne la rendra-t-il à nos cris superflus?
L'air joue avec la branche au moment où je pleure;
Ma maison me regarde et ne me connaît plus.

"D'autres vont maintenant passer où nous passâmes.
Nous y sommes venus, d'autres vont y venir;
Et le songe qu'avaient ébauché nos deux âmes,
Ils le continueront sans pouvoir le finir!

"Car personne ici-bas ne termine et n'achève;
Les pires des humains sont comme les meilleurs;
Nous nous réveillons tous au même endroit du rêve.
Tout commence en ce monde et tout finit ailleurs.

"Oui, d'autres à leur tour viendront, couples sans tache,
Puiser dans cet asile heureux, calme, enchanté,
Tout ce que la nature à l'amour qui se cache
Mêle de rêverie et de solennité!

"D'autres auront nos champs, nos sentiers, nos retraites;
Ton bois, ma bien-aimée, est à des inconnus.
D'autres femmes viendront, baigneuses indiscrètes,
Troubler le flot sacré [25] qu'ont touché tes pieds nus!

"Quoi donc! c'est vainement qu'ici nous nous aimâmes!
Rien ne nous restera de ces coteaux fleuris
Où nous fondions notre être en y mêlant nos flammes!
L'impassible nature a déjà tout repris.

"Oh! dites-moi, ravins, frais ruisseaux, treilles [26] mûres,
Rameaux chargés de nids, grottes, forêts, buissons,
Est-ce que vous ferez pour d'autres vos murmures?
Est-ce que vous direz à d'autres vos chansons?

[25] sacré: sacré pour lui depuis que Juliette s'y est baignée.
[26] treilles: "vines."

"Nous vous comprenions tant! doux, attentifs, austères,[27]
Tous nos échos s'ouvraient si bien à votre voix!
Et nous prêtions si bien, sans troubler vos mystères,
L'oreille aux mots profonds que vous dites parfois!

"Répondez, vallon pur, répondez, solitude,
O nature abritée en ce désert si beau,
Lorsque nous dormirons tous deux dans l'attitude
Que donne aux morts pensifs la forme du tombeau,

"Est-ce que vous serez à ce point insensible
De nous savoir couchés, morts avec nos amours,
Et de continuer votre fête paisible,
Et de toujours sourire et de chanter toujours?

"Est-ce que, nous sentant errer dans vos retraites,
Fantômes reconnus par vos monts et vos bois,
Vous ne nous direz pas de ces choses secrètes
Qu'on dit en revoyant des amis d'autrefois?

"Est-ce que vous pourrez, sans tristesse et sans plainte,
Voir nos ombres flotter où marchèrent nos pas,
Et la voir m'entraîner, dans une morne étreinte,
Vers quelque source en pleurs qui sanglote tout bas?

"Et s'il est quelque part, dans l'ombre où rien ne veille,
Deux amants sous vos fleurs abritant leurs transports,
Ne leur irez-vous pas murmurer à l'oreille:
—Vous qui vivez, donnez une pensée aux morts!

"Dieu nous prête un moment les prés et les fontaines,
Les grands bois frissonnants, les rocs profonds et sourds,
Et les cieux azurés et les lacs et les plaines,
Pour y mettre nos cœurs, nos rêves, nos amours;

[27] austères: pleins de respect devant la grandeur de la nature.

"Puis il nous les retire.   Il souffle notre flamme;[28]
Il plonge dans la nuit l'antre [29] où nous rayonnons;
Et dit à la vallée, où s'imprima notre âme,
D'effacer notre trace et d'oublier nos noms.

"Eh bien! oubliez-nous, maison, jardin, ombrages!
Herbe, use notre seuil!   Ronce, cache nos pas!
Changez, oiseaux! ruisseaux, coulez! croissez, feuillages!
Ceux que vous oubliez ne vous oublieront pas.

"Car vous êtes pour nous l'ombre de l'amour même!
Vous êtes l'oasis qu'on rencontre en chemin!
Vous êtes, ô vallon, la retraite suprême
Où nous avons pleuré nous tenant par la main!

"Toutes les passions s'éloignent avec l'âge,
L'une emportant son masque et l'autre son couteau,[30]
Comme un essaim [31] chantant d'histrions en voyage
Dont le groupe décroît derrière le coteau.

"Mais toi, rien ne t'efface, amour! toi qui nous charmes,
Toi qui, torche ou flambeau,[32] luis dans notre brouillard!
Tu nous tiens par la joie, et surtout par les larmes.[33]
Jeune homme on te maudit, on t'adore vieillard.

"Dans ces jours où la tête au poids des ans s'incline,
Où l'homme, sans projets, sans but, sans visions,
Sent qu'il n'est déjà plus qu'une tombe en ruine
Où gisent ses vertus et ses illusions;

[28] flamme: la flamme de la vie.
[29] antre: caverne.
[30] masque, couteau: ces deux mots symbolisent la comédie et la tragédie.
[31] essaim: troupe.
[32] torche ou flambeau: quand l'amour prend la forme de la passion il brûle le cœur comme une torche incendiaire, mais plus tard son souvenir éclaire la vie avec la lueur calme d'un flambeau.
[33] surtout par les larmes: c'est l'idée que Musset a exprimée dans les " Nuits" et "Souvenir."

"Quand notre âme en rêvant descend en nos entrailles,
Comptant dans notre cœur, qu'enfin la glace atteint,
Comme on compte les morts sur un champ de batailles,
Chaque douleur tombée et chaque songe éteint,

"Comme quelqu'un qui cherche en tenant une lampe,
Loin des objets réels, loin du monde rieur,
Elle arrive à pas lents par une obscure rampe [34]
Jusqu'au fond désolé du gouffre intérieur;

"Et là, dans cette nuit qu'aucun rayon n'étoile,
L'âme, en un repli sombre où tout semble finir,
Sent quelque chose encor palpiter sous un voile . . . —
C'est toi qui dors dans l'ombre, ô sacré souvenir!"

Les Rayons et les Ombres

PASTEURS ET TROUPEAUX

Écrit à Jersey, en 1854, ce poème est un excellent exemple de l'importance des associations d'idées dans l'art de Victor Hugo. Après avoir contemplé, dans un vallon paisible, un troupeau de moutons que garde une bergère, le poète continue sa promenade jusqu'au bord de la mer. On étudiera comment la vision du paysage maritime qu'il aperçoit alors est influencée par le souvenir de la scène pastorale décrite au début du poème.

Le vallon où je vais tous les jours est charmant,
Serein, abandonné, seul sous le firmament,
Plein de ronces [35] en fleur; c'est un sourire triste.
Il vous fait oublier que quelque chose existe,
Et, sans le bruit des champs remplis de travailleurs,
On ne saurait plus là si quelqu'un vit ailleurs.
Là, l'ombre fait l'amour; l'idylle naturelle
Rit; le bouvreuil [36] avec le verdier [37] s'y querelle,

[34] rampe: "flight of stairs."
[35] ronces: "brambles."
[36] bouvreuil: "bull-finch."
[37] verdier: "greenfinch."

Et la fauvette [38] y met de travers son bonnet;
C'est tantôt l'aubépine [39] et tantôt le genêt; [40]
De noirs granits bourrus, puis des mousses riantes;
Car Dieu fait un poème avec des variantes;
Comme le vieil Homère, il rabâche [41] parfois,
Mais c'est avec les fleurs, les monts, l'onde et les bois!
Une petite mare [42] est là, ridant sa face,
Prenant des airs de flot pour la fourmi qui passe,
Ironie étalée au milieu du gazon,
Qu'ignore l'océan grondant à l'horizon.
J'y rencontre parfois sur la roche hideuse
Un doux être; quinze ans, yeux bleus, pieds nus, gardeuse
De chèvres, habitant, au fond d'un ravin noir,
Un vieux chaume croulant qui s'étoile le soir; [43]
Ses sœurs sont au logis et filent leur quenouille; [44]
Elle essuie aux roseaux ses pieds que l'étang mouille;
Chèvres, brebis, béliers,[45] paissent; quand, sombre esprit,
J'apparais, le pauvre ange a peur, et me sourit;
Et moi, je la salue, elle étant l'innocence.
Ses agneaux, dans le pré plein de fleurs qui l'encense,
Bondissent, et chacun, au soleil s'empourprant,[46]
Laisse aux buissons, à qui la bise le reprend,
Un peu de sa toison,[47] comme un flocon d'écume.
Je passe; enfant, troupeau, s'effacent dans la brume;
Le crépuscule étend sur les longs sillons gris
Ses ailes de fantôme et de chauve-souris;

[38] fauvette: "warbler."
[39] aubépine: "hawthorn."
[40] genêt: "gorse."
[41] il rabâche: "he repeats himself": allusion à un vers de l'*Art Poétique* l'Horace qui signifie "Le bon Homère sommeille quelquefois" ("Homer nods at imes").
[42] mare: "pond."
[43] qui s'étoile le soir: par les fentes du toit on aperçoit le ciel étoilé.
[44] quenouille: "distaff."
[45] béliers: "rams."
[46] au soleil s'empourprant: les rayons du soleil couchant mettent des reflets ouges sur leur laine blanche.
[47] toison: "fleece."

J'entends encore au loin dans la plaine ouvrière [48]
Chanter derrière moi la douce chevrière,
Et, là-bas, devant moi, le vieux gardien pensif
De l'écume, du flot, de l'algue, du récif,
Et des vagues sans trêve et sans fin remuées,
Le pâtre promontoire au chapeau de nuées,
S'accoude et rêve au bruit de tous les infinis,
Et, dans l'ascension des nuages bénis,
Regarde se lever la lune triomphale,
Pendant que l'ombre tremble, et que l'âpre rafale [49]
Disperse à tous les vents avec son souffle amer
La laine des moutons sinistres de la mer. [50]

Les Contemplations

OCEANO NOX [51]

Oh! combien de marins, combien de capitaines
Qui sont partis joyeux pour des courses lointaines,
Dans ce morne horizon se sont évanouis!
Combien ont disparu, dure et triste fortune!
Dans une mer sans fond, par une nuit sans lune,
Sous l'aveugle océan à jamais enfouis!

Combien de patrons [52] morts avec leurs équipages! [53]
L'ouragan de leur vie a pris toutes les pages
Et d'un souffle il a tout dispersé sur les flots!
Nul ne saura leur fin dans l'abîme plongée.
Chaque vague en passant d'un butin [54] s'est chargée;
L'une a saisi l'esquif, [55] l'autre les matelots!

[48] la plaine ouvrière: la plaine fertile et habitée, par opposition à la côte aride et déserte.
[49] rafale: "squall."
[50] moutons de la mer: écume blanche qui se forme sur la crête des vagues: "white-caps."
[51] Oceano nox: nuit sur l'océan.
[52] patrons: "skippers."
[53] équipages: "crews."
[54] butin: "booty."
[55] esquif: "boat."

Nul ne sait votre sort, pauvres têtes perdues!
Vous roulez à travers les sombres étendues,
Heurtant de vos fronts morts des écueils inconnus.
Oh! que de vieux parents, qui n'avaient plus qu'un rêve,
Sont morts en attendant tous les jours sur la grève
      Ceux qui ne sont pas revenus!

On s'entretient de vous parfois dans les veillées.[56]
Maint joyeux cercle, assis sur des ancres rouillées,
Mêle encor quelque temps vos noms d'ombre couverts
Aux rires, aux refrains, aux récits d'aventures,
Aux baisers qu'on dérobe à vos belles futures,[57]
Tandis que vous dormez dans les goémons verts!

On demande:—Où sont-ils? sont-ils rois dans quelque île?
Nous ont-ils délaissés pour un bord [58] plus fertile?—
Puis votre souvenir même est enseveli.
Le corps se perd dans l'eau, le nom dans la mémoire.
Le temps, qui sur toute ombre en verse une plus noire,
Sur le sombre océan jette le sombre oubli.

Bientôt des yeux de tous votre ombre est disparue.
L'un n'a-t-il pas sa barque et l'autre sa charrue? [59]
Seules, durant ces nuits où l'orage est vainqueur,
Vos veuves aux fronts blancs, lasses de vous attendre,
Parlent encor de vous en remuant la cendre [60]
      De leur foyer [61] et de leur cœur!

[56] veillées: "evening gatherings."
[57] future: "intended."
[58] bord: "shore."
[59] charrue: "plough": les amis des marins disparus sont de pauvres gens, pêcheurs ou paysans, auxquels le travail ne laisse guère le loisir de penser aux morts.
[60] remuant la cendre: "stirring the ashes."
[61] foyer: "fire."

Et quand la tombe enfin a fermé leur paupière,
Rien ne sait plus vos noms, pas même une humble pierre
Dans l'étroit cimetière où l'écho nous répond,
Pas même un saule vert qui s'effeuille à l'automne,
Pas même la chanson naïve et monotone
Que chante un mendiant à l'angle d'un vieux pont!

Où sont-ils, les marins sombrés dans les nuits noires?
O flots, que vous savez de lugubres histoires!
Flots profonds redoutés des mères à genoux!
Vous vous les racontez en montant les marées,
Et c'est ce qui vous fait ces voix désespérées
Que vous avez le soir quand vous venez vers nous!

Les Rayons et les Ombres

LA VACHE

On remarquera dans ce poème le contraste entre le début,
magnifique tableau réaliste, et la fin, méditation philosophique qui
donne l'interprétation symbolique de la première partie.

Devant la blanche ferme où parfois vers midi
Un vieillard vient s'asseoir sur le seuil attiédi,
Où cent poules gaîment mêlent leurs crêtes rouges,
Où, gardiens du sommeil, les dogues dans leurs bouges [62]
Écoutent les chansons du gardien du réveil,
Du beau coq vernissé [63] qui reluit au soleil,
Une vache était là, tout à l'heure arrêtée.
Superbe, énorme, rousse et de blanc tachetée,
Douce comme une biche avec ses jeunes faons,
Elle avait sous le ventre un beau groupe d'enfants,
D'enfants aux dents de marbre, aux cheveux en broussailles
Frais, et plus charbonnés [64] que de vieilles murailles,

[62] bouges: niches étroites et obscures: "kennels."
[63] vernissé: les plumes du coq brillent comme si elles étaient vernies.   Le mot
s'emploie surtout en parlant des poteries: "varnished."
[64] charbonnés: barbouillés, comme des murs couverts d'inscriptions au
charbon.

ui, bruyants, tous ensemble, à grands cris appelant
D'autres qui, tout petits, se hâtaient en tremblant,[65]
Dérobant sans pitié quelque laitière absente,
ous leur bouche joyeuse et peut-être blessante
t sous leurs doigts pressant le lait par mille trous,
iraient le pis [66] fécond de la mère au poil roux.
lle, bonne et puissante et de son trésor pleine,
ous leurs mains par moments faisant frémir à peine
on beau flanc plus ombré [67] qu'un flanc de léopard,
Distraite, regardait vaguement quelque part.

insi, Nature! abri de toute créature!
mère universelle! indulgente Nature!
insi, tous à la fois, mystiques et charnels,
Cherchant l'ombre et le lait sous tes flancs éternels,
Tous sommes là, savants, poètes, pêle-mêle,
endus de toutes parts à ta forte mamelle!
t tandis qu'affamés, avec des cris vainqueurs,
tes sources sans fin désaltérant nos cœurs,
our en faire plus tard notre sang et notre âme,
Tous aspirons à flots ta lumière et ta flamme,
es feuillages, les monts, les prés verts, le ciel bleu,
oi, sans te déranger, tu rêves à ton Dieu!

Les Voix intérieures

§ 2. HUGO PENSEUR ET PHILOSOPHE

LA FONCTION DU POÈTE

Un des caractères du XIXe siècle au point de vue politique et
ocial, est le rôle de plus en plus grand joué par le peuple dans le
ouvernement du pays. Les écrivains de cette période ont pensé

---

[65] en tremblant: les petits ont un peu peur de la grosse bête.
[66] pis: "udder."
[67] ombré: tacheté.

qu'il était de leur devoir de guider et d'éclairer ce peuple qⁱ
faisait l'apprentissage de la liberté. L'inspiration romantiqu₍
d'abord lyrique, aura donc tendance à s'élargir pour deveni
politique et sociale.

Voici le poème dans lequel Victor Hugo a résumé ses idées sᵘ
cette question: abandonnant la méditation, le poète doit devenir]
conducteur des peuples, le défenseur du droit, le prophète d̀
l'avenir.

I

Pourquoi t'exiler, ô poète,[68]
Dans la foule où nous te voyons?
Que sont pour ton âme inquiète
Les partis,[69] chaos sans rayons?
Dans leur atmosphère souillée
Meurt ta poésie effeuillée;
Leur souffle égare ton encens;
Ton cœur, dans leurs luttes serviles,
Est comme ces gazons des villes
Rongés par les pieds des passants.

Dans les brumeuses capitales
N'entends-tu pas avec effroi,
Comme deux puissances fatales,
Se heurter le peuple et le roi?
De ces haines que tout réveille
A quoi bon remplir ton oreille
O poète, ô maître, ô semeur?
Tout entier au Dieu que tu nommes,
Ne te mêle pas à ces hommes
Qui vivent dans une rumeur!

[68] ô poète: Hugo suppose qu'un ami du poète lui conseille de vivre à l'écar
loin des luttes et des souffrances de l'humanité.
[69] Les partis: les partis politiques.

Va résonner, âme épurée,
Dans le pacifique concert!
Va t'épanouir, fleur sacrée,
Sous les larges cieux du désert!
O rêveur, cherche les retraites,
Les abris, les grottes discrètes,
Et l'oubli pour trouver l'amour,
Et le silence afin d'entendre
La voix d'en haut, sévère et tendre,
Et l'ombre afin de voir le jour!

Va dans les bois! va sur les plages!
Compose tes chants inspirés
Avec la chanson des feuillages
Et l'hymne des flots azurés!
Dieu t'attend dans les solitudes;
Dieu n'est pas dans les multitudes;
L'homme est petit, ingrat et vain.
Dans les champs tout vibre et soupire.
La nature est la grande lyre,
Le poète est l'archet [70] divin!

Sors de nos tempêtes, ô sage!
Que pour toi l'empire en travail,
Qui fait son périlleux passage
Sans boussole et sans gouvernail,
Soit comme un vaisseau qu'en décembre
Le pêcheur, du fond de sa chambre
Où pendent ses filets séchés,
Entend la nuit passer dans l'ombre
Avec un bruit sinistre et sombre
De mâts frissonnants et penchés!

[70] archet: "bow" (of a violin).

II

Hélas! hélas! dit le poète,[71]
J'ai l'amour des eaux et des bois;
Ma meilleure pensée est faite
De ce que murmure leur voix.
La création est sans haine.
Là, point d'obstacle et point de chaîne.
Les prés, les monts, sont bienfaisants;
Les soleils m'expliquent les roses;
Dans la sérénité des choses
Mon âme rayonne en tous sens.

Je vous aime, ô sainte nature!
Je voudrais m'absorber en vous;
Mais dans ce siècle d'aventure
Chacun, hélas! se doit à tous!
Toute pensée est une force.
Dieu fit la sève [72] pour l'écorce,
Pour l'oiseau les rameaux fleuris,
Le ruisseau pour l'herbe des plaines,
Pour les bouches les coupes pleines,
Et le penseur pour les esprits!

Dieu le veut, dans les temps contraires,
Chacun travaille et chacun sert.
Malheur à qui dit à ses frères:
Je retourne dans le désert!
Malheur à qui prend ses sandales
Quand les haines et les scandales
Tourmentent le peuple agité!
Honte au penseur qui se mutile
Et s'en va, chanteur inutile,
Par la porte de la cité!

[71] dit le poète: le poète répond à son ami en lui expliquant que son devoir, "fonction," est de prendre part à la lutte et de mettre son génie au service la justice.
[72] sève: "sap."

Le poète en des jours impies
Vient préparer des jours meilleurs.
Il est l'homme des utopies,
Les pieds ici, les yeux ailleurs.
C'est lui qui sur toutes les têtes,
En tout temps, pareil aux prophètes,
Dans sa main, où tout peut tenir,
Doit, qu'on l'insulte ou qu'on le loue,
Comme une torche qu'il secoue,
Faire flamboyer l'avenir!

Il voit, quand les peuples végètent!
Ses rêves, toujours pleins d'amour,
Sont faits des ombres que lui jettent
Les choses qui seront un jour.
On le raille.   Qu'importe! il pense.
Plus d'une âme inscrit en silence
Ce que la foule n'entend pas.
Il plaint ses contempteurs frivoles;
Et maint faux sage à ses paroles
Rit tout haut et songe tout bas!

*   *   *

Peuples! écoutez le poète!
Écoutez le rêveur sacré!
Dans votre nuit, sans lui complète,
Lui seul a le front éclairé.
Des temps futurs perçant les ombres,
Lui seul distingue en leurs flancs sombres
Le germe qui n'est pas éclos.
Homme, il est doux comme une femme.
Dieu parle à voix basse à son âme
Comme aux forêts et comme aux flots.

C'est lui qui, malgré les épines,
L'envie et la dérision,
Marche, courbé dans vos ruines,
Ramassant la tradition.
De la tradition féconde
Sort tout ce qui couvre le monde,
Tout ce que le ciel peut bénir.
Toute idée, humaine ou divine,
Qui prend le passé pour racine
A pour feuillage l'avenir.

Il rayonne! il jette sa flamme
Sur l'éternelle vérité!
Il la fait resplendir pour l'âme
D'une merveilleuse clarté.
Il inonde de sa lumière
Ville et désert, Louvre et chaumière,
Et les plaines et les hauteurs;
A tous d'en haut il la dévoile;
Car la poésie est l'étoile [73]
Qui mène à Dieu rois et pasteurs!

Les Rayons et les Ombres

LE MENDIANT

Comme son amour pour les enfants, la pitié de Victor Hugo pour
les pauvres et les affligés est déclamatoire mais sincère. Ce poème
est un exemple intéressant de sa tendance à idéaliser les victimes
de la société, en opposant leur grandeur morale au sort injuste qui
les accable.

Un pauvre homme passait dans le givre [74] et le vent,
Je cognai sur ma vitre; il s'arrêta devant
Ma porte, que j'ouvris d'une façon civile.
Les ânes revenaient du marché de la ville,

[73] l'étoile: allusion à l'étoile qui mena les Rois Mages à Bethléem.
[74] givre: "hoar frost."

Portant les paysans accroupis sur leurs bâts.[75]
C'était le vieux qui vit dans une niche au bas
De la montée, et rêve, attendant, solitaire,
Un rayon du ciel triste, un liard [76] de la terre,
Tendant les mains pour l'homme et les joignant pour Dieu.
Je lui criai:—Venez vous réchauffer un peu.
Comment vous nommez-vous?—Il me dit:—Je me nomme
Le pauvre.—Je lui pris la main.—Entrez, brave homme.—
Et je lui fis donner une jatte [77] de lait.
Le vieillard grelottait de froid; il me parlait,
Et je lui répondais pensif et sans l'entendre.
—Vos habits sont mouillés, dis-je, il faut les étendre
Devant la cheminée.—Il s'approcha du feu.
Son manteau tout mangé des vers, et jadis bleu,
Étalé largement sur la chaude fournaise,
Piqué de mille trous par la lueur de braise,[78]
Couvrait l'âtre, et semblait un ciel noir étoilé.[79]
Et, pendant qu'il séchait ce haillon désolé
D'où ruisselaient la pluie et l'eau des fondrières,[80]
Je songeais que cet homme était plein de prières,[81]
Et je regardais, sourd à ce que nous disions,
Sa bure [82] où je voyais des constellations.

Les Contemplations

[75] bâts: "pack saddles."
[76] liard: ancienne monnaie de cuivre qui valait le quart d'un sou: "farthing."
[77] jatte: "bowl."
[78] braise: "embers."
[79] un ciel noir étoilé: comme il arrive souvent chez Victor Hugo, la sensation isuelle du vers précédent est transformée par l'imagination en une image qui son tour va faire naître une idée.
[80] fondrières: "quagmires."
[81] plein de prières: Victor Hugo perdu dans sa rêverie, écoute le vieillard "sans entendre." Il voit en lui non plus *un* pauvre mais *le* pauvre, l'opprimé, le aint qui dans le royaume des cieux aura la première place.
[82] bure: grosse étoffe de laine: "drugget."

À VILLEQUIER

Le 4 septembre 1843, Léopoldine Hugo, fille du poète, et son mari, Charles Vacquerie, se noyèrent pendant une promenade en canot sur la Seine, près du village de Villequier.   Le chagrin de Victor Hugo fut terrible, et pendant longtemps il garda un silence farouche; enfin peu à peu la douleur s'atténua, et le 4 septembre 1844, un an après la mort de sa fille, il composa ce magnifique poème, le plus émouvant qu'il ait jamais écrit parce que c'est le plus sincère.   La révolte et l'amertume ont fait place à la résignation; le cœur brisé, le poète s'incline humblement devant la volonté de Dieu qui l'a frappé.

Maintenant que Paris, ses pavés et ses marbres,
Et sa brume et ses toits sont bien loin de mes yeux; [83]
Maintenant que je suis sous les branches des arbres,
Et que je puis songer à la beauté des cieux;

Maintenant que du deuil qui m'a fait l'âme obscure
    Je sors, pâle et vainqueur,
Et que je sens la paix de la grande nature
    Qui m'entre dans le cœur;

Maintenant que je puis, assis au bord des ondes,
Ému par ce superbe et tranquille horizon,
Examiner en moi les vérités profondes
Et regarder les fleurs qui sont dans le gazon;

Maintenant, ô mon Dieu! que j'ai ce calme sombre
    De pouvoir désormais
Voir de mes yeux la pierre où je sais que dans l'ombre
    Elle dort pour jamais;

[83] loin de mes yeux: le poème fut écrit à Villequier.

Maintenant qu'attendri par ces divins spectacles,
Plaines, forêts, rochers, vallons, fleuve argenté,
Voyant ma petitesse et voyant vos miracles,
Je reprends ma raison devant l'immensité; [84]

Je viens à vous, Seigneur, père auquel il faut croire;
      Je vous porte, apaisé,
Les morceaux de ce cœur tout plein de votre gloire
      Que vous avez brisé;

Je viens à vous, Seigneur! confessant que vous êtes
Bon, clément, indulgent et doux, ô Dieu vivant!
Je conviens que vous seul savez ce que vous faites,
Et que l'homme n'est rien qu'un jonc [85] qui tremble au vent;

Je dis que le tombeau qui sur les morts se ferme
      Ouvre le firmament;
Et que ce qu'ici-bas nous prenons pour le terme
      Est le commencement; [86]

Je conviens à genoux que vous seul, père auguste,
Possédez l'infini, le réel, l'absolu;
Je conviens qu'il est bon, je conviens qu'il est juste
Que mon cœur ait saigné, puisque Dieu l'a voulu!

Je ne résiste plus à tout ce qui m'arrive
      Par votre volonté.
L'âme de deuils en deuils, l'homme de rive en rive,
      Roule à l'éternité.

[84] devant l'immensité: le poète comprend que son deuil est bien peu de chose dans la vie immense du monde. Tout ce passage rappelle les paroles que Job adresse au Seigneur dans la Bible. Le poème tout entier est plein de reminiscences du *Livre de Job*.

[85] jonc: "rush."

[86] commencement: de la vraie vie, c'est-à-dire de la vie éternelle.

Nous ne voyons jamais qu'un seul côté des choses; [87]
L'autre plonge en la nuit d'un mystère effrayant.
L'homme subit le joug [88] sans connaître les causes.
Tout ce qu'il voit est court, inutile et fuyant. [89]

Vous faites revenir toujours la solitude
      Autour de tous ses pas.
Vous n'avez pas voulu qu'il eût la certitude
      Ni la joie ici-bas!

Dès qu'il possède un bien, le sort [90] le lui retire.
Rien ne lui fut donné, dans ses rapides jours,
Pour qu'il s'en puisse faire une demeure, et dire:
C'est ici ma maison, mon champ et mes amours!

Il doit voir peu de temps tout ce que ses yeux voient;
      Il vieillit sans soutiens.
Puisque ces choses sont, c'est qu'il faut qu'elles soient;
      J'en conviens, j'en conviens!

Le monde est sombre, ô Dieu! l'immuable harmonie
Se compose des pleurs aussi bien que des chants;
L'homme n'est qu'un atome en cette ombre infinie,
Nuit où montent les bons, où tombent les méchants.

Je sais que vous avez bien autre chose à faire
      Que de nous plaindre tous,
Et qu'un enfant qui meurt, désespoir de sa mère,
      Ne vous fait rien, à vous.

[87] un seul côté des choses: Victor Hugo avait écrit cette même phrase dans son carnet de voyage en ajoutant les mots suivants: "Dieu voit l'autre."
[88] joug: "yoke."
[89] fuyant: éphémère.
[90] sort: "fate": c'est le nom que les hommes donnent à ces arrêts de la Providence qu'ils ne peuvent pas comprendre.

Je sais que le fruit tombe au vent qui le secoue,
Que l'oiseau perd sa plume et la fleur son parfum;
Que la création est une grande roue
Qui ne peut se mouvoir sans écraser quelqu'un;

Les mois, les jours, les flots des mers, les yeux qui pleurent,
　　　Passent sous le ciel bleu;
Il faut que l'herbe pousse et que les enfants meurent,
　　　Je le sais, ô mon Dieu!

Dans vos cieux, au delà de la sphère des nues,
Au fond de cet azur immobile et dormant,
Peut-être faites-vous des choses inconnues
Où la douleur de l'homme entre comme élément.

Peut-être est-il utile à vos desseins sans nombre
　　　Que des êtres charmants
S'en aillent, emportés par le tourbillon sombre
　　　Des noirs événements.

Nos destins ténébreux vont sous des lois immenses
Que rien ne déconcerte [91] et que rien n'attendrit.
Vous ne pouvez avoir de subites [92] clémences
Qui dérangent le monde, ô Dieu, tranquille esprit!

Je vous supplie, ô Dieu! de regarder mon âme,
　　　Et de considérer
Qu'humble comme un enfant et doux comme une femme,
　　　Je viens vous adorer!

Considérez encor que j'avais, dès l'aurore,
Travaillé, combattu, pensé, marché, lutté,
Expliquant la nature [93] à l'homme qui l'ignore,
Éclairant toute chose avec votre clarté;

[91] déconcerte: que rien ne peut modifier.
[92] subites: imprévues.
[93] Expliquant la nature: ce sont les idées que Hugo a développées dans "Fonction du Poète."

Que j'avais, affrontant la haine et la colère,
    Fait ma tâche ici-bas,
Que je ne pouvais pas m'attendre à ce salaire,
    Que je ne pouvais pas

Prévoir que, vous aussi, sur ma tête qui ploie
Vous appesantiriez votre bras triomphant,
Et que, vous qui voyiez comme j'ai peu de joie,
Vous me reprendriez si vite mon enfant!

Qu'une âme ainsi frappée à se plaindre est sujette,
    Que j'ai pu blasphémer,
Et vous jeter mes cris comme un enfant qui jette
    Une pierre à la mer!

Considérez qu'on doute, ô mon Dieu! quand on souffre,
Que l'œil qui pleure trop finit par s'aveugler,
Qu'un être que son deuil plonge au plus noir du gouffre,[94]
Quand il ne vous voit plus, ne peut vous contempler,

Et qu'il ne se peut pas que l'homme, lorsqu'il sombre,
    Dans les afflictions,
Ait présente à l'esprit la sérénité sombre
    Des constellations!

Aujourd'hui, moi qui fus faible comme une mère,
Je me courbe à vos pieds devant vos cieux ouverts.
Je me sens éclairé dans ma douleur amère
Par un meilleur regard [95] jeté sur l'univers.

Seigneur, je reconnais que l'homme est en délire
    S'il ose murmurer;
Je cesse d'accuser, je cesse de maudire,
    Mais laissez-moi pleurer!

[94] gouffre: l'abime du désespoir et de la révolte contre la volonté divine.
[95] meilleur regard: une compréhension plus profonde de l'univers.

Hélas! laissez les pleurs couler de ma paupière,
Puisque vous avez fait les hommes pour cela!
Laissez-moi me pencher sur cette froide pierre
Et dire à mon enfant: Sens-tu que je suis là?

Laissez-moi lui parler, incliné sur ses restes,
  Le soir, quand tout se tait,
Comme si, dans sa nuit rouvrant ses yeux célestes,
  Cet ange m'écoutait!

Hélas! vers le passé tournant un œil d'envie,
Sans que rien ici-bas puisse m'en consoler,
Je regarde toujours ce moment de ma vie
Où je l'ai vue ouvrir son aile et s'envoler.

Je verrai cet instant jusqu'à ce que je meure,
  L'instant, pleurs superflus!
Où je criai: L'enfant que j'avais tout à l'heure,
  Quoi donc! je ne l'ai plus!

Ne vous irritez pas que je sois de la sorte,
O mon Dieu! cette plaie a si longtemps saigné!
L'angoisse dans mon âme est toujours la plus forte,
Et mon cœur est soumis, mais n'est pas résigné.

Ne vous irritez pas! fronts que le deuil réclame,
  Mortels sujets aux pleurs.
Il nous est malaisé de retirer notre âme
  De ces grandes douleurs.

Voyez-vous,[96] nos enfants nous sont bien nécessaires,
Seigneur; quand on a vu dans sa vie, un matin
Au milieu des ennuis, des peines, des misères,
Et de l'ombre que fait sur nous notre destin,

---

[96] Voyez-vous: ce'ton si humble malgré la familiarité apparente de l'expression
st profondément émouvant parce que, très différent de l'éloquence grandilo-
uente qu'on trouve généralement dans Hugo, il nous fait mesurer l'immense
ouleur du poète.

Apparaître un enfant, tête chère et sacrée,
    Petit être joyeux,
Si beau, qu'on a cru voir s'ouvrir à son entrée
    Une porte des cieux;

Quand on a vu, seize ans, de cet autre soi-même
Croître la grâce aimable et la douce raison,
Lorsqu'on a reconnu que cet enfant qu'on aime
Fait le jour dans notre âme et dans notre maison;

Que c'est la seule joie ici-bas qui persiste
    De tout ce qu'on rêva,
Considérez que c'est une chose bien triste
    De le voir qui s'en va!

                      Les Contemplations

MORS [97]

Hugo a écrit ce poème onze ans après la mort de sa fille. Le poète s'est résigné, et voit maintenant dans son deuil une manifestation du règne universel de la mort. Dans les deux derniers vers, il exprime par un symbole saisissant ses idées sur la mort: elle n'est qu'une apparence et il ne faut pas la craindre, car, si elle détruit le corps, elle donne la vie à l'âme.

Je vis cette faucheuse. Elle était dans son champ.
Elle allait à grands pas moissonnant et fauchant,
Noir squelette laissant passer le crépuscule.
Dans l'ombre où l'on dirait que tout tremble et recule,
L'homme [98] suivait des yeux les lueurs de la faulx. [99]
Et les triomphateurs sous les arcs triomphaux
Tombaient; elle changeait en désert Babylone,
Le trône en échafaud et l'échafaud en trône,

[97] Mors: en latin, la Mort.
[98] L'homme: ici, l'humanité.
[99] faulx: ancienne forme de faux: "scythe."

Les roses en fumier, les enfants en oiseaux,
L'or en cendre, et les yeux des mères en ruisseaux.
Et les femmes criaient:—Rends-nous ce petit être.
Pour le faire mourir, pourquoi l'avoir fait naître?—
Ce n'était qu'un sanglot sur terre, en haut, en bas;
Des mains aux doigts osseux sortaient des noirs grabats; [100]
Un vent froid bruissait dans les linceuls sans nombre;
Les peuples éperdus semblaient sous la faulx sombre
Un troupeau frissonnant qui dans l'ombre s'enfuit;
Tout était sous ses pieds deuil, épouvante et nuit.
Derrière elle, le front baigné de douce flammes, [101]
Un ange souriant portait la gerbe [102] d'âmes.

Les Contemplations

UN GROUPE TOUT À L'HEURE ÉTAIT LÀ . . .

On a souvent accusé Victor Hugo de ne pas être un penseur, et
l est vrai qu'il n'y a pas, dans son œuvre, de système philosophique
omplet.   Mais, dans de nombreux poèmes, il a exprimé avec
loquence nos angoisses et nos doutes devant le mystère de la vie.
Voici un exemple qui montre comment un fait banal suffit à
provoquer chez lui une profonde méditation.

Un groupe tout à l'heure était là sur la grève, [103]
Regardant quelque chose à terre.—Un chien qui crève! [104]
M'ont crié des enfants; voilà tout ce que c'est.—
Et j'ai vu sous leurs pieds un vieux chien qui gisait.
L'océan lui jetait l'écume de ses lames.
—Voilà trois jours qu'il est ainsi, disaient des femmes,
On a beau lui parler, il n'ouvre pas les yeux.
—Son maître est un marin absent, disait un vieux.

[100] grabats: mauvais lits: "pallets."
[101] flammes: au début du poème, quand la mort semble triompher, c'est la
faux qui éclaire toute la scène de ses lueurs sinistres; à la fin la faux est sombre
et c'est de l'ange victorieux qu'émane la lumière.
[102] gerbe: "sheaf."
[103] sur la grève: ce poème a été écrit dans l'île de Jersey.
[104] crève: "crever" signifie "mourir" en parlant des animaux.

Un pilote, passant la tête à sa fenêtre,
A repris:—Ce chien meurt de ne plus voir son maître.
Justement le bateau vient d'entrer dans le port;
Le maître va venir, mais le chien sera mort.—
Je me suis arrêté près de la triste bête,
Qui, sourde, ne bougeant ni le corps ni la tête,
Les yeux fermés, semblait morte sur le pavé.
Comme le soir tombait, le maître est arrivé,
Vieux lui-même; et, hâtant son pas que l'âge casse,[105]
A murmuré le nom de son chien à voix basse.
Alors, rouvrant ses yeux pleins d'ombre, exténué,
Le chien a regardé son maître, a remué
Une dernière fois sa pauvre vieille queue,
Puis est mort.   C'était l'heure où, sous la voûte bleue,
Comme un flambeau qui sort d'un gouffre, Vénus luit;
Et j'ai dit: D'où vient l'astre? où va le chien? ô nuit![106]

Les Quatre Vents de l'esprit

§ 3.   HUGO POÈTE ÉPIQUE

LA CONSCIENCE

Ce poème décrit l'éveil de la conscience dans l'âme des premiers
hommes; elle est symbolisée par l'œil de Dieu qui poursuit Caïn.
Victor Hugo a merveilleusement reproduit dans ces vers l'atmosphère farouche des premiers livres de la Bible.

Lorsque avec ses enfants vêtus de peaux de bêtes,
Échevelé, livide au milieu des tempêtes,
Caïn se fut enfui de devant Jéhovah,
Comme le soir tombait, l'homme sombre arriva

---

[105] casse: la vieillesse le fait marcher comme un infirme.
[106] ô nuit: c'est la réponse que le poète fait à sa question: le problème de la
vie et de la mort dépasse notre intelligence et nous nous perdons dans cette nuit
mystérieuse.

Au bas d'une montagne en une grande plaine;
Sa femme fatiguée et ses fils hors d'haleine
Lui dirent: "Couchons-nous sur la terre, et dormons."
Caïn, ne dormant pas, songeait au pied des monts.
Ayant levé la tête, au fond des cieux funèbres,
Il vit un œil, tout grand ouvert dans les ténèbres,
Et qui le regardait dans l'ombre fixement.
"Je suis trop près," dit-il avec un tremblement.
Il réveilla ses fils dormant, sa femme lasse,
Et se remit à fuir sinistre dans l'espace.
Il marcha trente jours, il marcha trente nuits.
Il allait, muet, pâle et frémissant aux bruits,
Furtif, sans regarder derrière lui, sans trêve,
Sans repos, sans sommeil; il atteignit la grève
Des mers dans le pays qui fut depuis Assur [1]
"Arrêtons-nous, dit-il, car cet asile est sûr.
Restons-y.   Nous avons du monde atteint les bornes."
Et, comme il s'asseyait, il vit dans les cieux mornes
L'œil à la même place au fond de l'horizon.
Alors il tressaillit en proie au noir frisson.
"Cachez-moi!" cria-t-il; et, le doigt sur la bouche,
Tous ses fils regardaient trembler l'aïeul farouche.
Caïn dit à Jabel, père de ceux qui vont
Sous des tentes de poil dans le désert profond:
"Étends de ce côté la toile de la tente."
Et l'on développa la muraille flottante;
Et, quand on l'eut fixée avec des poids de plomb:
"Vous ne voyez plus rien?" dit Tsilla,[2] l'enfant blond,
La fille de ses fils, douce comme l'aurore;
Et Caïn répondit: "Je vois cet œil encore!"
Jubal, père de ceux qui passent dans les bourgs
Soufflant dans des clairons et frappant des tambours,

---

[1] Assur: semble désigner ici la Syrie.
[2] Tsilla: dans la Bible, Tsilla est la mère de Tubalcaïn.   A cause, sans doute,
de son nom harmonieux, Hugo en a fait une jeune fille.

Cria: "Je saurai bien construire une barrière."
Il fit un mur de bronze et mit Caïn derrière.
Et Caïn dit: "Cet œil me regarde toujours!"
Hénoch dit: "Il faut faire une enceinte de tours
Si terrible, que rien ne puisse approcher d'elle.
Bâtissons une ville avec sa citadelle,
Bâtissons une ville, et nous la fermerons."
Alors Tubalcaïn, père des forgerons,
Construisit une ville énorme et surhumaine.
Pendant qu'il travaillait, ses frères, dans la plaine,
Chassaient les fils d'Énos et les enfants de Seth;
Et l'on crevait les yeux à quiconque passait;
Et, le soir, on lançait des flèches aux étoiles.
Le granit remplaça la tente aux murs de toiles,
On lia chaque bloc avec des nœuds de fer,
Et la ville semblait une ville d'enfer;
L'ombre des tours faisait la nuit dans les campagnes;
Ils donnèrent aux murs l'épaisseur des montagnes;
Sur la porte on grava: "Défense à Dieu d'entrer."
Quand ils eurent fini de clore et de murer,
On mit l'aïeul au centre en une tour de pierre;
Et lui restait lugubre et hagard.   "O mon père!
L'œil a-t-il disparu?" dit en tremblant Tsilla.
Et Caïn répondit: "Non, il est toujours là."
Alors il dit: "Je veux habiter sous la terre
Comme dans son sépulcre un homme solitaire;
Rien ne me verra plus, je ne verrai plus rien."
On fit donc une fosse, et Caïn dit: "C'est bien!"
Puis il descendit seul sous cette voûte sombre.
Quand il se fut assis sur sa chaise dans l'ombre
Et qu'on eut sur son front fermé le souterrain,
L'œil était dans la tombe et regardait Caïn.

La Légende des siècles

LE MARIAGE DE ROLAND

Ce poème a été inspiré à Victor Hugo par la lecture d'un article [3] sur les chansons de geste, notamment sur celle qui est intitulée *Gérard de Vienne* [4] (13e siècle). On y retrouve, en effet, l'esprit des chansons de geste avec leur naïveté, leurs invraisemblances et leur curieux mélange de brutalité et de générosité chevaleresque.

Charlemagne assiège Vienne,[5] défendue contre lui par Gérard, son vassal révolté. Le siège se prolonge sans résultats, et, pour en finir, on déclare qu'un combat singulier entre Roland, neveu de Charlemagne et Olivier, fils de Gérard décidera de la querelle. Le duel a lieu dans une île du Rhône. . . .

Ils se battent—combat terrible!—corps à corps.
Voilà déjà longtemps que leurs chevaux sont morts;
Ils sont là seuls tous deux dans une île du Rhône.
Le fleuve à grand bruit roule un flot rapide et jaune,
Le vent trempe en sifflant les brins d'herbe dans l'eau.
L'archange saint Michel attaquant Apollo [6]
Ne ferait pas un choc plus étrange et plus sombre;
Déjà, bien avant l'aube, ils combattaient dans l'ombre.
Qui, cette nuit, eût vu s'habiller ces barons,[7]
Avant que la visière [8] eût dérobé leurs fronts,
Eût vu deux pages blonds, roses comme des filles.
Hier, c'étaient deux enfants riant à leurs familles,
Beaux, charmants;—aujourd'hui, sur ce fatal terrain,
C'est le duel effrayant de deux spectres d'airain,
Deux fantômes auxquels le démon prête une âme,
Deux masques dont les trous laissent voir de la flamme.

---

[3] article: cet article, intitulé "Quelques romans chez nos aïeux," avait paru en 1846 dans *Le Journal du Dimanche* sous la signature d'A. Jubinal. Ce n'était d'ailleurs qu'une adaptation assez maladroite qui contenait de nombreuses erreurs, que Victor Hugo a reproduites.
[4] *Gérard de Vienne*: en vieux français "*Girart de Viane*"; par Bertrand de Bar.
[5] Vienne: ville du Dauphiné, sur le Rhône.
[6] Apollo: au moyen âge les dieux grecs étaient considérés comme des démons.
[7] barons: désignait à cette époque tous les grands seigneurs.
[8] visière: "visor."

Ils luttent, noirs, muets, furieux, acharnés.
Les bateliers pensifs qui les ont amenés
Ont raison d'avoir peur et de fuir dans la plaine,
Et d'oser, de bien loin, les épier à peine,
Car de ces deux enfants, qu'on regarde en tremblant,
L'un s'appelle Olivier et l'autre a nom Roland.

Et, depuis qu'ils sont là, sombres, ardents, farouches,
Un mot n'est pas encor sorti de ces deux bouches.

Olivier, sieur de Vienne et comte souverain,
A pour père [9] Gérard et pour aïeul Garin.
Il fut pour ce combat habillé par son père.
Sur sa targe [10] est sculpté Bacchus faisant la guerre
Aux Normands, Rollon [11] ivre et Rouen [12] consterné,
Et le dieu souriant par des tigres traîné
Chassant, buveur de vin, tous ces buveurs de cidre.
Son casque est enfoui sous les ailes d'une hydre;
Il porte le haubert [13] que portait Salomon;
Son estoc [14] resplendit comme l'œil d'un démon;
Il y grava son nom afin qu'on s'en souvienne;
Au moment du départ, l'archevêque de Vienne
A béni son cimier de prince féodal.
Roland a son habit de fer, et Durandal.[15]

Ils luttent de si près, avec de sourds murmures,
Que leur souffle âpre et chaud s'empreint sur leurs armures
Le pied presse le pied; l'île à leurs noirs assauts
Tressaille au loin; l'acier mord le fer; des morceaux

[9] père: dans la vieille chanson de geste, Olivier est le neveu de Gérard.
[10] targe: petit bouclier: "shield."
[11] Rollon: chef de pirates normands.   Il se fit céder par le roi de France une province qui devint la Normandie.   Il vécut de 886 à 931 et Charlemagne mourut en 814.   Il y a donc ici un anachronisme.
[12] Rouen: capitale de la Normandie.
[13] haubert: chemise de maille: "hauberk."
[14] estoc: épée longue et étroite.
[15] Durandal: l'épée de Roland.

De heaume [16] et de haubert, sans que pas un s'émeuve,
Sautent à chaque instant dans l'herbe et dans le fleuve.
Leurs brassards [17] sont rayés de longs filets de sang
Qui coule de leur crâne et dans leurs yeux descend.
Soudain, sire Olivier, qu'un coup affreux démasque,
Voit tomber à la fois son épée et son casque.
Main vide et tête nue, et Roland l'œil en feu!
L'enfant songe à son père et se tourne vers Dieu.[18]
Durandal sur son front brille.   Plus d'espérance!
"Çà, dit Roland, je suis neveu du roi de France,
Je dois me comporter en franc [19] neveu de roi.
Quand j'ai mon ennemi désarmé devant moi,
Je m'arrête.   Va donc chercher une autre épée,
Et tâche, cette fois, qu'elle soit bien trempée.
Tu feras apporter à boire en même temps,
Car j'ai soif.
   —Fils,[20] merci, dit Olivier.
        —J'attends,
Dit Roland, hâte-toi."
       Sire Olivier appelle
Un batelier caché derrière une chapelle.

"Cours à la ville, et dis à mon père qu'il faut
Une autre épée à l'un de nous, et qu'il fait chaud."
Cependant les héros, assis dans les broussailles,
S'aident à délacer leurs capuchons de mailles,[21]
Se lavent le visage, et causent un moment.
Le batelier revient, il a fait promptement;
L'homme a vu le vieux comte; il rapporte une épée
Et du vin, de ce vin qu'aimait le grand Pompée

[16] heaume: "helmet."
[17] brassards: pièces de l'armure qui protègent les bras.
[18] se tourne vers Dieu: se prépare à mourir.
[19] franc: véritable.
[20] Fils: dans l'ancienne langue ce mot désignait un jeune homme noble et élégant.
[21] capuchon de maille: "hood of mail."

Et que Tournon [22] récolte au flanc de son vieux mont.
L'épée est cette illustre et fière Closamont [23]
Que d'autres quelquefois appellent Haute-Claire.
L'homme a fui.   Les héros achèvent sans colère
Ce qu'ils disaient; le ciel rayonne au-dessus d'eux;
Olivier verse à boire à Roland; puis tous deux
Marchent droit l'un vers l'autre, et le duel recommence.
Voilà que par degrés de sa sombre démence
Le combat les enivre; il leur revient au cœur
Ce je ne sais quel dieu qui veut qu'on soit vainqueur,
Et qui, s'exaspérant aux armures frappées,
Mêle l'éclair des yeux aux lueurs des épées.
Ils combattent, versant à flots leur sang vermeil.
Le jour entier se passe ainsi.   Mais le soleil
Baisse vers l'horizon.   La nuit vient.

                              "Camarade,
Dit Roland, je ne sais, mais je me sens malade.
Je ne me soutiens plus, et je voudrais un peu
De repos.

              —Je prétends, avec l'aide de Dieu,
Dit le bel Olivier, le sourire à la lèvre,
Vous vaincre par l'épée et non point par la fièvre.
Dormez sur l'herbe verte; et cette nuit, Roland,
Je vous éventerai de mon panache blanc.
Couchez-vous, et dormez.

                              —Vassal, ton âme est neuve,[24]
Dit Roland.   Je riais, je faisais une épreuve.[25]
Sans m'arrêter et sans me reposer, je puis
Combattre quatre jours encore, et quatre nuits."
Le duel reprend.   La mort plane, le sang ruisselle,
Durandal heurte et suit Closamont; l'étincelle

[22] Tournon: ville sur le Rhône célèbre pour ses vins.
[23] Closamont: Hugo reproduit une erreur de Jubinal.   Dans la vieille chanson
de geste, Closamont est le nom du guerrier possesseur de l'épée Haute-Claire
[24] neuve: naïve.
[25] une épreuve: je voulais mettre ta générosité à l'épreuve.

Jaillit de toutes parts sous leurs coups répétés.
L'ombre autour d'eux s'emplit de sinistres clartés.
Ils frappent; le brouillard du fleuve monte et fume;
Le voyageur s'effraye et croit voir dans la brume
D'étranges bûcherons qui travaillent la nuit.

Le jour naît, le combat continue à grand bruit;
La pâle nuit revient, ils combattent; l'aurore
Reparaît dans les cieux, ils combattent encore.
Nul repos.   Seulement, vers le troisième soir,
Sous un arbre, en causant, ils sont allés s'asseoir;
Puis ont recommencé.
                   Le vieux Gérard dans Vienne
Attend depuis trois jours que son enfant revienne.
Il envoie un devin [26] regarder sur les tours;
Le devin dit: "Seigneur, ils combattent toujours."

Quatre jours sont passés, et l'île et le rivage
Tremblent sous ce fracas monstrueux et sauvage.
Ils vont, viennent, jamais fuyant, jamais lassés,
Froissent [27] le glaive au glaive et sautent les fossés,
Et passent, au milieu des ronces remuées,
Comme deux tourbillons et comme deux nuées.
O chocs affreux! terreur! tumulte étincelant!
Mais enfin Olivier saisit au corps Roland,
Qui de son propre sang en combattant s'abreuve,
Et jette d'un revers Durandal dans le fleuve.

"C'est mon tour maintenant, et je vais envoyer
Chercher un autre estoc pour vous, dit Olivier.
Le sabre du géant Sinnagog [28] est à Vienne.
C'est, après Durandal, le seul qui vous convienne.

[26] devin: "soothsayer."
[27] froissent: heurtent.
[28] Sinnagog: pour "Sinagot," nom que portent plusieurs personnages des chansons de geste.

Mon père le lui prit alors qu'il le défit.
Acceptez-le."
　　　　　　　　Roland sourit.　"Il me suffit
De ce bâton."　Il dit, et déracine un chêne.[29]
Sire Olivier arrache un orme dans la plaine
Et jette son épée, et Roland, plein d'ennui,
L'attaque.　Il n'aimait pas qu'on vînt faire après lui
Les générosités qu'il avait déjà faites.

Plus d'épée en leurs mains, plus de casque à leurs têtes.
Ils luttent maintenant, sourds, effarés, béants,
A grands coups de troncs d'arbre, ainsi que des géants.

Pour la cinquième fois, voici que la nuit tombe.
Tout à coup Olivier, aigle aux yeux de colombe,
S'arrête et dit:
　　　　　　　　"Roland, nous n'en finirons point.
Tant qu'il nous restera quelque tronçon au poing,
Nous lutterons ainsi que lions et panthères.
Ne vaudrait-il pas mieux que nous devinssions frères?
Écoute, j'ai ma sœur, la belle Aude au bras blanc,
Épouse-la.
　　　　　　—Pardieu! je veux bien, dit Roland.
Et maintenant buvons, car l'affaire était chaude."

C'est ainsi que Roland épousa la belle Aude.

La Légende des siècles

L'EXPIATION

Ce long poème se trouve dans *les Châtiments*, recueil inspiré par
une haine implacable pour Napoléon III (neveu de Napoléon Ier),
qui, par le coup d'état du 2 décembre 1851, s'était emparé du pouvoir.　"L'expiation" montre Napoléon Ier accablé par les coups du

---

[29] un chêne: ce détail ne se trouve pas dans la chanson de geste, mais il est
conforme à la légende de Roland, qui abonde en détails incroyables.

destin: son armée périt dans les neiges de la Russie, il est écrasé à
Waterloo, il meurt misérablement à Sainte-Hélène.   Il a plusieurs
fois demandé à Dieu si ces épreuves représentaient le châtiment
de ses fautes; mais une voix venue du ciel a chaque fois répondu:
"Non." . . . Une nuit, enfin, Napoléon s'éveille dans son tombeau.
L'heure de son châtiment a sonné: ce sera de voir l'indigne Napoléon III se servir de son grand nom et de sa gloire pour établir le
Second Empire, parodie du premier.   Nous apprenons aussi pour
quel crime Napoléon Ier est ainsi puni: c'est pour avoir, par le coup
d'état du 18 Brumaire, détruit la liberté en France.

On pourra étudier, dans les deux parties données ici, comment
Victor Hugo a renouvelé le style épique.   Un poète classique aurait
cherché à créer autour de ces armées et de ces combats modernes
une atmosphère "antique" au moyen de périphrases et d'allusions
aux poèmes épiques des littératures grecque et latine.   Hugo, au
contraire, emploie un vocabulaire moderne et technique et c'est
le souffle puissant dont il anime les personnages et leurs actions
qui donne au poème une grandeur digne de l'épopée.

I

Il neigeait.[30]   On était vaincu par sa conquête.

Pour la première fois l'aigle [31] baissait la tête.

Sombres jours! l'Empereur revenait lentement,

Laissant derrière lui brûler Moscou fumant.

Il neigeait.   L'âpre hiver fondait en avalanche.

Après la plaine blanche une autre plaine blanche.

On ne connaissait plus les chefs ni le drapeau.

Hier la Grande Armée,[32] et maintenant troupeau.

On ne distinguait plus les ailes ni le centre.[33]

Il neigeait.   Les blessés s'abritaient dans le ventre

[30] Il neigeait: pendant la campagne de Russie en 1812, l'armée de Napoléon,
ne pouvant passer l'hiver dans Moscou incendié par les Russes, battit en retraite
vers la Pologne.   L'hiver fut précoce et rigoureux, et les soldats périrent par
milliers.

[31] l'aigle: emblème de Napoléon.

[32] Grande Armée: nom donné à l'immense armée assemblée par Napoléon
pour la campagne de Russie.

[33] ailes, centre: "wings and center" of the army.

Des chevaux morts; [34] au seuil des bivouacs désolés
On voyait des clairons à leur poste gelés,
Restés debout, en selle et muets, blancs de givre,
Collant leur bouche en pierre aux trompettes de cuivre.
Boulets, mitraille, obus, mêlés aux flocons blancs,
Pleuvaient; les grenadiers, surpris d'être tremblants,
Marchaient pensifs, la glace à leur moustache grise.
Il neigeait, il neigeait toujours!   La froide bise
Sifflait; sur le verglas, [35] dans des lieux inconnus,
On n'avait pas de pain et l'on allait pieds nus.
Ce n'étaient plus des cœurs vivants, des gens de guerre;
C'était un rêve errant dans la brume, un mystère,
Une procession d'ombres sous le ciel noir.
La solitude vaste, épouvantable à voir,
Partout apparaissait, muette vengeresse. [36]
Le ciel faisait sans bruit avec la neige épaisse
Pour cette immense armée un immense linceul. [37]
Et chacun se sentant mourir, on était seul. [38]
—Sortira-t-on jamais de ce funeste empire?
Deux ennemis! le czar, le nord.   Le nord est pire.
On jetait les canons pour brûler les affûts. [39]
Qui se couchait, mourait.   Groupe morne et confus,
Ils fuyaient; le désert dévorait le cortège.
On pouvait, à des plis qui soulevaient la neige,
Voir que des régiments s'étaient endormis là.
O chûtes d'Annibal! lendemains d'Attila!
Fuyards, blessés, mourants, caissons, brancards, civières, [40]
On s'écrasait aux ponts [41] pour passer les rivières,

---

[34] chevaux morts: fait authentique.
[35] verglas: mince couche de glace disposée sur le sol: "ice."
[36] vengeresse: "avenger."
[37] linceul: "shroud."
[38] on était seul: les souffrances avaient détruit les sentiments de compassion et de sympathie dans le cœur des soldats.
[39] affûts: "gun-carriages."
[40] brancards, civières: "stretchers."
[41] ponts: allusion au passage de la Bérésina le 26–28 novembre 1812, un des épisodes les plus dramatiques de la retraite.

On s'endormait dix mille, on se réveillait cent.

Ney,[42] que suivait naguère [43] une armée, à présent

S'évadait, disputant sa montre [44] à trois cosaques.

Toutes les nuits, qui vive! alerte, assauts! attaques!

Ces fantômes prenaient leurs fusils, et sur eux

Ils voyaient se ruer, effrayants, ténébreux,

Avec des cris pareils aux voix des vautours chauves,

D'horribles escadrons, tourbillons d'hommes fauves.[45]

Toute une armée ainsi dans la nuit se perdait.

L'Empereur était là, debout, qui regardait.

Il était comme un arbre en proie à la cognée.[46]

Sur ce géant, grandeur jusqu'alors épargnée,

Le malheur, bûcheron sinistre, était monté;

Et lui, chêne vivant, par la hache insulté,

Tressaillant sous le spectre aux lugubres revanches,

Il regardait tomber autour de lui ses branches.

Chefs, soldats, tous mouraient.   Chacun avait son tour.

Tandis qu'environnant sa tente avec amour,

Voyant son ombre aller et venir sur la toile,

Ceux qui restaient, croyant toujours à son étoile,

Accusaient le destin de lèse-majesté,[47]

Lui se sentit soudain dans l'âme épouvanté.

Stupéfait du désastre et ne sachant que croire,

L'Empereur se tourna vers Dieu; l'homme de gloire

Trembla; Napoléon comprit qu'il expiait

Quelque chose peut-être, et, livide, inquiet,

Devant ses légions sur la neige semées:

"Est-ce le châtiment, dit-il, Dieu des armées?"

[42] Ney: maréchal de France qui se couvrit de gloire pendant la retraite; (1769–1815).

[43] naguère: "not long ago."

[44] disputant sa montre: fait authentique.

[45] hommes fauves: les cosaques, dont l'aspect farouche frappait les imaginations.

[46] cognée: "axe."

[47] lèse-majesté: attentat à la majesté du souverain.

Alors il s'entendit appeler par son nom
Et quelqu'un qui parlait dans l'ombre lui dit: Non.

II

Waterloo! Waterloo! Waterloo! morne plaine!
Comme une onde qui bout dans une urne trop pleine,
Dans ton cirque de bois, de coteaux, de vallons,
La pâle mort mêlait les sombres bataillons.
D'un côté c'est l'Europe et de l'autre la France.
Choc sanglant! des héros Dieu trompait l'espérance;
Tu désertais, victoire, et le sort était las.
O Waterloo! je pleure et je m'arrête, hélas!
Car ces derniers soldats de la dernière guerre
Furent grands; ils avaient vaincu toute la terre,
Chassé vingt rois, passé les Alpes et le Rhin,
Et leur âme chantait dans les clairons d'airain!

Le soir tombait; la lutte était ardente et noire.
Il [48] avait l'offensive et presque la victoire;
Il tenait Wellington acculé sur un bois.
Sa lunette à la main, il observait parfois
Le centre du combat, point obscur où tressaille
La mêlée,[49] effroyable et vivante broussaille,
Et parfois l'horizon, sombre comme la mer.
Soudain, joyeux, il dit: Grouchy!—C'était Blücher.[50]
L'espoir changea de camp, le combat changea d'âme,
La mêlée en hurlant grandit comme une flamme.
La batterie anglaise écrasa nos carrés.
La plaine, où frissonnaient les drapeaux déchirés,
Ne fut plus, dans les cris des mourants qu'on égorge,
Qu'un gouffre flamboyant, rouge comme une forge;

[48] Il: Napoléon.
[49] mêlée: combat corps à corps.
[50] Grouchy, Blücher: le général français Grouchy devait poursuivre l'armée prussienne de Blücher, puis marcher sur Waterloo. Au contraire Grouchy se laissa tromper et c'est Blücher qui arriva à Waterloo pour se joindre aux Anglais qui faiblissaient.

Gouffre où les régiments comme des pans de murs
Tombaient, où se couchaient comme des épis mûrs
Les hauts tambours-majors aux panaches énormes,
Où l'on entrevoyait des blessures difformes!
Carnage affreux! moment fatal! L'homme inquiet
Sentit que la bataille entre ses mains pliait.
Derrière un mamelon [51] la garde était massée.
La garde, espoir suprême et suprême pensée!
"Allons! faites donner la garde!" [52] cria-t-il.
Et, lanciers, grenadiers aux guêtres de coutil,[53]
Dragons que Rome eût pris pour des légionnaires,[54]
Cuirassiers, canonniers qui traînaient des tonnerres,
Portant le noir colback [55] ou le casque poli,
Tous, ceux de Friedland [56] et ceux de Rivoli,
Comprenant qu'ils allaient mourir dans cette fête,
Saluèrent leur dieu, debout dans la tempête.
Leur bouche, d'un seul cri, dit: Vive l'Empereur!
Puis, à pas lents, musique en tête, sans fureur,
Tranquille, souriant à la mitraille anglaise,
La garde impériale entra dans la fournaise.
Hélas! Napoléon, sur sa garde penché,
Regardait, et, sitôt qu'ils avaient débouché
Sous les sombres canons crachant des jets de soufre,
Voyait, l'un après l'autre, en cet horrible gouffre,
Fondre ces régiments de granit et d'acier
Comme fond une cire [57] au souffle d'un brasier.[58]
Ils allaient, l'arme au bras, front haut, graves, stoïques.
Pas un ne recula. Dormez, morts héroïques!

[51] mamelon: "knoll."
[52] faites donner la garde: "send out the guard."
[53] coutil: "duck."
[54] des légionnaires: à cause de leur casque à la romaine.
[55] colback: sorte de bonnet à poils porté par les artilleurs: "bearskin cap."
[56] Friedland, Rivoli: victoires françaises en 1807 et 1797.
[57] cire: "wax."
[58] brasier: "fire."

Le reste de l'armée hésitait sur leurs corps
Et regardait mourir la garde.—C'est alors
Qu'élevant tout à coup sa voix désespérée,
La Déroute, géante à la face effarée,
Qui, pâle, épouvantant les plus fiers bataillons,
Changeant subitement les drapeaux en haillons,
A de certains moments, spectre fait de fumées,
Se lève grandissante au milieu des armées,
La Déroute apparut au soldat qui s'émeut,
Et, se tordant les bras, cria: Sauve qui peut! [59]
Sauve qui peut!—affront! horreur!—toutes les bouches
Criaient; à travers champs, fous, éperdus, farouches,
Comme si quelque souffle avait passé sur eux,
Parmi les lourds caissons et les fourgons [60] poudreux,
Roulant dans les fossés, se cachant dans les seigles, [61]
Jetant shakos, manteaux, fusils, jetant les aigles,
Sous les sabres prussiens, ces vétérans, ô deuil!
Tremblaient, hurlaient, pleuraient, couraient!—En un clin
    d'œil,
Comme s'envole au vent une paille enflammée,
S'évanouit ce bruit qui fut la Grande Armée,
Et cette plaine, hélas, où l'on rêve aujourd'hui,
Vit fuir ceux devant qui l'univers avait fui!
Quarante ans sont passés, et ce coin de la terre,
Waterloo, ce plateau funèbre et solitaire,
Ce champ sinistre où Dieu mêla tant de néants,
Tremble encor d'avoir vu la fuite des géants!
Napoléon les vit s'écouler comme un fleuve;
Hommes, chevaux, tambours, drapeaux;—et dans l'épreuve
Sentant confusément revenir son remords,
Levant les mains au ciel, il dit: "Mes soldats morts,

[59] Sauve qui peut: "Every man for himself!"
[60] fourgons: "wagons."
[61] seigle: "rye-fields."

Moi vaincu! mon empire est brisé comme verre.
Est-ce le châtiment cette fois, Dieu sévère?"
Alors parmi les cris, les rumeurs, le canon,
Il entendit la voix qui lui répondait: Non!

Les Châtiments

§ 4. HUGO POÈTE DE L'ENFANCE

LORSQUE L'ENFANT PARAÎT . . .

Lorsque l'enfant paraît, le cercle de famille
Applaudit à grands cris.   Son doux regard qui brille
          Fait briller tous les yeux,
Et les plus tristes fronts, les plus souillés peut-être,
Se dérident soudain à voir l'enfant paraître,
          Innocent et joyeux.

Soit que juin ait verdi mon seuil, ou que novembre
Fasse autour d'un grand feu vacillant dans la chambre
          Les chaises se toucher,
Quand l'enfant vient, la joie arrive et nous éclaire.
On rit, on se récrie, on l'appelle, et sa mère
          Tremble à le voir marcher.

Quelquefois nous parlons, en remuant la flamme,
De patrie et de Dieu, des poètes, de l'âme
          Qui s'élève en priant;
L'enfant paraît, adieu le ciel et la patrie
Et les poètes saints! la grave causerie
          S'arrête en souriant.

La nuit, quand l'homme dort, quand l'esprit rêve, à l'heure
Où l'on entend gémir, comme une voix qui pleure,
          L'onde entre les roseaux,
Si l'aube tout à coup là-bas luit comme un phare,
Sa clarté dans les champs éveille une fanfare
          De cloches et d'oiseaux.

Enfant, vous êtes l'aube et mon âme est la plaine
Qui des plus douces fleurs embaume son haleine
     Quand vous la respirez;
Mon âme est la forêt dont les sombres ramures
S'emplissent pour vous seul de suaves murmures
     Et de rayons dorés!

Car vos beaux yeux sont pleins de douceurs infinies,
Car vos petites mains, joyeuses et bénies,
     N'ont point mal fait encor;
Jamais vos jeunes pas n'ont touché notre fange,[62]
Tête sacrée! enfant aux cheveux blonds! bel ange
     A l'auréole d'or!

Vous êtes parmi nous la colombe de l'arche.
Vos pieds tendres et purs n'ont point l'âge où l'on marche,
     Vos ailes sont d'azur.
Sans le comprendre encor vous regardez le monde.
Double virginité! corps où rien n'est immonde,
     Âme où rien n'est impur!

Il est si beau, l'enfant, avec son doux sourire,
Sa douce bonne foi, sa voix qui veut tout dire,
     Ses pleurs vite apaisés,
Laissant errer sa vue étonnée et ravie,
Offrant de toutes parts sa jeune âme à la vie
     Et sa bouche aux baisers!

Seigneur! préservez-moi, préservez ceux que j'aime,
Frères, parents, amis, et mes ennemis même
     Dans le mal triomphants,
De jamais voir, Seigneur! l'été sans fleurs vermeilles,
La cage sans oiseaux, la ruches sans abeilles,
     La maison sans enfants!

                    Les Feuilles d'automne

[62] fange: "mud."

JEANNE ÉTAIT AU PAIN SEC . . .

Jeanne [63] était au pain sec dans le cabinet noir,
Pour un crime quelconque, et, manquant au devoir,
J'allai voir la proscrite en pleine forfaiture,[64]
Et lui glissai dans l'ombre un pot de confiture
Contraire aux lois.   Tous ceux sur qui, dans ma cité,[65]
Repose le salut de la société,
S'indignèrent, et Jeanne a dit d'une voix douce:
—Je ne toucherai plus mon nez avec mon pouce;
Je ne me ferai plus griffer par le minet.[66]—
Mais on s'est récrié:—Cette enfant vous connaît;
Elle sait à quel point vous êtes faible et lâche.
Elle vous voit toujours rire quand on se fâche.
Pas de gouvernement possible.   A chaque instant
L'ordre est troublé par vous; le pouvoir se détend;
Plus de règle.   L'enfant n'a plus rien qui l'arrête.
Vous démolissez tout.—Et j'ai baissé la tête,
Et j'ai dit:—Je n'ai rien à répondre à cela,
J'ai tort.   Oui, c'est avec ces indulgences-là
Qu'on a toujours conduit les peuples à leur perte.
Qu'on me mette au pain sec.—Vous le méritez, certe.
On vous y mettra.—Jeanne alors, dans son coin noir,
M'a dit tout bas, levant ses yeux si beaux à voir,
Pleins de l'autorité des douces créatures:
—Eh bien, moi, je t'irai porter des confitures.

L'Art d'être grand-père

[63] Jeanne: la petite-fille de Victor Hugo.
[64] forfaiture: se dit d'une trahison grave, de la violation d'un serment.   Ce
mot est juste ici puisque Hugo met en danger l'autorité des parents de Jeanne
et très spirituellement le poète le fait rimer avec "confiture."
[65] cité: famille.
[66] le minet: mot d'enfant pour désigner le chat: "Pussy."

§ 5. HUGO PEINTRE ET MUSICIEN

LES DJINNS [67]

Ce poème, tiré des *Orientales*, est un véritable tour de force prosodique. Le rythme rend d'une façon parfaite, par une sorte d'harmonie imitative, le calme de la nuit, puis l'approche des esprits malfaisants, leur concert infernal et leur fuite dans le lointain.

> Murs, ville,
> Et port,
> Asile
> De mort,
> Mer grise
> Où brise
> La brise,
> Tout dort.
>
> Dans la plaine
> Naît un bruit.
> C'est l'haleine
> De la nuit.
> Elle brame [68]
> Comme une âme
> Qu'une flamme
> Toujours suit!
>
> La voix plus haute
> Semble un grelot. [69]
> D'un nain [70] qui saute
> C'est le galop.

[67] Djinns: chez les Arabes, esprits, parfois bienfaisants et parfois malfaisants. Ils sont supérieurs aux hommes, mais inférieurs aux anges.

[68] elle brame: le verbe *bramer* ("to bell") désigne le cri du cerf: traduisez par "moans."

[69] grelot: "little bell."

[70] nain: "dwarf."

Il fuit, s'élance,
Puis en cadence
Sur un pied danse
Au bout d'un flot.

La rumeur approche,
L'écho la redit.
C'est comme la cloche
D'un couvent maudit;
Comme un bruit de foule,
Qui tonne et qui roule,
Et tantôt s'écroule,
Et tantôt grandit.

Dieu! la voix sépulcrale
Des Djinns! . . . Quel bruit ils font!
Fuyons sous la spirale
De l'escalier profond.
Déjà s'éteint ma lampe,
Et l'ombre de la rampe,[71]
Qui le long du mur rampe,
Monte jusqu'au plafond.

C'est l'essaim des Djinns qui passe,
Et tourbillonne en sifflant!
Les ifs,[72] que leur vol fracasse,
Craquent comme un pin brûlant.
Leur troupeau, lourd et rapide,
Volant dans l'espace vide,
Semble un nuage livide
Qui porte un éclair au flanc.
Ils sont tout près!—Tenons fermée

---

[71] rampe: "banister"; ramper: "to crawl."
[72] if: "yew tree."

Cette salle, où nous les narguons.[73]
Quel bruit dehors!   Hideuse armée
De vampires et de dragons!
La poutre [74] du toit descellée
Ploie ainsi qu'une herbe mouillée,
Et la vieille porte rouillée
Tremble, à déraciner ses gonds! [75]

Cris de l'enfer! voix qui hurle et qui pleure!
L'horrible essaim, poussé par l'aquilon,
Sans doute, ô ciel! s'abat sur ma demeure.
Le mur fléchit sous le noir bataillon.
La maison crie et chancelle penchée,
Et l'on dirait que, du sol arrachée,
Ainsi qu'il chasse une feuille séchée,
Le vent la roule avec leur tourbillon!

Prophète! si ta main me sauve
De ces impurs démons des soirs,
J'irai prosterner mon front chauve
Devant tes sacrés encensoirs!
Fais que sur ces portes fidèles
Meure leur souffle d'étincelles,
Et qu'en vain l'ongle de leurs ailes
Grince et crie à ces vitraux noirs!

Ils sont passés!—Leur cohorte
S'envole, et fuit, et leurs pieds
Cessent de battre ma porte
De leurs coups multipliés.
L'air est plein d'un bruit de chaînes,
Et dans les forêts prochaines

[73] nous les narguons: "we defy them."
[74] poutre: "beam."
[75] gonds: "hinges."

Frissonnent tous les grands chênes,
Sous leur vol de feu pliés!

De leurs ailes lointaines
Le battement décroît,
Si confus dans les plaines,
Si faible, que l'on croit
Ouïr [76] la sauterelle [77]
Crier d'une voix grêle,[78]
Ou pétiller la grêle [79]
Sur le plomb d'un vieux toit.

D'étranges syllabes
Nous viennent encor;
Ainsi, des arabes
Quand sonne le cor,
Un chant sur la grève
Par instants s'élève,
Et l'enfant qui rêve
Fait des rêves d'or.

Les Djinns funèbres,
Fils du trépas,
Dans les ténèbres
Pressent leurs pas;
Leur essaim gronde:
Ainsi, profonde,
Murmure une onde
Qu'on ne voit pas.

Ce bruit vague
Qui s'endort,
C'est la vague
Sur le bord;

[76] ouïr: vieux verbe français qui signifie "entendre."
[77] sauterelle: "grasshopper."
[78] grêle: adjectif: "shrill."
[79] grêle: nom: "hail."

C'est la plainte,
Presque éteinte,
D'une sainte
Pour un mort.

On doute
La nuit . . .
J'écoute:—
Tout fuit,
Tout passe;
L'espace
Efface
Le bruit.

Les Orientales

BOOZ ENDORMI

Ce poème de la *Légende des siècles* a été inspiré à Victor Hugo
par la Bible (*Livre de Ruth*).   Après avoir décrit dans la "Conscience" la vie farouche de l'humanité primitive, le poète évoque
maintenant l'existence patriarcale des tribus d'Israël.   Ces vers
magnifiques rendent à la fois la naïveté vénérable du texte biblique
et la beauté sensuelle et mystique de la nuit d'Orient.   Certains
vers de la dernière partie sont tout à fait remarquables par l'harmonie des sons et le choix des images.

Booz s'était couché de fatigue accablé;
Il avait tout le jour travaillé dans son aire;
Puis avait fait son lit à sa place ordinaire;
Booz dormait auprès des boisseaux [80] pleins de blé.

Ce vieillard possédait des champs de blés et d'orge; [81]
Il était, quoique riche, à la justice enclin;
Il n'avait pas de fange en l'eau de son moulin;
Il n'avait pas d'enfer dans le feu de sa forge. [82]

---

[80] boisseaux: "bushels."
[81] orge: "barley."
[82] forge: "smithy": ces deux vers signifient que l'origine de la fortune de
Booz était pure.

Sa barbe était d'argent comme un ruisseau d'avril.
Sa gerbe [83] n'était point avare ni haineuse; [84]
Quand il voyait passer quelque pauvre glaneuse: [85]
"Laissez tomber exprès [86] des épis," disait-il.

Cet homme marchait pur loin des sentiers obliques,
Vêtu de probité candide et de lin blanc;
Et, toujours du côté des pauvres ruisselant,
Ses sacs de grains semblaient des fontaines publiques.

Booz était bon maître et fidèle parent; [87]
Il était généreux, quoiqu'il fût économe;
Les femmes regardaient Booz plus qu'un jeune homme,
Car le jeune homme est beau, mais le vieillard est grand.

Le vieillard, qui revient vers la source première, [88]
Entre aux jours éternels et sort des jours changeants;
Et l'on voit de la flamme [89] aux yeux des jeunes gens,
Mais dans l'œil du vieillard on voit de la lumière. [90]

* * *

Donc, Booz dans la nuit dormait parmi les siens.
Près des meules, [91] qu'on eût prises pour des décombres, [92]
Les moissonneurs [93] couchés faisaient des groupes sombres;
Et ceci se passait dans des temps très anciens.

[83] gerbe: "sheaf."
[84] avare ni haineuse: il était généreux et ne haïssait personne.
[85] glaneuse: "gleaner."
[86] exprès: "on purpose."
[87] fidèle parent: c'est pour cela qu'il épousera Ruth, qui est sa parente éloignée,
pour la sauver de la misère où l'a plongée la mort de son mari.
[88] source première: après la mort, l'âme revient à la source de la vie.
[89] la flamme: symbole de la passion.
[90] la lumière: symbole de la sagesse.
[91] meules: "stacks."
[92] décombres: "ruins."
[93] moissonneurs: "harvesters."

Les tribus d'Israël avaient pour chef un juge; [94]
La terre, où l'homme errait sous la tente, inquiet
Des empreintes de pieds de géants [95] qu'il voyait,
Était mouillée encor et molle du déluge.

* * *

Comme dormait Jacob, comme dormait Judith, [96]
Booz, les yeux fermés, gisait sous la feuillée;
Or, la porte du ciel s'étant entre-bâillée
Au-dessus de sa tête, un songe en descendit.

Et ce songe était tel, que Booz vit un chêne [97]
Qui, sorti de son ventre, allait jusqu'au ciel bleu;
Une race y montait comme une longue chaîne;
Un roi [98] chantait en bas, en haut mourait un Dieu. [99]

Et Booz murmurait avec la voix de l'âme:
"Comment se pourrait-il que de moi ceci vînt?
Le chiffre de mes ans a passé quatre-vingt,
Et je n'ai pas de fils, et je n'ai plus de femme.

Voilà longtemps que celle avec qui j'ai dormi,
O Seigneur! a quitté ma couche pour la vôtre;
Et nous sommes encor tout mêlés l'un à l'autre,
Elle à demi vivante et moi mort à demi.

Une race naîtrait de moi!   Comment le croire?
Comment se pourrait-il que j'eusse des enfants?
Quand on est jeune, on a des matins triomphants;
Le jour sort de la nuit comme d'une victoire;

[94] juge: nom donné aux chefs qui gouvernaient le peuple d'Israël avant les Rois.

[95] géants: ceux dont parle la *Genèse*, *IV, 4*.

[96] Judith: héroïne juive qui sauva la ville de Béthulie en tuant Holopherne. Il faut remarquer qu'elle a vécu bien après Jacob et Booz.

[97] un chêne: c'est ce qu'on appelle un "arbre de Jessé" (petit-fils de Ruth et de Booz).   L'art du moyen âge a souvent représenté cet arbre sortant du corps de ce patriarche et portant sur ses rameaux les ancêtres du Christ.   Il faut remarquer aussi que le songe de Booz est analogue à celui de Jacob.

[98] un roi: David, qui chantait les psaumes qu'il avait composés.   Il était l'arrière-petit-fils de Booz.

[99] un Dieu: Jésus, qui descend de David.

Mais vieux, on tremble ainsi qu'à l'hiver le bouleau; [100]
Je suis veuf, je suis seul, et sur moi le soir tombe,
Et je courbe, ô mon Dieu! mon âme vers la tombe,
Comme un bœuf ayant soif penche son front vers l'eau."

Ainsi parlait Booz dans le rêve et l'extase,
Tournant vers Dieu ses yeux par le sommeil noyés;
Le cèdre ne sent pas une rose à sa base,
Et lui ne sentait pas une femme à ses pieds.

* * *

Pendant qu'il sommeillait, Ruth, une Moabite,[101]
S'était couchée aux pieds de Booz, le sein nu,
Espérant on ne sait quel rayon inconnu
Quand viendrait du réveil la lumière subite.

Booz ne savait point qu'une femme était là,
Et Ruth ne savait point ce que Dieu voulait d'elle.
Un frais parfum sortait des touffes d'asphodèle;
Les souffles de la nuit flottaient sur Galgala.[102]

L'ombre était nuptiale, auguste et solennelle;
Les anges y volaient sans doute obscurément,
Car on voyait passer dans la nuit, par moment,
Quelque chose de bleu qui paraissait une aile.

La respiration de Booz qui dormait
Se mêlait au bruit sourd des ruisseaux sur la mousse.
On était dans le mois où la nature est douce,
Les collines ayant des lys sur leur sommet.

Ruth songeait et Booz dormait; l'herbe était noire;
Les grelots des troupeaux palpitaient vaguement;
Une immense bonté tombait du firmament;
C'était l'heure tranquille où les lions vont boire.

[100] bouleau: "birch."
[101] Moabite: du pays de Moab en Arabie.
[102] Galgala: ville de Judée, près de Bethléem.

Tout reposait dans Ur [103] et dans Jérimadeth; [104]
Les astres émaillaient le ciel profond et sombre;
Le croissant fin et clair parmi ces fleurs de l'ombre
Brillait à l'occident, et Ruth se demandait,

Immobile, ouvrant l'œil à moitié sous ses voiles,
Quel dieu, quel moissonneur de l'éternel été, [105]
Avait, en s'en allant, négligemment jeté
Cette faucille [106] d'or dans le champ des étoiles.

La Légende des siècles

SAISON DES SEMAILLES.   LE SOIR

Inspiré à Victor Hugo par le tableau de Millet, "Le Semeur,"
ce poème très court contient cependant une belle description aux
teintes sombres d'une scène champêtre au crépuscule, et un double
symbole: (1) Comme le semeur de grain, le semeur d'idées doit
accepter avec confiance la fuite du temps qui amène la récolte;
(2) De même que le geste du semeur semble toucher les étoiles, le
travail donne à l'homme une noblesse presque divine.   Ce poème
est admirable par la perfection de sa forme: les quatre premières
strophes sont purement descriptives, tandis que la dernière s'élargit
en un vaste tableau symbolique.   L'élargissement des fins de poème
est un procédé caractéristique de Victor Hugo.

C'est le moment crépusculaire.
J'admire, assis sous un portail,
Ce reste de jour dont s'éclaire
La dernière heure du travail.

[103] Ur: ville de Chaldée.
[104] Jérimadeth: nom de ville qui semble avoir été inventé par Victor Hugo.
[105] moissonneur de l'éternel été: les moissons d'étoiles sont éternelles parce
qu'elles renaissent chaque nuit.
[106] faucille: "sickle."

Dans les terres, de nuit baignées,
Je contemple, ému, les haillons
D'un vieillard qui jette à poignées
La moisson future [107] aux sillons.

Sa haute silhouette noire
Domine les profonds labours.
On sent à quel point il doit croire
A la fuite utile [108] des jours.

Il marche dans la plaine immense,
Va, vient, lance la graine au loin,
Rouvre sa main, et recommence,
Et je médite, obscur témoin,

Pendant que, déployant ses voiles,
L'ombre, où se mêle une rumeur,[109]
Semble élargir jusqu'aux étoiles [110]
Le geste auguste du semeur.

Les Chansons des rues et des bois

CHOSES DU SOIR

Cet "humble et pur chef-d'œuvre" (Faguet) montre la souplesse infinie de l'art de Victor Hugo. Par l'art consommé avec lequel la musique des mots y suggère la tristesse mystérieuse de la campagne bretonne à la tombée de la nuit il semble appartenir à un recueil de poèmes symbolistes.

[107] La moisson future: le semeur voit déjà, en imagination, le résultat de son travail.

[108] la fuite utile: le paysan sait que chaque jour est utile à la moisson future.

[109] une rumeur: dans le calme du crépuscule on distingue beaucoup mieux les bruits vagues qu'on entend dans la campagne.

[110] élargir jusqu'aux étoiles: ce vers repose sur une impression exacte; le soleil étant très bas, éclaire horizontalement le semeur dont l'ombre s'allonge démesurément et dont la silhouette semble immense. De plus, dans l'esprit de l'auteur ce n'est plus seulement *un* semeur qu'il voit, mais *le* semeur, symbole du travail des champs qui fait vivre l'humanité; c'est aussi le semeur d'idées qui guide le monde.

Le brouillard est froid, la bruyère [111] est grise;
Les troupeaux de bœufs vont aux abreuvoirs;
La lune, sortant des nuages noirs,
Semble une clarté qui vient par surprise.

Je ne sais plus quand, je ne sais plus où,
Maître Yvon soufflait dans son biniou.[112]

Le voyageur marche, et la lande [113] est brune;
Une ombre est derrière, une ombre est devant;
Blancheur au couchant, lueur au levant;
Ici crépuscule, et là clair de lune.

Je ne sais plus quand, je ne sais plus où,
Maître Yvon soufflait dans son biniou.

La sorcière assise allonge sa lippe; [114]
L'araignée accroche au toit son filet;
Le lutin [115] reluit dans le feu follet [116]
Comme un pistil d'or dans une tulipe.

Je ne sais plus quand, je ne sais plus où,
Maître Yvon soufflait dans son biniou.

On voit sur la mer des chasse-marées; [117]
Le naufrage guette un mât frissonnant;
Le vent dit: demain! l'eau dit: maintenant!
Les voix qu'on entend sont désespérées.

Je ne sais plus quand, je ne sais plus où,
Maître Yvon soufflait dans son biniou.

[111] bruyère: "heather."
[112] biniou: en Bretagne, sorte de cornemuse à deux tuyaux: "bag pipe."
[113] lande: "moor."
[114] lippe: lèvre inférieure épaisse.
[115] lutin: "goblin."
[116] feu follet: "will-o'-the-wisp."
[117] chasse-marées: "coasting vessels."

Le coche qui va d'Avranche à Fougère [118]
Fait claquer son fouet comme un vif éclair;
Voici le moment où flottent dans l'air
Tous ces bruits confus que l'ombre exagère.

Je ne sais plus quand, je ne sais plus où,
Maître Yvon soufflait dans son biniou.

Dans les bois profonds brillent des flambées;
Un vieux cimetière est sur un sommet;
Où Dieu trouve-t-il tout ce noir qu'il met
Dans les cœurs brisés et les nuits tombées?

Je ne sais plus quand, je ne sais plus où,
Maître Yvon soufflait dans son biniou.

Des flaques [119] d'argent tremblent sur les sables;
L'orfraie [120] est au bord des talus [121] crayeux; [122]
Le pâtre, à travers le vent, suit des yeux
Le vol monstrueux et vague des diables.

Je ne sais plus quand, je ne sais plus où,
Maître Yvon soufflait dans son biniou.

Un panache gris sort des cheminées;
Le bûcheron passe avec son fardeau;
On entend, parmi le bruit des cours d'eau,
Des frémissements de branches traînées.

Je ne sais plus quand, je ne sais plus où,
Maître Yvon soufflait dans son biniou.

[118] Avranche, Fougère: deux villes de l'Ouest de la France. La première est en Normandie, la seconde en Bretagne.
[119] flaques: "puddles."
[120] orfraie: oiseau de proie: "osprey," "sea eagle."
[121] talus: "slopes."
[122] crayeux: "chalky."

La faim fait rêver les grands loups moroses;
La rivière court, le nuage fuit;
Derrière la vitre où la lampe luit,
Les petits enfants ont des têtes roses.

Je ne sais plus quand, je ne sais plus où,
Maître Yvon soufflait dans son biniou.

L'Art d'être grand-père

IV. ALFRED DE MUSSET (1810–1857)

Né à Paris, il appartient à une famille distinguée et cultivée.
Après de brillantes études, il fréquente de bonne heure les salons
romantiques où son esprit et son talent lui valent de brillants succès.
Il mène une vie facile et mondaine quand, en 1833, il rencontre
George Sand pour qui il éprouve une violente passion, d'abord
partagée; mais bientôt, après un voyage avec elle en Italie, vient la
rupture qui laisse Musset désespéré.   C'est alors que son inspiration, jusque-là légère et badine, se transforme; il écrit les émouvants
poèmes des "*Nuits*," ses œuvres les plus remarquables.

Cette crise a brisé Musset; il se lance alors dans une vie de
plaisirs qui finit de ruiner sa santé; il ne produit plus d'œuvre de
premier ordre, et, malgré le succès inattendu de ses *Comédies*, il
meurt presque oublié en 1857.

A. PRINCIPALES ŒUVRES

1. Poésie: *Premières Poésies* (1829–1835); *Poésies Nouvelles* (1835–
   1852).
2. Prose: *Contes et Nouvelles* (1831–1853); *La Confession d'un enfant
   du siècle* (1836); *Lettres de Depuis et Cotonet* (1836–1837); *Histoire
   d'un merle blanc* (1842).
3. Théâtre: *Les caprices de Marianne* (1833); *Fantasio* (1834); *On
   ne badine pas avec l'amour* (1834); *Lorenzaccio* (1834); *Il ne faut
   jurer de rien* (1836); *Un caprice* (1837); *Il faut qu'une porte soit
   ouverte ou fermée* (1845); etc.

B. PERSONNALITÉ DE MUSSET

1. *La sensibilité.*

Musset avait une nature nerveuse, impressionnable, d'une sensibilité presque féminine; léger, fougueux, il débordait de la joie de
vivre et désirait ardemment l'amour et la passion.   Il semblait
donc destiné à faire un romantique.

2. *Le bon sens et l'humour.*

Mais Musset avait été élevé dans un milieu cultivé où l'on conservait la vieille tradition française d'équilibre et de mesure, où l'on aimait les causeries pleines d'esprit et d'aimable scepticisme. Son bon sens naturel et l'influence de son éducation lui firent voir les dangers, les excès, les ridicules de la nouvelle littérature.   Après s'être spirituellement moqué du romantisme, il s'en dégagea et produisit une œuvre très personnelle.

C. L'ŒUVRE DE MUSSET

1. *Il débute par le romantisme.*

Musset était trop jeune, à ses débuts dans la littérature, pour ne pas céder en partie aux influences de la mode: les *Contes d'Espagne et d'Italie* sont donc très romantiques, pleins de couleur locale, de passions farouches, d'épisodes mélodramatiques.   Il faut d'ailleurs remarquer que Musset semble parodier les romantiques plutôt que les imiter.

2. *Il se détache du romantisme.*

Il rompit bientôt ouvertement avec le romantisme qu'il jugea avec une complète indépendance; dans son *Spectacle dans un fauteuil* il se moqua des romantiques, ainsi, du reste, que des classiques.

3. *Le poète de l'amour.*

C'est l'amour qui fit jaillir les sources de son inspiration.   Dans "Les Nuits," inspirées par le désespoir que lui causa sa rupture avec George Sand, il raconte ses souffrances et dit comment, peu à peu, sont venus l'oubli et le pardon.   Dans "La Nuit de Mai" il décrit le chagrin qui semble devoir tarir en lui toute inspiration; dans "La Nuit de Décembre," l'amertume de la solitude; dans "La Nuit d'Août" nous voyons le cœur du poète renaître à l'espoir; dans "La Nuit d'Octobre" nous trouvons l'acceptation mélancolique et le pardon.

D. LES IDÉES DE MUSSET

1. *Sincérité et spontanéité.*

D'après Musset, la poésie doit exprimer spontanément et sincèrement une émotion vraie; le poète doit ouvrir son cœur pour toucher celui de ses lecteurs. Ce sont donc ses propres sentiments qui doivent l'inspirer, c'est lui-même qu'il doit peindre.

2. *La philosophie de l'amour.*

Musset n'est pas un penseur profond, bien qu'il ait souvent analysé avec justesse les problèmes de sa génération; par contre sa pensée est très originale quand il étudie la psychologie de l'amour. Pour lui, l'amour est la source suprême de bonheur et d'inspiration; il est précieux par les joies qu'il donne, plus précieux encore par les souffrances qu'il cause, car elles grandissent l'homme et le révèlent à lui-même. Le souvenir de ces joies et de ces souffrances vaut mieux encore que leur réalité, car le souvenir demeure, tandis qu'elles disparaissent.

E. LA FORME

La forme n'est pas toujours parfaite; Musset dédaignait de polir ses vers et prétendait que le souci de la forme nuit à la spontanéité de l'inspiration. En général, cependant, son vers est remarquablement élégant et harmonieux quand l'inspiration le guide.

F. ŒUVRES EN PROSE

Les *Comédies* de Musset, à la fois spirituelles et profondes, sont probablement le chef-d'œuvre du théâtre romantique. Outre des *Contes* (1830), pleins de verve et d'esprit, il a publié un roman: *La Confession d'un enfant du siècle* (1836), histoire souvent fausse et déclamatoire de ses relations avec George Sand, mais pleine de renseignements intéressants sur l'auteur et son temps.

G. CONCLUSION

Musset est à la fois le poète de la grâce ailée et du badinage spirituel, et le chantre éloquent de l'amour; il est avant tout le poète de la jeunesse.

§ 1.   LA FANTAISIE ROMANTIQUE

VENISE

Musset décrit ici une Italie de fantaisie qu'il a vue à travers ses lectures.   Sa description est conventionnelle et pleine de la couleur locale si fort à la mode et qu'il devait plus tard railler spirituellement.

> Dans Venise la rouge,[1]
> Pas un bateau qui bouge,
> Pas un pêcheur dans l'eau,
>   Pas un falot.[2]
>
> Seul, assis à la grève,
> Le grand lion [3] soulève,
> Sur l'horizon serein,
>   Son pied d'airain.
>
> Autour de lui, par groupes,
> Navires et chaloupes,
> Pareils à des hérons [4]
>   Couchés en ronds,
>
> Dorment sur l'eau qui fume
> Et croisent dans la brume,
> En légers tourbillons,
>   Leurs pavillons.[5]
>
> La lune qui s'efface
> Couvre son front qui passe
> D'un nuage étoilé
>   Demi voilé.

[1] la rouge: beaucoup des maisons de Venise sont peints en ocre ou en rouge.
[2] un falot: lanterne accrochée à l'arrière des barques.
[3] le grand lion: allusion à la statue du lion ailé, emblème de la République de Venise qui se dresse sur une colonne dans la Piazzetta, près de la lagune.
[4] hérons: l'idée des hérons est probablement amenée par l'image des longs fers recourbés qui terminent la proue des gondoles.
[5] pavillons: chaque gondole portait les couleurs de la famille à laquelle elle appartenait.

Ainsi, la dame abbesse
De Sainte-Croix [6] rabaisse
Sa cape aux vastes plis
   Sur son surplis; [7]

Et les palais antiques,
Et les graves portiques,
Et les blancs escaliers
   Des chevaliers,

Et les ponts, et les rues,
Et les mornes statues,
Et le golfe mouvant
   Qui tremble au vent,

Tout se tait, fors [8] les gardes
Aux longues hallebardes,
Qui veillent aux créneaux [9]
   Des arsenaux.

Premières Poésies

§ 2. L'AMOUR ET LA DOULEUR

LA NUIT DE MAI

La "Nuit de Mai," la première en date des quatre "Nuits,"
fut écrite par Musset au début de 1835, peu après la rupture avec
George Sand, alors que la blessure de son cœur était encore récente.
La Muse invite le poète à chanter pour oublier, mais n'obtient
qu'un refus découragé; elle lui conseille alors de chanter sa douleur
qui deviendra son inspiration; le poète refuse de nouveau: sa
douleur est encore trop vive pour qu'il puisse songer à l'exprimer.

[6] Sainte-Croix: couvent et église de Venise.
[7] surplis: vêtement ecclésiastique en toile blanche: "surplice."
[8] fors: archaïque pour "excepté."
[9] créneaux: "battlements."

LA MUSE

Poète, prends ton luth et me donne un baiser;
La fleur de l'églantier [10] sent ses bourgeons éclore.
Le printemps naît ce soir; les vents vont s'embraser,
Et la bergeronnette,[11] en attendant l'aurore,
Aux premiers buissons verts commence à se poser.
Poète, prends ton luth, et me donne un baiser.

LE POÈTE

Comme il fait noir dans la vallée!
J'ai cru qu'une forme voilée
Flottait là-bas sur la forêt.
Elle sortait de la prairie;
Son pied rasait l'herbe fleurie;
C'est une étrange rêverie;
Elle s'efface et disparaît.

LA MUSE

Poète, prends ton luth; la nuit, sur la pelouse,
Balance le zéphyr dans son voile odorant.
La rose, vierge encor, se referme jalouse
Sur le frelon [12] nacré qu'elle enivre en mourant.
Écoute! tout se tait; songe à ta bien-aimée.
Ce soir, sous les tilleuls,[13] à la sombre ramée [14]
Le rayon du couchant laisse un adieu plus doux.
Ce soir, tout va fleurir: l'immortelle nature
Se remplit de parfums, d'amour et de murmure,
Comme le lit joyeux de deux jeunes époux.

[10] églantier: "wild rose."
[11] bergeronnette: petit oiseau, "wag-tail."
[12] frelon: "hornet."
[13] tilleul: "linden tree."
[14] ramée: "foliage."

LE POÈTE

Pourquoi mon cœur bat-il si vite?
Qu'ai-je donc en moi qui s'agite,
Dont je me sens épouvanté?
Ne frappe-t-on pas à ma porte?
Pourquoi ma lampe à demi morte
M'éblouit-elle de clarté?
Dieu puissant! tout mon corps frissonne.
Qui vient? qui m'appelle?—Personne.
Je suis seul; c'est l'heure qui sonne;
O solitude! ô pauvreté!

LA MUSE

Poète, prends ton luth; le vin de la jeunesse
Fermente cette nuit dans les veines de Dieu.
Mon sein est inquiet; la volupté l'oppresse,
Et les vents altérés m'ont mis la lèvre en feu.
O paresseux enfant! regarde, je suis belle.
Notre premier baiser, ne t'en souviens-tu pas,
Quand je te vis si pâle au toucher de mon aile,
Et que, les yeux en pleurs, tu tombas dans mes bras?
Ah! je t'ai consolé d'une amère souffrance!
Hélas! bien jeune encor, tu te mourais d'amour.
Console-moi ce soir, je me meurs d'espérance;
J'ai besoin de prier pour vivre jusqu'au jour.

LE POÈTE

Est-ce toi dont la voix m'appelle,
O ma pauvre Muse, est-ce toi?
O ma fleur, ô mon immortelle!
Seul être pudique et fidèle
Où vive encor l'amour de moi!
Oui, te voilà, c'est toi, ma blonde,
C'est toi, ma maîtresse et ma sœur!

Et je sens, dans la nuit profonde,
De ta robe d'or qui m'inonde
Les rayons glisser dans mon cœur.

LA MUSE

Poëte, prends ton luth; c'est moi, ton immortelle,
Qui t'ai vu cette nuit triste et silencieux,
Et qui, comme un oiseau que sa couvée appelle,
Pour pleurer avec toi descends du haut des cieux.
Viens, tu souffres, ami.   Quelque ennui solitaire
Te ronge; quelque chose a gémi dans ton cœur;
Quelque amour t'est venu, comme on en voit sur terre,
Une ombre de plaisir, un semblant de bonheur.
Viens, chantons devant Dieu; chantons dans tes pensées,[15]
Dans tes plaisirs perdus, dans tes peines passées;
Partons, dans un baiser, pour un monde inconnu.
Éveillons au hasard les échos de ta vie,
Parlons-nous de bonheur, de gloire et de folie,
Et que ce soit un rêve, et le premier venu.
Inventons [16] quelque part des lieux où l'on oublie;
Partons, nous sommes seuls, l'univers est à nous.
Voici la verte Écosse et la brune Italie,
Et la Grèce, ma mère, où le miel est si doux,
Argos,[17] et Ptéléon,[18] ville des hécatombes,
Et Messa,[19] la divine, agréable aux colombes,
Et le front chevelu du Pélion [20] changeant,
Et le bleu Titarèse,[21] et le golfe d'argent
Qui montre dans ses eaux, où le cygne se mire,
La blanche Oloossone [22] à la blanche Camyre.[23]

[15] dans tes pensées: choisissons parmi tes pensées, tes plaisirs, etc., les sujets de nos chants.
[16] Inventons: découvrons.
[17] Argos: ville de Grèce, dans le Péloponèse.
[18] Ptéléon: ville de Grèce, en Achaïe.
[19] Messa: ville de Laconie qu'Homère appelle "abondante en colombes."
[20] Pélion: montagne de Thessalie, couronnée de forêts.
[21] Titarèse: fleuve de Thessalie.
[22] Oloossone: ville de Thessalie qu'Homère appelle "blanche Oloossone."
[23] Camyre: ville située dans l'île de Rhodes.

Dis-moi, quel songe d'or nos chants vont-ils bercer?
D'où vont venir les pleurs que nous allons verser?
Ce matin, quand le jour a frappé ta paupière,
Quel séraphin pensif, courbé sur ton chevet,
Secouait des lilas dans sa robe légère,
Et te contait tout bas les amours qu'il rêvait?
Chanterons-nous l'espoir, la tristesse ou la joie? [24]
Tremperons-nous de sang les bataillons d'acier?
Suspendrons-nous l'amant sur l'échelle de soie?
Jetterons-nous au vent l'écume du coursier?
Dirons-nous quelle main, dans les lampes sans nombre
De la maison céleste, allume nuit et jour
L'huile sainte de vie et d'éternel amour?
Crierons-nous à Tarquin: "Il est temps, voici l'ombre!"
Descendrons-nous cueillir la perle au fond des mers?
Mènerons-nous la chèvre aux ébéniers [25] amers?
Montrerons-nous le ciel à la Mélancolie?
Suivrons-nous le chasseur sur les monts escarpés?
La biche le regarde; elle pleure et supplie;
Sa bruyère l'attend; ses faons [26] sont nouveau-nés;
Il se baisse, il l'égorge, il jette à la curée [27]
Sur les chiens en sueur son cœur encor vivant.
Peindrons-nous une vierge à la joue empourprée,
S'en allant à la messe, un page la suivant,
Et d'un regard distrait, à côté de sa mère,
Sur sa lèvre entr'ouverte oubliant sa prière?
Elle écoute en tremblant, dans l'écho du pilier,
Résonner l'éperon d'un hardi cavalier.

[24] l'espoir, la tristesse, la joie: la muse propose au poète les différents genres
e poésie: épique, religieuse, dramatique, pastorale, lyrique, satirique, etc.
[25] ébénier: ici, le faux ébénier ou cytise ("laburnum").
[26] faon: "fawn."
[27] la curée: dans une chasse, le moment où l'on jette aux chiens une partie
e la chair de l'animal qu'on vient de tuer.

Dirons-nous aux héros des vieux temps de la France
De monter tout armés aux créneaux de leurs tours,
Et de ressusciter la naïve romance
Que leur gloire oubliée apprit aux troubadours?
Vêtirons-nous de blanc une molle élégie?
L'homme de Waterloo nous dira-t-il sa vie,
Et ce qu'il a fauché du troupeau des humains
Avant que l'envoyé de la nuit éternelle
Vînt sur son tertre vert l'abattre d'un coup d'aile,
Et sur son cœur de fer lui croiser les deux mains?
Clouerons-nous au poteau d'une satire altière
Le nom sept fois vendu d'un pâle pamphlétaire,
Qui, poussé par la faim, du fond de son oubli
S'en vient, tout grelottant d'envie et d'impuissance,
Sur le front du génie insulter l'espérance,
Et mordre le laurier que son souffle a sali?
Prends ton luth! prends ton luth! je ne peux plus me taire.
Mon aile me soulève au souffle du printemps.
Le vent va m'emporter; je vais quitter la terre.
Une larme de toi! Dieu m'écoute; il est temps.

LE POÈTE

S'il ne te faut, ma sœur chérie,
Qu'un baiser d'une lèvre amie
Et qu'une larme de mes yeux,
Je te les donnerai sans peine;
De nos amours qu'il te souvienne,
Si tu remontes dans les cieux.
Je ne chante ni l'espérance,
Ni la gloire, ni le bonheur,
Hélas! pas même la souffrance.
La bouche garde le silence
Pour écouter parler le cœur.

LA MUSE

Crois-tu donc que je sois comme le vent d'auto
Qui se nourrit de pleurs jusque sur un tombeau
Et pour qui la douleur n'est qu'une goutte d'eau?
O poète! un baiser, c'est moi qui te le donne.
L'herbe [28] que je voulais arracher de ce lieu,
C'est ton oisiveté; ta douleur est à Dieu.
Quel que soit le souci [29] que ta jeunesse endure,
Laisse-la s'élargir, cette sainte blessure
Que les noirs séraphins [30] t'ont faite au fond du cœur;
Rien ne nous rend si grands qu'une grande douleur.
Mais, pour en être atteint,[31] ne crois pas, ô poète,
Que ta voix ici-bas doive rester muette.
Les plus désespérés sont les chants les plus beaux,
Et j'en sais d'immortels qui sont de purs sanglots.

Lorsque le pélican,[32] lassé d'un long voyage,
Dans les brouillards du soir retourne à ses roseaux,
Ses petits affamés courent sur le rivage
En le voyant au loin s'abattre sur les eaux.
Déjà, croyant saisir et partager leur proie,
Ils courent à leur père avec des cris de joie
En secouant leurs becs sur leurs goîtres [33] hideux.
Lui, gagnant à pas lents une roche élevée,
De son aile pendante abritant sa couvée,
Pêcheur mélancolique, il regarde les cieux.
Le sang coule à longs flots de sa poitrine ouverte;
En vain il a des mers fouillé la profondeur:
L'Océan était vide, et la plage déserte;

[28] l'herbe: la mauvaise herbe: "weed."
[29] le souci: la souffrance.
[30] les noirs séraphins: "noirs" parce qu'ils apportent la douleur.
[31] pour en être atteint: parce que tu en es atteint.
[32] Lorsque le pélican: ici commence un des passages les plus connus de la poésie française.
[33] goîtres: Musset désigne ainsi la poche membraneuse dont est pourvu le bec du pélican. La femelle du pélican nourrit ses petits en pressant son bec sur sa poitrine pour vider la poche pleine de poissons; c'est ce qui a donné naissance à la légende du pélican nourrissant ses petits de sa propre chair.

Pour toute nourriture il apporte son cœur.
Sombre et silencieux, étendu sur la pierre,
Partageant à ses fils ses entrailles de père,
Dans son amour sublime il berce sa douleur,
Et, regardant couler sa sanglante mamelle,
Sur son festin de mort il s'affaisse et chancelle,
Ivre de volupté, de tendresse et d'horreur.
Mais parfois, au milieu du divin sacrifice,
Fatigué de mourir dans un trop long supplice,
Il craint que ses enfants ne le laissent vivant;
Alors il se soulève, ouvre son aile au vent,
Et se frappant le cœur avec un cri sauvage,
Il pousse dans la nuit un si funèbre adieu,
Que les oiseaux des mers désertent le rivage,
Et que le voyageur attardé sur la plage,
Sentant passer la mort, se recommande à Dieu.
Poète, c'est ainsi que font les grands poètes.
Ils laissent s'égayer ceux qui vivent un temps;[34]
Mais les festins humains qu'ils servent à leurs fêtes
Ressemblent la plupart à ceux des pélicans.
Quand ils parlent ainsi d'espérances trompées,
De tristesse et d'oubli, d'amour et de malheur,
Ce n'est pas un concert à dilater le cœur.[35]
Leurs déclamations sont comme des épées:
Elles tracent dans l'air un cercle éblouissant,
Mais il y pend toujours quelque goutte de sang.

LE POÈTE

O Muse! spectre insatiable,[36]
Ne m'en demande pas si long.
L'homme n'écrit rien sur le sable
A l'heure où passe l'aquilon.

[34] ceux qui vivent un temps: les hommes ordinaires qui ne sont pas immortels comme les poètes.

[35] à dilater le cœur: capable de dilater le cœur, c'est-à-dire d'égayer.

[36] insatiable: impitoyable parce qu'elle le force à écrire malgré sa douleur.

J'ai vu le temps où ma jeunesse
Sur mes lèvres était sans cesse
Prête à chanter comme un oiseau;
Mais j'ai souffert un dur martyre,
Et le moins que j'en pourrais dire,
Si je l'essayais sur ma lyre,
La briserait comme un roseau.

Poésies Nouvelles

LA NUIT D'OCTOBRE

Musset s'était cru guéri, et dans la "Nuit d'Août" il avait chanté les forces de la vie qui apportent l'espoir et le bonheur. Divers incidents lui rappelèrent ses souffrances et c'est alors qu'il écrivit la "Nuit d'Octobre," dont nous donnons ici un court fragment. Le poète qui croyait avoir oublié commence à raconter à la Muse la douloureuse histoire de son amour; mais à mesure qu'il parle, la souffrance revient, la colère éclate et il dit sa haine pour la femme qui a ruiné sa vie. La Muse lui répond alors en lui montrant combien la douleur l'a grandi et l'a inspiré; elle prédit le retour de bonheur avec le pardon et l'oubli.

LE POÈTE

Honte à toi qui la première
M'as appris la trahison,
Et d'horreur et de colère
M'as fait perdre la raison!
Honte à toi, femme à l'œil sombre,
Dont les funestes amours
Ont enseveli dans l'ombre
Mon printemps et mes beaux jours!
C'est ta voix, c'est ton sourire,
C'est ton regard corrupteur,
Qui m'ont appris à maudire
Jusqu'au semblant du bonheur;

C'est ta jeunesse et tes charmes
Qui m'ont fait désespérer,
Et si je doute des larmes,
C'est que je t'ai vu pleurer.
Honte à toi! j'étais encore
Aussi simple qu'un enfant;
Comme une fleur à l'aurore,
Mon cœur s'ouvrait en t'aimant.
Certes, ce cœur sans défense
Put sans peine être abusé;
Mais lui laisser l'innocence
Était encor plus aisé.
Honte à toi! tu fus la mère
De mes premières douleurs,
Et tu fis de ma paupière
Jaillir la source des pleurs!
Elle coule, sois-en sûre,
Et rien ne la tarira;
Elle sort d'une blessure
Qui jamais ne guérira;
Mais dans cette source amère
Du moins je me laverai,
Et j'y laisserai, j'espère,
Ton souvenir abhorré!

LA MUSE

Poète, c'est assez.   Auprès d'une infidèle
Quand ton illusion n'aurait duré qu'un jour,
N'outrage pas ce jour lorsque tu parles d'elle;
Si tu veux être aimé, respecte ton amour.
Si l'effort est trop grand pour la faiblesse humaine
De pardonner les maux qui nous viennent d'autrui,
Épargne-toi du moins le tourment de la haine;
A défaut du pardon, laisse venir l'oubli.

Les morts dorment en paix dans le sein de la terre,
Ainsi doivent dormir nos sentiments éteints.
Ces reliques du cœur ont aussi leur poussière;
Sur leurs restes sacrés ne portons pas les mains.
Pourquoi, dans ce récit d'une vive souffrance,
Ne veux-tu voir qu'un rêve et qu'un amour trompé?
Est-ce donc sans motif qu'agit la Providence?
Et crois-tu donc distrait le Dieu qui t'a frappé?
Le coup dont tu te plains t'a préservé peut-être,
Enfant; car c'est par là que ton cœur s'est ouvert.
L'homme est un apprenti, la douleur est son maître,
Et nul ne se connaît tant qu'il n'a pas souffert.
C'est une dure loi, mais une loi suprême,
Vieille comme le monde et la fatalité,
Qu'il nous faut du malheur recevoir le baptême,
Et qu'à ce triste prix tout doit être acheté.
Les moissons pour mûrir ont besoin de rosée;
Pour vivre et pour sentir, l'homme a besoin des pleurs;
La joie a pour symbole une plante brisée,
Humide encor de pluie et couverte de fleurs.
Ne te disais-tu pas guéri de ta folie?
N'es-tu pas jeune, heureux, partout le bienvenu,
Et ces plaisirs légers qui font aimer la vie,
Si tu n'avais pleuré, quel cas en ferais-tu?
Lorsqu'au déclin du jour, assis sur la bruyère,
Avec un vieil ami tu bois en liberté,
Dis-moi, d'aussi bon cœur lèverais-tu ton verre,
Si tu n'avais senti le prix de la gaîté?
Aimerais-tu les fleurs, les prés et la verdure,
Les sonnets de Pétrarque [37] et le chant des oiseaux,
Michel-Ange [38] et les arts, Shakespeare et la nature,
Si tu n'y retrouvais quelques anciens sanglots?

[37] Pétrarque: Francesco Petrarca, poète italien (1304–74), qui dans ses sonnets chante son amour pour Laura.
[38] Michel-Ange: Michelangelo Buonarroti, artiste italien (1475–1564).

Comprendrais-tu des cieux l'ineffable harmonie,
Le silence des nuits, le murmure des flots,
Si quelque part là-bas la fièvre et l'insomnie
Ne t'avaient fait songer à l'éternel repos?

Poésies nouvelles

SOUVENIR

C'est l'épilogue des "Nuits." Il marque la fin de ces années de souffrance qui ont fait de Musset un grand poète, mais ont bouleversé sa vie. En septembre 1840, le poète, au cours d'un voyage, traversa la forêt de Fontainebleau qu'il avait visitée en 1833 avec George Sand. Le souvenir de son amour lui revint à la vue de ces lieux familiers, et, peu après, il écrivit ce poème dans lequel il développe l'idée qu'on retrouve partout dans son œuvre: le souvenir des joies et même des souffrances de l'amour est ce qu'il y a de plus précieux au monde.

J'espérais bien pleurer, mais je croyais souffrir
En osant te revoir, place à jamais sacrée,
O la plus chère tombe [39] et la plus ignorée
    Où dorme un souvenir!

Que redoutiez-vous donc de cette solitude,
Et pourquoi, mes amis, me preniez-vous la main,
Alors qu'une si douce et si vieille habitude
    Me montrait ce chemin?

Les voilà, ces coteaux, ces bruyères chéries,
Et ces pas argentins sur le sable muet,
Ces sentiers amoureux, remplis de causeries,
    Où son bras m'enlaçait.

[39] tombe: c'est là que son amour semble être enseveli.

Les voilà, ces sapins à la sombre verdure,
Cette gorge [40] profonde aux nonchalants détours,
Ces sauvages amis,[41] dont l'antique murmure
    A bercé mes beaux jours.

Les voilà, ces buissons où toute ma jeunesse,
Comme un essaim d'oiseaux, chante au bruit de mes pas.
Lieux charmants, beau désert où passa ma maîtresse,
    Ne m'attendiez-vous pas?

Ah! laissez-les couler, elles me sont bien chères,
Ces larmes que soulève un cœur encor blessé!
Ne les essuyez pas, laissez sur mes paupières
    Ce voile du passé!

Je ne viens point jeter un regret inutile
Dans l'écho de ces bois témoins de mon bonheur.
Fière est cette forêt dans sa beauté tranquille,
    Et fier aussi mon cœur.

Que celui-là se livre à des plaintes amères,
Qui s'agenouille et prie au tombeau d'un ami.
Tout respire en ces lieux; les fleurs des cimetières
    Ne poussent point ici.

Voyez! la lune monte à travers ces ombrages.
Ton regard tremble encor, belle reine des nuits;
Mais du sombre horizon déjà tu te dégages,
    Et tu t'épanouis.

Ainsi de cette terre, humide encor de pluie,
Sortent, sous tes rayons, tous les parfums du jour;
Aussi calme, aussi pur, de mon âme attendrie
    Sort mon ancien amour.

[40] gorge: la célèbre gorge de Franchart dans la forêt de Fontainebleau.
[41] sauvages amis: les arbres.

Que sont-ils devenus, les chagrins de ma vie?
Tout ce qui m'a fait vieux est bien loin maintenant;
Et, rien qu'en regardant cette vallée amie,
    Je redeviens enfant.

O puissance du temps! ô légères années!
Vous emportez nos pleurs, nos cris et nos regrets;
Mais la pitié vous prend, et sur nos fleurs fanées
    Vous ne marchez jamais.

Tout mon cœur te bénit, bonté consolatrice!
Je n'aurais jamais cru que l'on pût tant souffrir
D'une telle blessure, et que sa cicatrice [42]
    Fût si douce à sentir.

Loin de moi les vains mots, les frivoles pensées,
Des vulgaires douleurs linceul accoutumé,
Que viennent étaler sur leurs amours passées
    Ceux qui n'ont point aimé.

Dante, pourquoi dis-tu qu'il n'est pire misère
Qu'un souvenir heureux dans les jours de douleur? [43]
Quel chagrin t'a dicté cette parole amère,
    Cette offense au malheur?

En est-il donc moins vrai que la lumière existe,
Et faut-il l'oublier du moment qu'il fait nuit?
Est-ce bien toi, grande âme immortellement triste,
    Est-ce toi qui l'as dit?

Non, par ce pur flambeau dont la splendeur m'éclaire,
Ce blasphème vanté ne vient pas de ton cœur.
Un souvenir heureux est peut-être sur terre
    Plus vrai que le bonheur.

---

[42] cicatrice: "scar."
[43] Dante . . . jours de douleur: dans l'*Inferno*, V, 121–123, c'est par ces vers que Françoise de Rimini commence le récit de ses malheurs.

Eh quoi! l'infortuné qui trouve une étincelle
Dans la cendre brûlante où dorment ses ennuis,
Qui saisit cette flamme et qui fixe sur elle
    Ses regards éblouis;

Dans ce passé perdu quand son âme se noie,
Sur ce miroir brisé lorsqu'il rêve en pleurant,
Tu lui dis qu'il se trompe, et que sa faible joie
    N'est qu'un affreux tourment!

Et c'est à ta Françoise, à ton ange de gloire,
Que tu pouvais donner ces mots à prononcer,
Elle qui s'interrompt, pour conter son histoire,
    D'un éternel baiser!

Qu'est-ce donc, juste Dieu, que la pensée humaine,
Et qui pourra jamais aimer la vérité,
S'il n'est joie ou douleur si juste et si certaine
    Dont quelqu'un n'ait douté?

Comment vivez-vous donc, étranges créatures?
Vous riez, vous chantez, vous marchez à grands pas;
Le ciel et sa beauté, le monde et ses souillures
    Ne vous dérangent pas;

Mais, lorsque par hasard le destin vous ramène
Vers quelque monument d'un amour oublié,
Ce caillou vous arrête, et cela vous fait peine
    Qu'il vous heurte le pié.

Et vous criez alors que la vie est un songe;
Vous vous tordez les bras comme en vous réveillant,
Et vous trouvez fâcheux qu'un si joyeux mensonge
    Ne dure qu'un instant.

Malheureux! cet instant où votre âme engourdie
A secoué les fers qu'elle traîne ici-bas,
Ce fugitif instant fut toute votre vie;
    Ne le regrettez pas!

Regrettez la torpeur qui vous cloue à la terre,
Vos agitations dans la fange et le sang,
Vos nuits sans espérance et vos jours sans lumière:
    C'est là qu'est le néant!

Mais que vous revient-il de vos froides doctrines?
Que demandent au ciel ces regrets inconstants
Que vous allez semant sur vos propres ruines,
    A chaque pas du Temps?

Oui, sans doute, tout meurt; ce monde est un grand rêve;
Et le peu de bonheur qui nous vient en chemin,
Nous n'avons pas plus tôt ce roseau dans la main,
    Que le vent nous l'enlève.

Oui, les premiers baisers, oui, les premiers serments
Que deux êtres mortels échangèrent sur terre,
Ce fut au pied d'un arbre effeuillé par les vents,
    Sur en roc en poussière.[44]

Ils prirent à témoin de leur joie éphémère
Un ciel toujours voilé qui change à tout moment,
Et des astres sans nom que leur propre lumière
    Dévore incessamment.

[44] un roc en poussière: cette strophe et les trois suivantes sont inspirées par un très beau passage de Diderot dans *Jacques le fataliste* (1796): "Le premier serment que se firent deux êtres de chair, ce fut au pied d'un rocher qui tombait en poussière; ils attestèrent de leur constance un ciel qui n'est pas un instant le même; tout passait en eux et autour d'eux, et ils croyaient leurs cœurs affranchis de vicissitudes! O enfants! toujours enfants!"

Tout mourait autour d'eux, l'oiseau dans le feuillage,
La fleur entre leurs mains, l'insecte sous leurs piés,
La source desséchée où vacillait l'image
    De leurs traits oubliés;

Et sur tous ces débris joignant leurs mains d'argile,
Étourdis des éclairs d'un instant de plaisir,
Ils croyaient échapper à cet Être immobile
    Qui regarde mourir!

—Insensés! dit le sage.—Heureux! dit le poète.
Et quels tristes amours as-tu donc dans le cœur,
Si le bruit du torrent te trouble et t'inquiète,
    Si le vent te fait peur?

J'ai vu sous le soleil tomber bien d'autres choses
Que les feuilles des bois et l'écume des eaux,
Bien d'autres s'en aller que le parfum des roses
    Et le chant des oiseaux.

Mes yeux ont contemplé des objets plus funèbres
Que Juliette morte au fond de son tombeau,
Plus affreux que le toast [45] à l'ange des ténèbres
    Porté par Roméo.

J'ai vu ma seule amie, à jamais la plus chère,
Devenue elle-même un sépulcre blanchi,[46]
Une tombe vivante où flottait la poussière
    De notre mort chéri,

De notre pauvre amour, que, dans la nuit profonde,
Nous avions sur nos cœurs si doucement bercé!
C'était plus qu'une vie, hélas! c'était un monde
    Qui s'était effacé!

[45] toast: c'est à Juliette qu'il croit morte que Roméo porte ce toast (Acte V, Scène III).

[46] sépulcre blanchi: expression empruntée à l'*Évangile selon Saint Mathieu,* *XXIII*, 27.

Oui, jeune et belle encor, plus belle, osait-on dire,
Je l'ai vue, et ses yeux brillaient comme autrefois.
Ses lèvres s'entr'ouvraient, et c'était un sourire,
    Et c'était une voix;

Mais non plus cette voix, non plus ce doux langage,
Ces regards adorés dans les miens confondus;
Mon cœur, encor plein d'elle, errait sur son visage,
    Et ne la trouvait plus.

Et pourtant j'aurais pu marcher alors vers elle,
Entourer de mes bras ce sein vide et glacé,
Et j'aurais pu crier: "Qu'as-tu fait, infidèle,
    Qu'as-tu fait du passé?"

Mais non: il me semblait qu'une femme inconnue
Avait pris par hasard cette voix et ces yeux;
Et je laissai passer cette froide statue
    En regardant les cieux.

Eh bien! ce fut sans doute une horrible misère
Que ce riant adieu d'un être inanimé.
En bien! qu'importe encore?   O nature! ô ma mère!
    En ai-je moins aimé?

La foudre maintenant peut tomber sur ma tête;
Jamais ce souvenir ne peut m'être arraché!
Comme le matelot brisé par la tempête,
    Je m'y tiens attaché.

Je ne veux rien savoir, ni si les champs fleurissent,
Ni ce qu'il adviendra du simulacre humain,[47]
Ni si ces vastes cieux éclaireront demain
    Ce qu'ils ensevelissent.[48]

[47] simulacre humain: l'homme, considéré comme une ombre fugitive.
[48] Ce qu'ils ensevelissent: je ne veux pas savoir si le jour succédera à la nuit.

Je me dis seulement: "A cette heure, en ce lieu,
Un jour, je fus aimé, j'aimais, elle était belle.
J'enfouis ce trésor dans mon âme immortelle,
    Et je l'emporte à Dieu!"

Poésies Nouvelles

TRISTESSE

Musset écrivit ces vers à la campagne chez un ami. Le poète
omprend qu'il a manqué sa vie; las et découragé, seul avec ses
ouvenirs, il semble se tourner vers Dieu.

J'ai perdu ma force et ma vie,
Et mes amis et ma gaîté;
J'ai perdu jusqu'à la fierté
Qui faisait croire à mon génie.

Quand j'ai connu la Vérité,
J'ai cru que c'était une amie;
Quand je l'ai comprise et sentie,
J'en étais déjà dégoûté.

Et pourtant elle est éternelle,
Et ceux qui se sont passés d'elle
Ici-bas ont tout ignoré.

Dieu parle, il faut qu'on lui réponde.
Le seul bien qui me reste au monde
Est d'avoir quelquefois pleuré.

Poésies Nouvelles

§ 3. MUSSET INTERPRÈTE DE SA GÉNÉRATION

ROLLA

Le poème de "Rolla" d'où ce passage est tiré est un des plus
nnus, sinon un des meilleurs de Musset. C'est l'histoire assez

déclamatoire d'un jeune débauché qui se tue après une dernière
nuit de plaisir; ce poème est du moins un document intéressant sur
la jeunesse romantique et sur le "mal du siècle."   Voici le début
du poème; c'est l'analyse d'une des raisons du désespoir romantique
le regret désolé de la foi perdue.

I

Regrettez-vous le temps où le ciel sur la terre
Marchait et respirait dans un peuple de dieux;
Où Vénus Astarté,[49] fille de l'onde amère,[50]
Secouait, vierge encor, les larmes de sa mère,
Et fécondait le monde en tordant ses cheveux?
Regrettez-vous le temps où les Nymphes lascives
Ondoyaient au soleil parmi les fleurs des eaux,
Et d'un éclat de rire agaçaient sur les rives
Les Faunes indolents couchés dans les roseaux;
Où les sources tremblaient des baisers de Narcisse;[51]
Où du nord au midi, sur la création,
Hercule promenait l'éternelle Justice,[52]
Sous son manteau sanglant taillé dans un lion;[53]
Où les Sylvains moqueurs, dans l'écorce des chênes,
Avec les rameaux verts se balançaient au vent,
Et sifflaient dans l'écho la chanson du passant;
Où tout était divin, jusqu'aux douleurs humaines;
Où le monde adorait ce qu'il tue aujourd'hui;
Où quatre mille dieux n'avaient pas un athée;
Où tout était heureux excepté Prométhée,[54]
Frère aîné de Satan, qui tomba comme lui?

[49] Astarté: déesse des Phéniciens que les Grecs adorèrent plus tard sous le
nom d'Aphrodite et les Romains sous le nom de Vénus.
[50] l'onde amère: allusion à la naissance d'Aphrodite qui naquit de l'écume de
la mer.
[51] Narcisse: personnage mythologique qui tomba amoureux de sa propre
image qu'il avait vue dans le miroir d'une source.
[52] Justice: la légende représente Hercule comme un justicier, punissant les
criminels et détruisant les monstres.
[53] lion: le lion de Némée, tué par Hercule.
[54] Prométhée: seul de tous les Titans il osa se révolter contre Jupiter qui le
punit d'un supplice éternel.

—Et quand tout fut changé, le ciel, la terre et l'homme,
Quand le berceau du monde en devint le cercueil,
Quand l'ouragan du Nord [55] sur les débris de Rome
De sa sombre avalanche étendit le linceul,—
Regrettez-vous le temps où d'un siècle barbare
Naquit un siècle d'or, [56] plus fertile et plus beau;
Où le vieil univers fendit avec Lazare
De son front rajeuni la pierre du tombeau?
Regrettez-vous le temps où nos vieilles romances
Ouvraient leurs ailes d'or vers leur monde enchanté;
Où tous nos monuments et toutes nos croyances
Portaient le manteau blanc de leur virginité;
Où, sous la main du Christ, tout venait de renaître;
Où le palais du prince et la maison du prêtre,
Portant la même croix sur leur front radieux,
Sortaient de la montagne en regardant les cieux;
Où Cologne et Strasbourg, [57] Notre-Dame et Saint-Pierre,
S'agenouillant au loin dans leurs robes de pierre,
Sur l'orgue universel des peuples prosternés
Entonnaient l'hosanna [58] des siècles nouveau-nés;
Le temps où se faisait tout ce qu'a dit l'histoire;
Où sur les saints autels les crucifix d'ivoire
Ouvraient des bras sans tache et blancs comme le lait;
Où la Vie était jeune,—où la Mort espérait? [59]

O Christ! je ne suis pas de ceux que la prière
Dans tes temples muets amène à pas tremblants;
Je ne suis pas de ceux qui vont à ton Calvaire,
En se frappant le cœur, baiser tes pieds sanglants;

[55] ouragan du Nord: les invasions barbares qui détruisirent l'empire romain.
[56] siècle d'or: le moyen âge chrétien qui a créé les magnifiques cathédrales dont Musset parle plus loin.
[57] Cologne et Strasbourg: villes où se trouvent de magnifiques cathédrales; Notre-Dame, cathédrale de Paris; Saint-Pierre, à Rome.
[58] hosanna: hymne de prière et de reconnaissance à Dieu.
[59] la Mort espérait: la mort semblait moins horrible à cause de la croyance générale en la vie éternelle qui devait lui succéder.

Et je reste debout sous tes sacrés portiques,
Quand ton peuple fidèle, autour des noirs arceaux,
Se courbe en murmurant sous le vent des cantiques,
Comme au souffle du nord un peuple de roseaux.
Je ne crois pas, ô Christ! à ta parole sainte:
Je suis venu trop tard dans un monde trop vieux.
D'un siècle sans espoir naît un siècle sans crainte; [60]
Les comètes du nôtre ont dépeuplé les cieux. [61]
Maintenant le hasard promène au sein des ombres
De leurs illusions les mondes réveillés;
L'esprit des temps passés, errant sur leurs décombres,
Jette au gouffre éternel tes anges mutilés.
Les clous du Golgotha te soutiennent à peine;
Sous ton divin tombeau le sol s'est dérobé;
Ta gloire est morte, ô Christ! et sur nos croix d'ébène
Ton cadavre céleste en poussière est tombé!

En bien! qu'il soit permis d'en baiser la poussière
Au moins crédule enfant de ce siècle sans foi,
Et de pleurer, ô Christ! sur cette froide terre
Qui vivait de ta mort, et qui mourra sans toi!
Oh! maintenant, mon Dieu, qui lui rendra la vie?
Du plus pur de ton sang tu l'avais rajeunie;
Jésus, ce que tu fis, qui jamais le fera?
Nous, vieillards nés d'hier, qui nous rajeunira?

Poésies Nouvelles

[60] siècle sans crainte: ce vers veut dire sans doute qu'au 18e siècle sceptique et irréligieux a succédé le 19e siècle plein de confiance dans la puissance de la science.
[61] les cieux: ce vers obscur signifie probablement que les sciences, en montrant l'immensité de l'univers, font ressortir le côté parfois puéril des descriptions qu'en donnent les religions, et conduisent au doute.

§ 4. MUSSET ARTISTE

LUCIE

Musset évoque dans ce poème un souvenri de jeunesse, celui d'une jeune fille qu'il aima, et qui mourut très jeune. Dans des vers émouvants, le poète, prématurément vieilli par une vie de plaisirs, rappelle avec mélancolie l'innocence de ses jeunes années. Les vers, pleins de fraîcheur, ont une harmonie voilée et douce. Émile Faguet signale surtout cette fin admirable qui "dans son mouvement ailé donne l'impression d'une fuite d'oiseau glissant dans l'air."

> Mes chers amis, quand je mourrai,
> Plantez un saule [62] au cimetière.
> J'aime son feuillage éploré,
> La pâleur m'en est douce et chère,
> Et son ombre sera légère
> A la terre où je dormirai.

Un soir, nous étions seuls, j'étais assis près d'elle,
Elle penchait la tête, et sur son clavecin [63]
Laissait, tout en rêvant, flotter sa blanche main.
Ce n'était qu'un murmure: on eût dit les coups d'aile
D'un zéphyr éloigné glissant sur des roseaux
Et craignant en passant d'éveiller les oiseaux.
Les tièdes voluptés des nuits mélancoliques
Sortaient autour de nous du calice des fleurs.
Les marronniers du parc et les chênes antiques
Se berçaient doucement sous leurs rameaux en pleurs.
Nous écoutions la nuit; la croisée [64] entr'ouverte
Laissait venir à nous les parfums du printemps;
Les vents étaient muets; la plaine était déserte;

[62] un saule: le vœu du poète a été exaucé; il y a un saule sur sa tombe, au cimetière du Père-Lachaise à Paris.
[63] clavecin: "harpsichord."
[64] croisée: "casement."

Nous étions seuls, pensifs, et nous avions quinze ans.
Je regardais Lucie.—Elle était pâle et blonde.
Jamais deux yeux plus doux n'ont du ciel le plus pur
Sondé la profondeur et réfléchi l'azur.
Sa beauté m'enivrait; je n'aimais qu'elle au monde.
Mais je croyais l'aimer comme on aime une sœur,
Tant ce qui venait d'elle était plein de pudeur!
Nous nous tûmes longtemps; ma main touchait la sienne.
Je regardais rêver son front triste et charmant,
Et je sentais dans l'âme, à chaque mouvement,
Combien peuvent sur nous, pour guérir toute peine,
Ces deux signes jumeaux [65] de paix et de bonheur,
Jeunesse de visage et jeunesse de cœur.
La lune, se levant dans un ciel sans nuage,
D'un long réseau d'argent tout à coup l'inonda.
Elle vit dans mes yeux resplendir son image;
Son sourire semblait d'un ange; elle chanta. [66]

. . . .
. . . .

Fille de la douleur, Harmonie! Harmonie!
Langue que pour l'amour inventa le génie!
Qui nous vins d'Italie et qui lui vins des cieux!
Douce langue du cœur, la seule où la pensée,
Cette vierge craintive et d'une ombre offensée,
Passe en gardant son voile et sans craindre les yeux!
Qui sait ce qu'un enfant peut entendre et peut dire
Dans tes soupirs divins, nés de l'air qu'il respire,
Tristes comme son cœur et doux comme sa voix?
On surprend un regard, une larme qui coule;
Le reste est un mystère ignoré de la foule,
Comme celui des flots, de la nuit et des bois!

[65] jumeaux: "twin."
[66] chanta: elle chante la romance du "Saule" que Desdémone chante dans l'*Othello* de Rossini.

Nous étions seuls, pensifs; je regardais Lucie.
L'écho de sa romance en nous semblait frémir.
Elle appuya sur moi sa tête appesantie.
Sentais-tu dans ton cœur Desdemona gémir,
Pauvre enfant?   Tu pleurais; sur ta bouche adorée
Tu laissas tristement mes lèvres se poser,
Et ce fut ta douleur qui reçut mon baiser.
Telle je t'embrassai, froide et décolorée,
Telle, deux mois après, tu fus mise au tombeau,
Telle, ô ma chaste fleur! tu t'es évanouie.
Ta mort fut un sourire aussi doux que ta vie,
Et tu fus rapportée à Dieu dans ton berceau.

. . . .

Doux mystère du toit que l'innocence habite,
Chansons, rêves d'amour, rires, propos d'enfant,
Et toi, charme inconnu dont rien ne se défend,
Qui fis hésiter Faust au seuil de Marguerite,
Candeur des premiers jours, qu'êtes-vous devenus?

Paix profonde à ton âme, enfant! à ta mémoire!
Adieu! ta blanche main sur le clavier [67] d'ivoire,
Durant les nuits d'été, ne voltigera plus. . . .

> Mes chers amis, quand je mourrai,
> Plantez un saule au cimetière.
> J'aime son feuillage éploré,
> La pâleur m'en est douce et chère,
> Et son ombre sera légère
> A la terre où je dormirai.

Poésies Nouvelles

[67] clavier: "keyboard."

II. DU ROMANTISME AU PAR-
NASSE ET AU SYMBOLISME

V. THÉOPHILE GAUTIER (1811–1872)

Théophile Gautier est né à Tarbes en 1811. Venu très jeune à Paris, il fréquenta les ateliers de peintres et fit partie de la bande d'artistes qui gagna en 1830 la "bataille d'Hernani." Il quitta alors l'art pour la littérature, et publia en 1830 son premier volume de poésie. Mais, pour vivre, il dut se faire journaliste et critique, et il passa le reste de sa vie dans un labeur ingrat, à peine interrompu par ses voyages en Espagne, en Italie, en Orient et en Russie: c'est entre deux articles qu'il travaillait à ses poèmes et à ses romans. Sa situation commençait à s'améliorer quand survint la guerre de 1870; frappé au cœur par ces tristes événements, il mourut deux ans après.

A. PRINCIPALES ŒUVRES DE GAUTIER

1. Poésie: *Poésies* (1830); *La comédie de la Mort* (1838); *España* (1845); *Émaux et Camées* (1852).
2. *a.* Romans: *Mlle. de Maupin* (1836); *Le roman de la Momie* (1858); *Le Capitaine Fracasse* (1863).
   b. Critique: *Les grotesques* (1833); *Histoire du romantisme* (1874); *Guide de l'amateur du Louvre* (1882).
   c. Récits de voyage: *Tra los montes* (Espagne) (1843); *Italia* (1852); *Constantinople* (1853); *Voyage en Russie* (1867).

B. PERSONNALITÉ DE GAUTIER

Gautier s'est défini lui-même ainsi: "Je suis un homme pour qui le monde extérieur existe." En effet, il est avant tout un artiste, entré par hasard dans la littérature. Ce n'est pas un penseur, et sa sensibilité est médiocre; excepté dans les poèmes où il exprime avec beaucoup de puissance la crainte de la mort, sa personnalité est presque absente de son œuvre. Perdu dans son rêve de beauté, il semble n'avoir aimé dans le monde que l'harmonie des lignes et des couleurs. C'était un brave homme, un peu bohème, mais dévoué et courageux, que ses amis appelaient "le bon Théo."

173

C. L'ŒUVRE DE GAUTIER

1. *Il débute par le romantisme.*

Gautier s'est laissé influencer par ses amis romantiques, et plusieurs de ses premiers poèmes sont d'un romantisme macabre et morbide ("Albertus," *La comédie de la Mort*). Mais on y trouvait déjà des descriptions de paysages qui faisaient pressentir le grand artiste réaliste qu'il allait devenir.

2. *L'art pour l'art.*

Il n'a pas tardé à abandonner le lyrisme pour une poésie plus originale, descriptive et impersonnelle. Il pensait en effet que le rôle de la poésie n'est pas d'exprimer des idées ou des sentiments, mais de créer de la beauté. L'art doit se suffire à lui-même; il n'a pas besoin d'être utile, car, comme l'a dit Gautier, "Dès qu'une chose devient utile, elle cesse d'être belle." Il n'a pas non plus besoin d'être moral, car une chose belle est forcément morale. Cette théorie qui affranchit l'art de la morale et de la pensée s'appelle "L'art pour l'art."

3. *La poésie plastique.*

Sa poésie est le plus souvent purement descriptive. Il a voulu faire de la poésie un art plastique comme la peinture et la sculpture, peindre et sculpter avec des mots. La méthode qu'il emploie est le réalisme, un réalisme artistique qui n'est pas une simple reproduction mais une interprétation. Le poète devra donc avant de décrire, analyser son sujet, en découvrir le caractère essentiel qu'il tâchera ensuite de rendre.

4. *Les transpositions d'art.*

C'est pourquoi Gautier préfère à la nature, l'œuvre d'art plus parfaite et surtout plus facile à comprendre et à reproduire. Ses meilleurs poèmes sont des *copies* de tableaux, de statues, de pièces d'orfèvrerie, et il nous fait non seulement sentir la beauté de ces objets mais aussi comprendre la technique employée par l'artiste qui les a créés. Il fait ainsi "une transposition d'art." Gautier a également essayé de "peindre" des sensations musicales; plusieurs poèmes des *Émaux et Camées* sont des reproductions d'impressions visuelles évoquées par un air de musique.

D. LA FORME

Gautier s'est créé une langue très riche en introduisant dans la poésie une foule de mots rares empruntés au vocabulaire des artistes, à l'archéologie, à l'orfèvrerie, au blason; généralement pittoresques et sonores, ils donnent beaucoup de relief à son vers. Au prix d'un dur travail, par l'harmonieux arrangement des mots en images successives, par le rythme du vers, il réussit à reproduire la beauté des couleurs et des lignes.

E. INFLUENCE DE GAUTIER

Elle a été considérable. (1) Le romantisme malsain de ses premières œuvres a profondément influencé Baudelaire. (2) Il a donné un exemple parfait de poésie impersonnelle, et, par son culte de la forme, il a ouvert la voie aux Parnassiens. (3) Il a montré comment les mots pouvaient évoquer la beauté plastique et musicale, et prend place de ce fait parmi les précurseurs du Parnasse et du symbolisme.

§ 1. LA NATURE A TRAVERS L'ART

Voici deux exemples de la première manière de Gautier. L'obsession de la peinture est si forte chez lui, qu'en décrivant un coin de nature il évoque l'œuvre du peintre dont les paysages ressemblent à celui qu'il a sous les yeux.

PAYSAGE[1]

Sur le bord d'un canal profond dont les eaux vertes
Dorment, de nénufars[2] et de bateaux couvertes,
Avec ses toits aigus, ses immenses greniers,
Ses tours au front d'ardoise où nichent les cigognes,[3]
Ses cabarets bruyants qui regorgent d'ivrognes,
Est un vieux bourg flamand tel que les peint Teniers.[4]

---

[1] Paysage: au début du poème "Albertus."
[2] nénufars: "water lilies."
[3] cigognes: "storks."
[4] Teniers: nom de deux peintres flamands: le père (1582–1649), le fils (1610–1694), qui ont excellé dans la peinture de scènes populaires de la vie flamande.

—Vous reconnaissez-vous?—Tenez, voilà le saule,
De ses cheveux blafards inondant son épaule
Comme une fille au bain; l'église et son clocher,
L'étang où des canards se pavane [5] l'escadre;
Il ne manque vraiment au tableau que le cadre
    Avec le clou pour l'accrocher.

Poésies

PAN DE MUR

De la maison momie enterrée au Marais [6]
Où, du monde cloîtré, jadis je demeurais,
L'on a pour perspective une muraille sombre
Où des pignons [7] voisins tombe, à grands angles, l'ombre.
—A ses flancs dégradés [8] par la pluie et les ans,
Pousse dans les gravois [9] l'ortie [10] aux feux cuisants,
Et sur ses pieds moisis,[11] comme un tapis verdâtre,
La mousse se déploie et fait gercer [12] le plâtre.
—Une treille stérile avec ses bras grimpants
Jusqu'au premier étage en festonne [13] les pans;
Le bleu volubilis [14] dans les fentes s'accroche,
La capucine [15] rouge épanouit sa cloche,
Et, mariant en l'air leurs tranchantes couleurs,
A sa fenêtre font comme un cadre de fleurs:
Car elle n'en a qu'une, et sans cesse vous lorgne
De son regard unique ainsi que fait un borgne,
Allumant aux brasiers du soir, comme autant d'yeux,
Dans leurs mailles de plomb ses carreaux chassieux.[16]

---

[5] se pavane: littéralement "struts," traduisez "proudly sails."
[6] Marais: quartier tranquille de Paris.
[7] pignons: "gables."
[8] dégradés: "dilapidated."
[9] gravois: "rubbish."
[10] ortie: "nettle."
[11] moisis: "mouldy."
[12] fait gercer: "cracks."
[13] festonne: orne de guirlandes.
[14] volubilis: "convolvolus."
[15] capucine: "nasturtium."
[16] chassieux: "blear": les carreaux sales de la fenêtre sont comparés à des yeux malades.

—Une caisse d'œillets,[17] un pot de giroflée [18]
Qui laisse choir au vent sa feuille étiolée [19]
Et du soleil oblique implore le regard,
Une cage d'osier [20] où saute un geai criard,
C'est un tableau tout fait qui vaut qu'on l'étudie;
Mais il faut pour le rendre une touche hardie,
Une palette riche où luise plus d'un ton,
Celle de Boulanger [21] ou bien de Bonnington.[22]

Poésies

§ 2. LA POÉSIE PLASTIQUE

IN DESERTO [23]

Peu à peu, Gautier dégagea son originalité et trouva sa véritable
voie dans la poésie plastique dont voici un exemple.   Cette description est tirée d'*España*, volume de poèmes inspirés par ce voyage
en Espagne qui eut sur Gautier une si profonde influence.   On
étudiera comment il accumule une série de notations qui tendent à
produire la même impression d'aridité et de désolation sinistre.
Le résultat est une vision d'un coloris et d'un relief incomparables.
'Jamais peut-être le sentiment de l'âpreté sauvage et hostile de la
montagne, de la montagne espagnole surtout, n'a été plus sobre-
ment, plus fortement, à plus grands traits exprimée que dans ces
vers" (Émile Faguet).

Les pitons [24] des sierras,[25] les dunes du désert,
Où ne pousse jamais un seul brin d'herbe vert;
Les monts aux flancs zébrés de tuf,[26] d'ocre [27] et de marne,[28]
Et que l'éboulement de jour en jour décharne,

[17] œillets: "carnations."
[18] giroflée: "wall flower."
[19] étiolée: "withered."
[20] osier: "wicker."
[21] Boulanger: peintre français (1806–1867).
[22] Bonnington: paysagiste anglais très admiré en France (1801–1828).
[23] In deserto: "in the desert."
[24] piton: montagne au sommet pointu: "peak."
[25] sierra: mot espagnol qui veut dire "chaîne de montagnes."
[26] tuf: pierre poreuse: "tufa."
[27] ocre: terre argileuse généralement jaune ou rouge: "ochre."
[28] marne: mélange de calcaire et d'argile: "marl."

Le grès [29] plein de micas papillotant aux yeux,
Le sable sans profit buvant les pleurs des cieux,
Le rocher refrogné [30] dans sa barbe de ronce,
L'ardente solfatare [31] avec la pierre ponce,[32]
Sont moins secs et moins morts aux végétations
Que le roc de mon cœur ne l'est aux passions.
Le soleil de midi sur le sommet aride
Répand à flots plombés sa lumière livide,
Et rien n'est plus lugubre et désolant à voir
Que ce grand jour frappant sur ce grand désespoir.
Le lézard pâmé [33] bâille, et parmi l'herbe cuite
On entend résonner les vipères en fuite.
Là, point de marguerite au cœur étoilé d'or,
Point de muguet [34] prodigue égrenant son trésor;
Là, point de violette ignorée et charmante,
Dans l'ombre se cachant comme une pâle amante;
Mais la broussaille rousse et le tronc d'arbre mort,
Que le genou du vent, comme un arc, plie et tord.
Là, point d'oiseau chanteur, ni d'abeille en voyage,
Pas de ramier [35] plaintif déplorant son veuvage;
Mais bien quelque vautour,[36] quelque aigle montagnard,
Sur le disque enflammé fixant son œil hagard,
Et qui, du haut du pic où son pied prend racine,
Dans l'or fauve du soir durement se dessine.

España

[29] grès: "sandstone."
[30] refrogné: "sulky."
[31] solfatare: "solfatara," "sulphur-pit."
[32] pierre ponce: "pumice stone."
[33] pâmé: "swooning with pleasure," parce qu'il jouit de la chaleur accablante.
[34] muguet: "lily of the valley."
[35] ramier: "ring dove."
[36] vautour: "vulture."

SYMPHONIE EN BLANC MAJEUR

On peut mesurer les progrès de la technique de Gautier en comparant ce poème de ses *Émaux et Camées* avec le précédent.   L'auteur a vu une femme dont la beauté l'a frappé; il a analysé cette beauté et il a découvert que son caractère étrange est dû à la pâleur froide, marmoréenne, du visage et des épaules.   Afin de faire éprouver à son lecteur l'impression que lui-même a ressentie, il accumule des images, des évocations productrices d'associations d'idées ayant toutes pour but de faire naître la même sensation de *blancheur glaciale.*

De leur col blanc courbant les lignes,
On voit dans les contes du Nord,
Sur le vieux Rhin, des femmes-cygnes [37]
Nager en chantant près du bord.

Ou, suspendant à quelque branche
Le plumage qui les revêt,
Faire luire leur peau plus blanche
Que la neige de leur duvet.[38]

De ces femmes il en est une,
Qui chez nous descend quelquefois,
Blanche comme le clair de lune
Sur les glaciers dans les cieux froids;

Conviant la vue enivrée
De sa boréale fraîcheur
A des régals [39] de chair nacrée,
A des débauches [40] de blancheur!

[37] femmes-cygnes: "swan-maidens": elles pouvaient se transformer à volonté e femme en cygne et réciproquement.   Elles figurent dans de nombreuses égendes allemandes.
[38] duvet: "down."
[39] régals: "feasts."
[40] débauches: "lavish displays."

Son sein, neige moulée en globe,
Contre les camélias blancs
Et le blanc satin de sa robe
Soutient des combats insolents.

Dans ces grandes batailles blanches,
Satins et fleurs ont le dessous,
Et, sans demander leurs revanches,
Jaunissent comme des jaloux.

Sur les blancheurs de son épaule
Paros [41] au grain éblouissant,
Comme dans une nuit du pôle,
Un givre [42] invisible descend.

De quel mica de neige vierge,
De quelle moelle de roseau,[43]
De quelle hostie [44] et de quel cierge [45]
A-t-on fait le blanc de sa peau?

A-t-on pris la goutte lactée [46]
Tachant l'azur du ciel d'hiver,
Le lis à la pulpe argentée,
La blanche écume de la mer;

Le marbre blanc, chair froide et pâle,
Où vivent les divinités;
L'argent mat,[47] la laiteuse opale
Qu'irisent de vagues clartés: [48]

[41] Paros: marbre blanc de Paros, île de la mer Égée.
[42] givre: "hoar frost."
[43] moelle de roseau: "pith of reeds."
[44] hostie: "sacred wafer," "host."
[45] cierge: "wax taper."
[46] goutte lactée: peut-être une allusion à la voie lactée ("milky way").
[47] mat: qui n'a point d'éclat: "dull."
[48] Qu'irisent de vagues clartés: "faintly iridescent."

L'ivoire,[49] où ses mains ont des ailes,
Et, comme des papillons blancs,
Sur la pointe des notes frêles
Suspendent leurs baisers tremblants;

L'hermine vierge de souillure,[50]
Qui, pour abriter leurs frissons,
Ouate [51] de sa blanche fourrure
Les épaules et les blasons;

Le vif-argent [52] aux fleurs fantasques
Dont les vitraux sont ramagés; [53]
Les blanches dentelles [54] des vasques,[55]
Pleurs de l'ondine [56] en l'air figés;

L'aubépine de mai qui plie
Sous les blancs frimas [57] de ses fleurs;
L'albâtre où la mélancolie
Aime à retrouver ses pâleurs;

Le duvet blanc de la colombe,
Neigeant sur les toits du manoir,
Et la stalactite qui tombe,
Larme blanche de l'antre noir?

Des Groenlands et des Norvèges
Vient-elle avec Séraphita? [58]
Est-ce la Madone des neiges,
Un sphinx blanc que l'hiver sculpta,

---

[49] L'ivoire: l'ivoire du clavier du piano.
[50] hermine vierge de souillure: "spotless ermine."
[51] ouate: l'hermine est une des "fourrures" employées dans l'art héraldique; ouater, "to wad," "to pad."
[52] vif-argent: au sens propre "quick-silver." Ici, allusion aux dessins que la gelée fait sur les vitres en hiver.
[53] ramagés: ornés de dessins en forme de fleurs: "flowered."
[54] blanches dentelles: la glace au bord des vasques semble de la dentelle.
[55] vasques: "basins."
[56] ondine: la nymphe des fontaines: "undine."
[57] frimas: "snow," "hoar frost."
[58] Séraphita: personnage mystérieux, tantôt homme tantôt femme, dans le roman de Balzac, *Séraphita*. L'action du roman se déroule en Norvège.

Sphinx enterré par l'avalanche,
Gardien des glaciers étoilés,
Et qui, sous sa poitrine blanche,
Cache de blancs secrets gelés?

Sous la glace où calme il repose,
Oh! qui pourra fondre ce cœur!
Oh! qui pourra mettre un ton rose
Dans cette implacable blancheur!

Emaux et Camées

LE POT DE FLEURS

Malgré ce qu'en ont dit certains critiques, la sensibilité n'est pas complètement absente de l'œuvre de Gautier. Mais elle est en général médiocre et elle est toujours exprimée avec beaucoup de discrétion par des symboles qui servent de prétextes à des descriptions d'une facture très soignée.

Parfois un enfant trouve une petite graine,
Et tout d'abord, charmé de ses vives couleurs,
Pour la planter, il prend un pot de porcelaine
Orné de dragons bleus et de bizarres fleurs.

Il s'en va.   La racine en couleuvres [59] s'allonge,
Sort de terre, fleurit et devient arbrisseau;[60]
Chaque jour, plus avant son pied chevelu [61] plonge
Tant qu'il [62] fasse éclater le ventre du vaisseau.[63]

L'enfant revient; surpris, il voit la plante grasse [64]
Sur les débris du pot brandir ses verts poignards;
Il la veut arracher, mais sa tige est tenace;
Il s'obstine, et ses doigts s'ensanglantent aux dards.

[59] en couleuvres: "like *or* in the form of adders."
[60] arbrisseau: "shrub."
[61] chevelu: allusion aux centaines de petites racines qui poussent sur les grosses.
[62] Tant qu'il: tournure archaïque pour "jusqu'à ce qu'il."
[63] vaisseau: "vase."
[64] plante grasse: plante à feuilles épaisses et charnues.

Ainsi germa l'amour dans mon âme surprise:
Je croyais ne semer qu'une fleur de printemps;
C'est un grand aloès [65] dont la racine brise
Le pot de porcelaine aux dessins éclatants.

Poésies

§ 3.   LES TRANSPOSITIONS D'ART

A ZURBARAN

Pour nous faire apprécier le talent de Francisco Zurbaran, le grand peintre espagnol (1598–1662), Gautier reproduit quelques-uns de ces portraits de moines, si terriblement réalistes, qui sont ses chefs-d'œuvre.   Il essaie de rendre, avec des mots, certains des effets obtenus par le pinceau du peintre: l'extase heureuse des physionomies, la morne désolation du décor, et cette atmosphère de mysticisme morbide qui l'a frappé dans l'art religieux espagnol. Il faut remarquer aussi l'émotion et la pitié de Gautier, artiste admirateur du corps humain, quand il pense à ces hommes qui faisaient souffrir volontairement leur chair et acceptaient volontiers la mort dont l'idée le remplit d'horreur et d'effroi.   Gautier a employé dans ce poème la *terza rima* du Dante.

Moines de Zurbaran, blancs chartreux [66] qui, dans l'ombre,
Glissez silencieux sur les dalles [67] des morts,
Murmurant des Pater [68] et des Ave [68] sans nombre,

Quel crime expiez-vous par de si grands remords?
Fantômes tonsurés, [69] bourreaux à face blême,
Pour le traiter ainsi, qu'a donc fait votre corps?

---

[65] aloès: "aloe."
[66] chartreux: religieux de l'ordre de Saint-Bruno: "Carthusians."
[67] dalles: "flag-stones."
[68] Pater, Ave: abréviations pour "Pater Noster" ("Our Father") et "Ave Maria" ("Hail Mary").
[69] tonsurés: dont le sommet de la tête est rasé: "tonsured."

Votre corps, modelé par le doigt de Dieu même,
Que Jésus Christ, son fils, a daigné revêtir,
Vous n'avez pas le droit de lui dire: "Anathème!" [70]

Je conçois les tourments et la foi du martyr,
Les jets de plomb fondu, les bains de poix [71] liquide,
La gueule des lions prête à vous engloutir,

Sur un rouet [72] de fer les boyaux qu'on dévide,
Toutes les cruautés des empereurs romains;
Mais je ne comprends pas ce morne suicide!

Pourquoi donc, chaque nuit, pour vous seuls inhumains,
Déchirer votre épaule à coups de discipline, [73]
Jusqu'à ce que le sang ruisselle sur vos reins?

Pourquoi ceindre toujours la couronne d'épine,
Que Jésus sur son front ne mit que pour mourir,
Et frapper à plein poing votre maigre poitrine?

Croyez-vous donc que Dieu s'amuse à voir souffrir,
Et que ce meurtre lent, cette froide agonie,
Fassent pour vous, le ciel plus facile à s'ouvrir?

Cette tête de mort entre vos doigts jaunie,
Pour ne plus en sortir, qu'elle rentre au charnier! [74]
Que votre fosse [75] soit par un autre finie!

L'esprit est immortel, on ne peut le nier;
Mais dire, comme vous, que la chair est infâme,
Statuaire divin, [76] c'est te calomnier!

[70] anathème: malédiction.
[71] poix: "pitch."
[72] rouet: "spinning wheel."
[73] discipline: instrument de flagellation: "discipline, scourge."
[74] charnier: "charnel house."
[75] fosse: "grave": les chartreux creusent eux-mêmes la fosse où il doivent être ensevelis.
[76] Statuaire divin: Dieu qui créa le corps humain.

Pourtant quelle énergie et quelle force d'âme
Ils avaient, ces chartreux, sous leur pâle linceul,
Pour vivre, sans amis, sans famille et sans femme,

Tout jeunes, et déjà plus glacés qu'un aïeul,
N'ayant pour horizon qu'un long cloître en arcades,
Avec une pensée, en face de Dieu seul!

Tes moines, Lesueur,[77] près de ceux-là sont fades: [78]
Zurbaran de Séville a mieux rendu que toi
Leurs yeux plombés [79] d'extase et leurs têtes malades,

Le vertige divin, l'enivrement de foi
Qui les fait rayonner d'une clarté fiévreuse,
Et leur aspect étrange, à vous donner l'effroi.

Comme son dur pinceau les laboure et les creuse!
Aux pleurs du repentir comme il ouvre des lits
Dans les rides sans fond de leur face terreuse!

Comme du froc [80] sinistre il allonge les plis;
Comme il sait lui donner les pâleurs du suaire,[81]
Si bien que l'on dirait des morts ensevelis!

Qu'il vous peigne en extase au fond du sanctuaire,
Du cadavre divin baisant les pieds sanglants,
Fouettant votre dos bleu comme un fléau bat l'aire,[82]

Vous promenant rêveurs le long des cloîtres blancs,
Par file assis à table au frugal réfectoire,
Toujours il fait de vous des portraits ressemblants.

[77] Lesueur: Eustache Lesueur a peint surtout des tableaux religieux (1616–1655).
[78] fade: "vapid": l'œuvre de Lesueur est en effet plus élégante que puissante.
[79] plombés: entourés d'un cercle sombre.
[80] froc: "monk's gown."
[81] suaire: "shroud."
[82] fléau: "flail"; aire: "threshing-floor."

Deux teintes seulement, clair livide, ombre noire;
Deux poses, l'une droite et l'autre à deux genoux,
A l'artiste ont suffi pour peindre votre histoire.

Forme, rayon, couleur, rien n'existe pour vous;
A tout objet réel vous êtes insensibles,
Car le ciel vous enivre et la croix vous rend fous,

Et vous vivez muets, inclinés sur vos bibles,
Croyant toujours entendre aux plafonds entr'ouverts
Éclater brusquement les trompettes terribles!

O moines! maintenant, en tapis frais et verts,
Sur les fosses par vous à vous-mêmes creusées,
L'herbe s'étend.—Eh bien! que dites-vous aux vers?

Quels rêves faites-vous? quelles sont vos pensées?
Ne regrettez-vous pas d'avoir usé vos jours
Entre ces murs étroits, sous ces voûtes glacées?

Ce que vous avez fait, le feriez-vous toujours?

Poésies

VIEUX DE LA VIEILLE [83]

Voici maintenant une lithographie à la manière de Raffet et inspirée directement par l'œuvre du célèbre dessinateur. Dans sa description des vieux soldats de Napoléon faisant leur pieux pélerinage Gautier obtient, par le choix des détails et leur expression, des effets semblables à ceux que Raffet devait à la technique de son art: un mélange de réalisme brutal et de grandeur épique.

On remarquera:

1. La très belle envolée de la dernière strophe, qui élargit soudain le sujet et le termine sur une vision d'épopée.

2. L'émotion de Gautier moins réprimée que d'habitude et que nous sentons profonde et sincère.

[83] Vieux de la Vieille: vétérans de la vieille garde de Napoléon.

Par l'ennui chassé de ma chambre,
J'errais le long du boulevard:
Il faisait un temps de décembre,
Vent froid, fine pluie et brouillard;

Et là je vis, spectacle étrange,
Échappés du sombre séjour,[84]
Sous la bruine [85] et dans la fange,
Passer des spectres en plein jour.

Pourtant c'est la nuit que les ombres,
Par un clair de lune allemand,
Dans les vieilles tours en décombres,
Reviennent ordinairement;

C'est la nuit que les Elfes [86] sortent
Avec leur robe humide au bord,
Et sous les nénuphars emportent
Leur valseur de fatigue mort;

C'est la nuit qu'a lieu la revue [87]
Dans la ballade de Zedlitz,
Où l'Empereur, ombre entrevue,
Compte les ombres d'Austerlitz.[88]

Mais des spectres près du Gymnase,[89]
A deux pas des Variétés,[89]
Sans brume ou linceul qui les gaze,[90]
Des spectres mouillés et crottés!

[84] sombre séjour: royaume des morts.
[85] bruine: "drizzle."
[86] Elfes: génies de l'air tantôt bienfaisants tantôt malfaisants qui apparaissent dans les légendes de presque tous les pays de l'Europe. Ils aiment beaucoup la musique et la danse et, parfois, forcent le voyageur qu'ils rencontrent à danser avec eux jusqu'à ce qu'il meure de fatigue.
[87] la revue: allusion à une célèbre ballade du poète autrichien Zedlitz: *Die Nächtliche Heerschau* ("La revue nocturne").
[88] Austerlitz: grande victoire de Napoléon (2 décembre 1805).
[89] Gymnase, Variétés: théâtres de Paris.
[90] qui les gaze: qui dissimule, comme un voile, leur aspect effrayant.

Avec ses dents jaunes de tartre,[91]
Son crâne de mousse verdi,
A Paris, boulevard Montmartre,
Mob [92] se montrant en plein midi!

La chose vaut qu'on la regarde:
Trois fantômes de vieux grognards,[93]
En uniformes de l'ex-garde,
Avec deux ombres de hussards!

On eût dit la lithographie
Où, dessinés par un rayon,[94]
Les morts que Raffet [95] déifie,
Passent, criant: Napoléon!

Ce n'étaient pas les morts qu'éveille
Le son du nocturne tambour,[96]
Mais bien quelques *vieux de la vieille*
Qui célébraient le grand retour.[97]

Depuis la suprême bataille,[98]
L'un a maigri, l'autre a grossi;
L'habit jadis fait à leur taille
Est trop grand ou trop rétréci.

[91] tartre: "tartar."
[92] Mob: Gautier emploie souvent ce mot pour désigner la Mort.
[93] grognards: "grumblers": surnom des soldats de la vieille garde.
[94] dessinés par un rayon: allusion à la célèbre lithographie de Raffet, "La revue nocturne," qui représente l'ombre de Napoléon passant en revue ses soldats morts.   La scène est sinistrement éclairée par la lueur blême de la lune.
[95] Raffet: peintre et dessinateur français.   Il a représenté les soldats de la Révolution et de l'Empire et son œuvre a eu un immense succès (1804–1860).
[96] nocturne tambour: dans la ballade de Zedlitz c'est au son du tambour que les soldats sortent de leur tombe.
[97] le grand retour: l'anniversaire du retour des cendres de Napoléon le 15 décembre.
[98] suprême bataille: Waterloo.

Nobles lambeaux, défroque épique,
Saints haillons, qu'étoile une croix,[99]
Dans leur ridicule héroïque
Plus beaux que des manteaux de rois;

Un plumet énervé [100] palpite
Sur leur kolbach fauve et pelé;
Près des coups de balle, la mite [101]
A rongé leur dolman [102] criblé;

Leur culotte de peau trop large
Fait mille plis sur leur fémur;
Leur sabre rouillé, lourde charge,
Creuse le sol et bat le mur;

Ou bien un embonpoint grotesque,
Avec grand'peine boutonné,
Fait un poussah,[103] dont on rit presque,
Du vieux héros tout chevronné.[104]

Ne les raillez pas, camarade;
Saluez plutôt chapeau bas
Ces Achilles d'une Iliade
Qu'Homère n'inventerait pas.

Respectez leur tête chenue! [105]
Sur leur front par vingt cieux bronzé,
La cicatrice continue
Le sillon que l'âge a creusé.

[99] croix: la Légion d'honneur.
[100] énervé: usé; dont il ne reste plus que la tige.
[101] mite: "moth."
[102] dolman: veste militaire: "dolman."
[103] poussah: gros homme ridicule.
[104] chevronné: dont les manches sont couvertes de chevrons ("service stripes").
[105] chenue: "hoary."

Leur peau, bizarrement noircie,
Dit l'Égypte aux soleils brûlants;
Et les neiges de la Russie
Poudrent encor leurs cheveux blancs.

Si leurs mains tremblent, c'est sans doute
Du froid de la Bérésina;
Et s'ils boitent, c'est que la route
Est longue du Caire à Wilna; [106]

S'ils sont perclus,[107] c'est qu'à la guerre
Les drapeaux étaient leurs seuls draps;
Et si leur manche ne va guère,
C'est qu'un boulet a pris leur bras.

Ne nous moquons pas de ces hommes
Qu'en riant le gamin poursuit;
Ils furent le jour dont nous sommes
Le soir et peut-être la nuit.

Quand on oublie, ils se souviennent!
Lancier rouge et grenadier bleu,
Au pied de la colonne,[108] ils viennent
Comme à l'autel de leur seul dieu.

Là, fiers de leur longue souffrance,
Reconnaissants des maux subis,
Ils sentent le cœur de la France
Battre sous leur pauvres habits.

---

[106] du Caire à Wilna: "from Cairo to Wilna (Poland)": ils ont pris part à toutes les campagnes, depuis l'expédition d'Égypte, 1798, jusqu'à la campagne de Russie, 1812, lorsque l'armée a traversé la rivière Bérésina en plein hiver.

[107] perclus: "stiffened by rheumatism."

[108] la colonne: la colonne Vendôme, érigée en l'honneur de Napoléon et surmontée de sa statue.

Aussi les pleurs trempent le rire
En voyant ce saint carnaval,
Cette mascarade d'empire,
Passer comme un matin de bal; [109]

Et l'aigle de la Grande Armée
Dans le ciel qu'emplit son essor,[110]
Du fond d'une gloire [111] enflammée,
Étend sur eux ses ailes d'or!

Émaux et Camées

VARIATIONS SUR LE CARNAVAL DE VENISE
SUR LES LAGUNES

Gautier fait ici une double transposition d'art: essayer de recréer avec ses vers le tableau qu'évoque pour lui un air de musique. Cette façon de passer d'une impression visuelle à une sensation musicale et réciproquement, deviendra un procédé habituel des symbolistes.

Tra la, tra la, la, la, la laire! [112]
Qui ne connaît pas ce motif?
A nos mamans il a su plaire,
Tendre et gai, moqueur et plaintif:

L'air du Carnaval de Venise,
Sur les canaux jadis chanté
Et qu'un soupir de folle brise
Dans le ballet [113] a transporté!

[109] un matin de bal: ils ont l'air de revenir d'un bal masqué.
[110] essor: "flight."
[111] gloire: auréole lumineuse autour de la tête des saints. Ici l'aigle semble apparaître dans un ciel illuminé par le soleil couchant.
[112] la laire: c'est le refrain d'une chanson populaire vénitienne dont le célèbre violoniste Paganini a fait le thème d'un air appelé "Le carnaval de Venise."
[113] ballet: la chanson populaire était devenue un morceau de concert et un ballet.

Il me semble, quand on le joue,
Voir glisser dans son bleu sillon
Une gondole avec sa proue
Faite en manche de violon.

Sur une gamme chromatique,[114]
Le sein de perles ruisselant,
La Vénus de l'Adriatique
Sort de l'eau son corps rose et blanc.

Les dômes,[115] sur l'azur des ondes
Suivant la phrase au pur contour,
S'enflent comme des gorges rondes
Que soulève un soupir d'amour.

L'esquif aborde et me dépose,
Jetant son amarre au pilier,[116]
Devant une façade rose,
Sur le marbre d'un escalier.

Avec ses palais, ses gondoles,
Ses mascarades sur la mer,
Ses doux chagrins, ses gaîtés folles,
Tout Venise vit dans cet air.

Une frêle corde qui vibre
Refait sur un pizzicato,[117]
Comme autrefois joyeuse et libre,
La ville de Canaletto![118]

Emaux et Camées

[114] gamme chromatique: gamme en demi-tons qui crée une impression de tristesse: "chromatic scale."
[115] dômes: les coupoles des églises de Venise.
[116] pilier: "mooring-post."
[117] pizzicato: mot italien: son produit en pinçant la corde du violon avec le doigt.
[118] Canaletto: peintre vénitien très connu pour ses tableaux qui représentent les monuments de Venise (1697–1768). On remarquera que Gautier, comme toujours, voit Venise à travers l'œuvre d'un peintre.

§ 4. GAUTIER THÉORICIEN DU PARNASSE

L'ART

Ce célèbre poème, paru dans *L'Artiste* en 1857, fut ajouté aux *Émaux et Camées* en 1858; il est le résumé de la doctrine de l'art pour l'art, et peut être considéré comme l'"Art Poétique" du Parnasse. Pour Gautier, la poésie comprend une part d'inspiration mais aussi une part de technique; le poète doit connaître son métier, il doit apprendre l'art de ciseler et de polir les vers comme le sculpteur apprend à travailler l'argile ou le marbre et le peintre la couleur. Les difficultés que l'artiste doit surmonter sont grandes, et c'est d'elles que dépend la valeur de son œuvre:

1. L'effort qu'il fait l'oblige à prendre conscience de son idée ou de son sentiment.

2. La difficulté vaincue donne à l'œuvre d'art la perfection de la forme qui seule assure l'immortalité.

> Oui, l'œuvre sort plus belle
> D'une forme au travail
>   Rebelle,
> Vers,[119] marbre, onyx, émail.
>
> Point de contraintes fausses![120]
> Mais que pour marcher droit
>   Tu chausses,
> Muse, un cothurne [121] étroit.
>
> Fi du rythme commode,
> Comme un soulier trop grand,
>   Du mode
> Que tout pied quitte et prend!

[119] vers: Gautier considers "verses" along with marble, onyx and enamel as a difficult medium and therefore worthy of the attention of a great artist.
[120] fausses: inutiles.
[121] cothurne: chaussures que portaient les acteurs de la tragédie antique: "buskin."

Statuaire, repousse
L'argile que pétrit
    Le pouce
Quand flotte ailleurs l'esprit; [122]

Lutte avec le carrare, [123]
Avec le paros [123] dur
    Et rare,
Gardiens du contour pur;

Emprunte à Syracuse [124]
Son bronze où fermement
    S'accuse
Le trait fier et charmant;

D'une main délicate
Poursuis dans un filon [125]
    D'agate
Le profil d'Apollon.

Peintre, fuis l'aquarelle,
Et fixe la couleur
    Trop frêle
Au four de l'émailleur. [126]

Fais les sirènes bleues,
Tordant de cent façons
    Leurs queues,
Les monstres des blasons; [127]

[122] Quand flotte ailleurs l'esprit: une erreur n'aurait pas de conséquences fâcheuses et l'artiste n'est pas obligé de concentrer son attention sur son œuvre; son inspiration reste vague et manque de puissance.
[123] Carrare, Paros: endroits d'où viennent les beaux marbres blancs employés pour faire les statues.
[124] Syracuse: ville de Sicile. Dans l'antiquité les médailles de bronze de Syracuse étaient très renommées.
[125] filon: "vein."
[126] émailleur: "enameller."
[127] monstres des blasons: "heraldic monsters."

Dans son nimbe [128] trilobe [129]
La Vierge et son Jésus,
    Le globe
Avec la croix dessus.

Tout passe.—L'art robuste
Seul a l'éternité.
    Le buste
Survit à la cité.

Et la médaille austère [130]
Que trouve un laboureur
    Sous terre
Révèle un empereur.

Les dieux eux-mêmes meurent.
Mais les vers souverains
    Demeurent
Plus forts que les airains.[131]

Sculpte, lime, cisèle; [132]
Que ton rêve flottant
    Se scelle
Dans le bloc résistant!

Émaux et Camées

[128] nimbe: disque doré qui entoure la tête des saints: "nimbus."
[129] trilobe: le nimbe à la forme d'une rosace découpée en trois feuilles: "trilobate." (Symbole de la Trinité.)
[130] austère: les profils gravés sur les médailles romaines ont généralement une xpression dure et sévère.
[131] les airains: les statues de bronze.
[132] Sculpte, lime, cisèle: il emploie pour la poésie les mêmes expressions que our les arts plastiques.

VI. CHARLES BAUDELAIRE (1821–1867)

Charles Baudelaire est né à Paris le 9 avril 1821; son père, alors âgé de 61 ans, mourut 6 ans après et sa mère épousa en 1828 le colonel Aupick. Celui-ci, quoique honnête homme et brave soldat, ne put gagner la sympathie de l'enfant qu'il essaya en vain de plier à sa volonté. Après avoir terminé de fortes études au lycée Louis-le-Grand, Baudelaire voulut se faire homme de lettres; sa famille refusa et le fit embarquer pour les Indes. Il en revint en 1842, la mémoire pleine de visions exotiques, mais toujours décidé à suivre sa vocation. Devenu majeur, il vécut fastueusement et dépensa vite son héritage, après quoi il connut la gêne et parfois la misère et vécut dans les milieux de la bohème artistique et littéraire du Paris de l'époque. A partir de 1841, il écrivit peu à peu les poèmes qui composent *Les Fleurs du mal*. Le livre parut en 1857 et Baudelaire, poursuivi pour outrage à la morale, fut condamné à une forte amende. De 1858 à 1865 il publia une admirable traduction des *Contes Fantastiques* d'Edgar Allan Poe,[1] qui avait exercé sur lui une profonde influence; en 1860 il donna *Les Paradis artificiels*, en 1861 *Richard Wagner* et *Tannhauser* et dans divers revues ses *Poèmes en Prose*. En 1866, il se trouvait à Bruxelles, quand il tomba gravement malade; on le ramena à Paris, où il mourut le 31 août 1867.

A. ŒUVRES DE BAUDELAIRE

1. Poésie: *Les Fleurs du mal* (1857, 1861, 1868).
2. Prose: *Les Paradis artificiels, opium et haschisch* (1861); Traductions des *Histoires extraordinaires* d'Edgar Poe (1856–1865); *Petits Poèmes en Prose* (1869).

B. PERSONNALITÉ DE BAUDELAIRE

Baudelaire eut une destinée douloureuse. Il souffrit de ne pouvoir conquérir la place qu'il pensait mériter, et sa sensibilité

---

[1] Baudelaire n'a d'ailleurs pas véritablement imité Poe. Il serait plus juste de dire que la révélation de l'œuvre de l'écrivain américain a, en quelque sorte "cristallisé" des sentiments, des idées et des tendances qui existaient déjà chez Baudelaire.

orgueilleuse exagéra les déceptions de sa vie, qui furent nombreuses et souvent imméritées. Sa magnifique imagination lui fit rêver tous les luxes et les plaisirs les plus raffinés, mais après avoir eu quelque temps l'illusion de la richesse, il connut bientôt la misère. Privé de plaisirs délicats, il se plongea avec une ardeur désespérée dans la débauche vulgaire, non sans ressentir parfois la honte de sa faiblesse et le regret de l'idéal perdu. "Spleen et idéal," titre d'un chapitre des *Fleurs du mal*, résume bien l'œuvre toute entière; elle exprime en effet le dégoût de soi-même, un désespoir immense devant la vie manquée et le regret nostalgique des rêves évanouis.

C. L'ŒUVRE DE BAUDELAIRE

1. Le "frisson nouveau."

Ne pouvant et ne voulant pas reprendre les thèmes lyriques déjà traités par les romantiques, Baudelaire conçut l'idée d'une poésie nouvelle. Le but de cette poésie était d'exprimer ce qu'il appelait "l'héroïsme de la vie moderne"; son sujet est l'âme de l'homme moderne, c'est-à-dire, de l'artiste, du raffiné à la sensibilité exaspérée et à la sensualité compliquée et morbide; son cadre sera la grande ville avec son atmosphère fiévreuse et malsaine, pleine de hontes cachées et de mystères sinistres. Baudelaire est d'ailleurs allé plus loin encore: il a exploré les recoins les plus obscurs de l'âme humaine; il a osé décrire les visions malsaines et effrayantes qui hantent le dégénéré, le criminel, l'ivrogne, le fumeur d'opium; il a voulu décrire le bizarre, l'horrible, le macabre. C'est cette atmosphère étrange que Victor Hugo a résumée quand il a écrit à Baudelaire: "Vous avez créé un frisson nouveau."

2. Quelques thèmes baudelairiens.

a. Le "*spleen.*" "Je ne conçois guère," a dit Baudelaire, "un type de beauté où il n'y ait du malheur." C'est cette mélancolie que Baudelaire a tant aimée chez Poe et qui se retrouve dans son œuvre; l'une de ses formes est le "spleen" c'est-à-dire, l'ennui écrasant, le sentiment du néant de l'existence qui mène l'âme à la folie. Les souffrances qu'il cause sont si terribles qu'après avoir vainement essayé de lui échapper par la débauche et les "paradis artificiels," ses victimes accueillent la mort comme une délivrance.

b. *L'amour et le vice.* On trouve à la fois chez Baudelaire l'expression presque mystique de son amour pour la femme très idéalisée, tantôt l'expression d'une sensualité morbide. Il a aussi célébré les "paradis artificiels," le vin, l'opium, le haschisch, qui donnent à l'homme l'ivresse et l'oubli.

c. *Les parfums.* "Mon âme," disait Baudelaire, "voltige sur les parfums comme celle des autres hommes voltige sur la musique." L'odorat et aussi le toucher sont extrêmement développés chez lui, et les odeurs ont le pouvoir d'évoquer pour lui avec force toutes les autres sensations.

d. *Paris.* Le cadre de ses poèmes est Paris. Ce qu'il aime dans Paris, c'est sa tristesse sous la brume, ses foules où l'on peut s'isoler, ses immenses cimetières peuplés de morts innombrables, toutes les hontes et les crimes qui s'y cachent, en un mot tout ce qui s'harmonise avec son spleen et tout ce qui l'alimente.

e. *Religion et "satanisme."* Baudelaire a été attiré par la religion, mais il semble aussi prendre un plaisir amer à la renier. Il a vivement le sentiment chrétien du péché, mais son remords paraît lui rendre la faute plus agréable; en faisant le mal, il a le sentiment d'obéir aux ordres du démon qui, pour lui, était une réalité toujours présente et a qui il a adressé des prières dévotes.

f. *La mort.* C'est le grand thème baudelairien. Elle est le seul espoir du désespéré, elle l'attire et le repousse: elle l'attire car elle représente l'inconnu qui sera peut-être une délivrance; mais elle le frappe d'horreur car il est hanté par l'effroi de la corruption du cercueil; il craint que les morts ne continuent à souffrir dans leur chair et que leur âme ne connaisse un spleen plus affreux encore que celui des vivants.

D. BAUDELAIRE PRÉCURSEUR DU SYMBOLISME

1. *Le symbole.*

Baudelaire dont la poésie est si personnelle parle rarement de lui-même. Le sentiment et l'idée sont cachés derrière des symboles. Son horreur de la rhétorique, son désir de suggérer plutôt que de décrire ou d'expliquer, se retrouvent chez les symbolistes.

2. *Les correspondances.*

Baudelaire a exprimé dans un sonnet fameux cette idée que les différentes sensations de couleurs, de sons, de parfums se correspondent et peuvent s'évoquer l'une par l'autre. La poésie devient donc avant tout un moyen de créer des états de sensibilité plutôt que des idées. Cette théorie est à l'origine de toute la poésie symboliste.

3. *La poésie musicale.*

Influencé par Poe, Baudelaire a eu l'idée d'une poésie dans laquelle les mots seraient employés pour leur valeur musicale et pour l'émotion qu'ils font naître, plutôt que pour les idées qu'ils représentent. Ce procédé dont il a usé avec beaucoup de discrétion, sera repris et poussé à l'extrême par les symbolistes.

E. LA FORME

La forme chez Baudelaire est remarquable et a été tout de suite très admirée. Il faut noter d'abord qu'il aime les poèmes courts, condensés, particulièrement le sonnet. Au point de vue de la métrique, il s'est montré très conservateur, car son vers ordinaire est l'alexandrin tel que l'avaient employé les romantiques. Ce qui fait la beauté de la poésie de Baudelaire, c'est avant tout son harmonie, produite par la musique secrète des mots qui donne aux vers une résonnance mystérieuse, et qui semble les prolonger indéfiniment et ouvrir la porte au rêve.

§ 1. LE "FRISSON NOUVEAU"

SPLEEN

Le "mal du siècle" dont souffraient les romantiques, était une mélancolie élégante qui n'était pas sans charmes et qu'ils décrivaient avec complaisance. Bien différent est le spleen baudelairien, fait d'ennui incurable, de découragement, et d'un désespoir sans bornes qui semble ronger l'âme et la laisser sans défense contre la folie.

Quand le ciel bas et lourd pèse comme un couvercle [2]
Sur l'esprit gémissant en proie aux longs ennuis,
Et que de l'horizon embrassant tout le cercle
Il nous verse un jour noir plus triste que les nuits;

Quand la terre est changée en un cachot [3] humide,
Où l'Espérance, comme une chauve-souris,
S'en va battant les murs de son aile timide
Et se cognant la tête à des plafonds pourris;

Quand la pluie [4] étalant ses immenses traînées
D'une vaste prison imite les barreaux,
Et qu'un peuple muet d'infâmes araignées
Vient tendre ses filets au fond de nos cerveaux,

Des cloches tout à coup sautent avec furie
Et lancent vers le ciel un affreux hurlement,
Ainsi que des esprits errants et sans patrie
Qui se mettent à geindre [5] opiniâtrement.

—Et de longs corbillards, [6] sans tambours ni musique,
Défilent lentement dans mon âme; l'Espoir,
Vaincu, pleure, et l'Angoisse atroce, despotique,
Sur mon crâne incliné plante son drapeau noir.

Les Fleurs du mal

LA CLOCHE FÊLÉE [7]

Épuisé par les excès de toute sorte, Baudelaire travaillait avec
difficulté et il souffrait beaucoup de sa stérilité, sans d'ailleurs avoir
le courage de mener la vie régulière qui lui aurait permis de produire

---

[2] couvercle: "lid."
[3] cachot: "dungeon."
[4] pluie: Baudelaire semble avoir eu une horreur morbide de la pluie. Dans
un autre poème également intitulé "Spleen" il décrit Pluviôse, le mois des
pluies, comme "irrité contre la ville entière."
[5] geindre: "moan."
[6] corbillards: "hearses."
[7] fêlée: "cracked."

l'œuvre qu'il rêvait.   C'est ce sentiment d'impuissance douloureuse qu'il a traduit dans ce poème.

Il est amer et doux, pendant les nuits d'hiver,
D'écouter, près du feu qui palpite et qui fume,
Les souvenirs lointains lentement s'élever
Au bruit des carillons [8] qui chantent dans la brume.

Bienheureuse la cloche au gosier [9] vigoureux
Qui, malgré sa vieillesse, alerte et bien portante,
Jette fidèlement son cri religieux,
Ainsi qu'un vieux soldat qui veille sous la tente!

Moi, mon âme est fêlée, et lorsqu'en ses ennuis
Elle veut de ses chants peupler l'air froid des nuits,
Il arrive souvent que sa voix affaiblie

Semble le râle [10] épais d'un blessé qu'on oublie
Au bord d'un lac de sang, sous un grand tas de morts,
Et qui meurt, sans bouger, dans d'immenses efforts!

Les Fleurs du mal

CHANT D'AUTOMNE

Pour Baudelaire comme pour les romantiques, l'automne s'associe à des idées de tristesse, de déclin et de mort.   Mais alors que les romantiques s'abandonnent avec plaisir à la mélancolie des paysages d'automne et semblent trouver la nature plus belle au moment où elle va rentrer dans le sommeil de l'hiver, Baudelaire, au contraire, projette sur le tableau qu'il décrit son angoisse et la peur de la mort qui le hante.   Au lieu du paysage éclatant et mélancolique cher aux romantiques, il nous donne un chant funèbre d'une désespérance infinie.

[8] carillons: "chimes."
[9] gosier: "throat."
[10] râle: "death rattle."

Bientôt nous plongerons dans les froides ténèbres;
Adieu, vive clarté de nos étés trop courts!
J'entends déjà tomber avec des chocs funèbres
Le bois [11] retentissant sur le pavé des cours.

Tout l'hiver va rentrer dans mon être: colère,
Haine, frissons, horreur, labeur dur et forcé,
Et, comme le soleil dans son enfer polaire,
Mon cœur ne sera plus qu'un bloc rouge et glacé.[12]

J'écoute en frémissant chaque bûche qui tombe;
L'échafaud [13] qu'on bâtit n'a pas d'écho plus sourd.
Mon esprit est pareil à la tour qui succombe
Sous les coups du bélier [14] infatigable et lourd.

Il me semble, bercé par ce choc monotone,
Qu'on cloue en grande hâte un cercueil quelque part . . .
Pour qui?—C'était hier l'été; voici l'automne!
Ce bruit mystérieux sonne comme un départ.

Les Fleurs du mal

LA CHEVELURE

Ce poème comme beaucoup d'autres fut inspiré à Baudelaire
par son amour pour cette Jeanne Duval [15] qui fut son mauvais
génie.   On étudiera comment les sensations de l'odorat et du
toucher suffisent à faire naître tout un monde d'autres sensations,
à évoquer toute une époque de la vie du poète.

[11] Le bois: on décharge dans la cour les bûches pour le chauffage pendant
l'hiver.
[12] rouge et glacé: pendant l'hiver le soleil vu à travers la brume glaciale est
rouge et cependant il semble ne pas pouvoir donner de chaleur.   De même le
poète qui se consume du désir de vivre intensément semble "glacé" par
l'hostilité de la vie et des hommes.
[13] L'échafaud: "the scaffold": le poète se compare au condamné à mort qui
entend les aides du bourreau élever la guillotine.
[14] bélier: "battering ram."
[15] Jeanne Duval: c'était une mulâtresse née à Saint-Domingue.   Une des
raisons de l'étrange fascination qu'elle exerçait sur Baudelaire est qu'elle sym-
bolisait pour lui ces pays exotiques qu'il n'avait fait qu'entrevoir, mais dont il
garda toujours la nostalgie.

O toison, moutonnant [16] jusque sur l'encolure!
O boucles!   O parfum chargé de nonchaloir! [17]
Extase!   Pour peupler ce soir l'alcôve obscure
Des souvenirs dormant dans cette chevelure,
Je la veux agiter dans l'air comme un mouchoir!

La langoureuse Asie et la brûlante Afrique,
Tout un monde lointain, absent, presque défunt,
Vit dans tes profondeurs, forêt aromatique!
Comme d'autres esprits voguent sur la musique,
Le mien, ô mon amour! nage sur ton parfum.

J'irai là-bas où l'arbre et l'homme, pleins de sève,
Se pâment longuement sous l'ardeur des climats;
Fortes tresses,[18] soyez la houle [19] qui m'enlève!
Tu contiens, mer d'ébène, un éblouissant rêve
De voiles, de rameurs, de flammes [20] et de mâts:

Un port retentissant [21] où mon âme peut boire
A grands flots le parfum, le son et la couleur;
Où les vaisseaux, glissant dans l'or et dans la moire,
Ouvrent leurs vastes bras pour embrasser la gloire
D'un ciel pur où frémit l'éternelle chaleur.

Je plongerai ma tête amoureuse d'ivresse
Dans ce noir océan où l'autre [22] est enfermé;
Et mon esprit subtil que le roulis caresse
Saura vous retrouver, ô féconde paresse,[23]
Infinis bercements du loisir embaumé!

Les Fleurs du mal

[16] moutonnant: "curling."
[17] nonchaloir: "indolence."
[18] tresses: "braids."
[19] houle: "swell" (of the sea).
[20] flammes: drapeaux arborés sur les mâts d'un navire: "pennons."
[21] retentissant: c'est-à-dire plein de mouvement et de bruit.
[22] l'autre: l'océan qui baigne ces rivages exotiques.
[23] féconde paresse: la paresse des habitants de ces pays fortunés est "féconde"
parce qu'elle leur permet de rêver à loisir.

LA SERVANTE AU GRAND CŒUR . . .

Baudelaire évoque le souvenir de Mariette, une servante qui l'avait élevé et qu'il aimait tant que sa mère, dit-il, en était un peu jalouse. Elle mourut quand il avait dix ans et il garda toujours pieusement son souvenir. On étudiera comment Baudelaire arrive à exprimer d'une façon admirable l'idée touchante de la pitié pour les morts dont les souffrances durent peut-être encore, et à reproduire l'hallucination qui termine le poème, dans un langage simple et familier comme celui de la conversation.

> La servante au grand cœur dont vous [24] étiez jalouse,
> Et qui dort son sommeil sous une humble pelouse,
> Nous devrions pourtant lui porter quelques fleurs.
> Les morts, les pauvres morts ont de grandes douleurs,
> Et quand Octobre souffle, émondeur [25] des vieux arbres,
> Son vent mélancolique à l'entour de leurs marbres,
> Certe, ils doivent trouver les vivants bien ingrats,
> De dormir, comme ils font, chaudement dans leurs draps,
> Tandis que, dévorés de noires songeries,
> Sans compagnon de lit, sans bonnes causeries,
> Vieux squelettes gelés travaillés [26] par le ver,
> Ils sentent s'égoutter [27] les neiges de l'hiver
> Et le siècle couler, sans qu'amis ni famille
> Remplacent les lambeaux [28] qui pendent à leur grille.
>
> Lorsque la bûche siffle et chante, si le soir,
> Calme, dans le fauteuil je la voyais s'asseoir,
> Si, par une nuit bleue et froide de décembre,
> Je la trouvais tapie [29] en un coin de ma chambre,

[24] vous: il parle à sa mère.

[25] émondeur: "pruner": parce que le vent d'octobre brise les branches desséchées.

[26] travaillés: rongés: "gnawed."

[27] s'égoutter: "melt drop by drop."

[28] lambeaux: le poète fait allusion aux rubans fanés qui attachent les fleurs déposées sur les tombes.

[29] tapie: littéralement "crouching." Le poète veut dire qu'elle se cache dans un coin, de peur d'effrayer par son apparition celui qu'elle aime.

Grave, et venant du fond de son lit éternel
Couver [30] l'enfant grandi de son œil maternel,
Que pourrais-je répondre à cette âme pieuse
Voyant tomber des pleurs de sa paupière creuse?

Les Fleurs du mal

LES CHATS

Baudelaire, comme Poe, a été attiré par ce qu'il y a dans les chats de mystérieux et d'énigmatique. Il s'est défini lui-même "le poète des chats" et de nombreuses anecdotes prouvent l'étrange fascination que ces animaux exerçaient sur lui. Théophile Gautier prétend d'ailleurs que Baudelaire ressemblait à "un chat voluptueux, câlin, aux façons veloutées, à l'allure mystérieuse, pleine de force et de souplesse."

Les amoureux fervents et les savants austères
Aiment également dans leur mûre saison,
Les chats puissants et doux, orgueil de la maison,
Qui comme eux sont frileux [31] et comme eux sédentaires.

Amis de la science et de la volupté,
Ils cherchent le silence et l'horreur des ténèbres;
L'Érèbe [32] les eût pris [33] pour ses coursiers funèbres,
S'ils pouvaient au servage incliner leur fierté.

Ils prennent en songeant les nobles attitudes
Des grands sphinx allongés au fond des solitudes,
Qui semblent s'endormir dans un rêve sans fin;
Leurs reins [34] féconds sont pleins d'étincelles magiques, [35]
Et des parcelles d'or, ainsi qu'un sable fin,
Étoilent vaguement leurs prunelles [36] mystiques. [37]

Les Fleurs du mal

[30] couver: "gaze lovingly upon."
[31] frileux: sensibles au froid.
[32] Érèbe: dans la mythologie grecque le fils de Chaos, frère de la Nuit. Ce mot désigna ensuite l'Enfer.
[33] eût pris: "would have chosen."
[34] reins: "loins."
[35] étincelles magiques: allusion au phénomène qui se produit parfois quand on passe la main dans la fourrure d'un chat.
[36] prunelles: "pupils."
[37] mystiques: Baudelaire fait allusion à l'expression mystérieuse des yeux des chats qui semblent garder les secrets d'un monde inconnu de nous.

LE CRÉPUSCULE DU MATIN

Ce curieux poème est un exemple intéressant de la vision étrange
et paradoxale que Baudelaire avait de l'existence. C'est une
description de Paris aux premières lueurs du matin. Alors que les
poètes célèbrent en général dans l'aube la victoire joyeuse du jour
sur les ténèbres, Baudelaire ne voit que laideur et tristesse dans le
"crépuscule du matin" qui termine la vie nocturne comme le
"crépuscule du soir" met fin au labeur de la journée. Il évoque
alors la vie sinistre de la nuit dans une grande ville, toutes les
débauches et les souffrances qu'elle cache, puis il montre que l'aube,
pour les malheureux, détruit le sommeil bienfaisant qui donne
l'oubli et n'est que le signal d'une nouvelle journée de travail et de
misères. L'ensemble, comme les autres *Tableaux parisiens* donne
une impression de tristesse morbide.

La diane [38] chantait dans les cours des casernes,[39]
Et le vent du matin soufflait sur les lanternes.

C'était l'heure où l'essaim des rêves malfaisants
Tord sur leurs oreillers les bruns adolescents;
Où, comme un œil sanglant qui palpite et qui bouge,
La lampe sur le jour fait une tache rouge;
Où l'âme, sous le poids du corps revêche [40] et lourd,
Imite les combats de la lampe et du jour.
Comme un visage en pleurs que les brises essuient,
L'air est plein du frisson des choses qui s'enfuient,
Et l'homme est las d'écrire et la femme d'aimer.

Les maisons çà et là commençaient à fumer.
Les femmes de plaisir, la paupière livide,
Bouche ouverte, dormaient de leur sommeil stupide;
Les pauvresses, traînant leurs seins maigres et froids,
Soufflaient sur leurs tisons [41] et soufflaient sur leurs doigts.

[38] diane: sonnerie de clairon au point du jour pour réveiller les soldats:
"reveille."
[39] casernes: "barracks."
[40] revêche: "peevish."
[41] tisons: "embers."

C'était l'heure où parmi le froid et la lésine [42]
S'aggravent les douleurs des femmes en gésine; [43]
Comme un sanglot coupé par un sang écumeux
Le chant du coq au loin déchirait l'air brumeux,
Une mer de brouillards baignait les édifices,
Et les agonisants dans le fond des hospices
Poussaient leur dernier râle en hoquets [44] inégaux.
Les débauchés rentraient, brisés par leurs travaux. [45]

L'aurore grelottante en robe rose et verte
S'avançait lentement sur la Seine déserte,
Et le sombre Paris, en se frottant les yeux,
Empoignait [46] ses outils,—vieillard laborieux.

Les Fleurs du mal

LE VOYAGE

Nous ne donnons ici que la fin de ce long poème.   Il représente
la conclusion logique du spleen baudelairien.   Le poète, après
avoir vainement essayé tous les plaisirs et exploré les profondeurs
du vice, accepte l'idée de la mort dans l'espoir d'échapper à l'ennui
qui le ronge.

O Mort, vieux capitaine, il est temps! levons l'ancre! [47]
Ce pays nous ennuie, ô Mort!   Appareillons! [48]
Si le ciel et la mer sont noirs comme de l'encre,
Nos cœurs que tu connais sont remplis de rayons!

[42] lésine: le sens ordinaire est: "économie exagérée et inutile": "stinginess."
Ici il semble que Baudelaire désigne plutôt le manque de confort dû à la pauvreté,
qui aggrave les souffrances des malades.
[43] en gésine: expression vieillie pour désigner une femme qui va donner
naissance à un enfant: "in childbirth."
[44] hoquets: "hiccups."
[45] travaux: "labors": pour Baudelaire le débauché est un malheureux,
véritable forçat du plaisir.
[46] empoignait: "seized."
[47] levons l'ancre: "let us weigh anchor."
[48] appareillons: "let us set sail."

Verse-nous ton poison pour qu'il nous réconforte!
Nous voulons, tant ce feu nous brûle le cerveau,
Plonger au fond du gouffre, Enfer ou Ciel, qu'importe?
Au fond de l'Inconnu pour trouver du *nouveau*!

Les Fleurs du mal

§ 2.   BAUDELAIRE PRÉCURSEUR DU SYMBOLISME

ÉLÉVATION

Baudelaire exprime ici ce désir d'idéal qui reste si fort chez lui au milieu des pires dégradations.   Par dégoût de son corps, il en arrive à souhaiter une vie uniquement spirituelle.

Au-dessus des étangs, au-dessus des vallées,
Des montagnes, des bois, des nuages, des mers,
Par delà le soleil, par delà les éthers,
Par delà les confins [49] des sphères étoilées,

Mon esprit, tu te meus avec agilité,
Et, comme un bon nageur qui se pâme dans l'onde,
Tu sillonnes gaîment l'immensité profonde
Avec une indicible et mâle volupté.

Envole-toi bien loin de ces miasmes morbides,
Va te purifier dans l'air supérieur,
Et bois, comme une pure et divine liqueur,
Le feu clair qui remplit les espaces limpides.

Derrière les ennuis et les vastes chagrins
Qui chargent de leur poids l'existence brumeuse,
Heureux celui qui peut d'une aile vigoureuse
S'élancer vers les champs lumineux et sereins!

[49] Par delà les confins: c'est-à-dire plus loin encore que les régions du ciel où se trouvent les étoiles.

Celui dont les pensers, comme des alouettes,
Vers les cieux le matin prennent un libre essor,
—Qui plane sur [50] la vie et comprend sans effort
Le langage des fleurs et des choses muettes!

Les Fleurs du mal

CORRESPONDANCES

L'idée générale de ce poème est que les sons, les couleurs, les parfums, ne sont que des interprétations différentes données par nos sens à des phénomènes identiques, et qu'ils peuvent par conséquent s'évoquer les uns les autres. Cette idée de correspondance entre les différentes sensations jouera un très grand rôle dans la poésie symboliste.

La Nature est un temple où de vivants piliers
Laissent parfois sortir de confuses paroles; [51]
L'homme y passe à travers des forêts de symboles
Qui l'observent avec des regards familiers.

Comme de longs échos qui de loin se confondent
Dans une ténébreuse et profonde unité,
Vaste comme la nuit et comme la clarté,
Les parfums, les couleurs et les sons se répondent. [52]

Il est des parfums frais comme des chairs d'enfants,
Doux comme les hautbois,[53] verts comme les prairies,
—Et d'autres, corrompus, riches et triomphants,

[50] plane sur: "soars above."
[51] de confuses paroles: peut-être une allusion aux chênes de la forêt de Dodone, dans la Grèce antique, qui passaient pour rendre des oracles.
[52] se répondent: c'est-à-dire, "correspondent."
[53] hautbois: "oboes."

Ayant l'expansion des choses infinies,
Comme l'ambre, le musc, le benjoin et l'encens,[54]
Qui chantent les transports de l'esprit et des sens.

Les Fleurs du mal

LA VIE ANTÉRIEURE

Baudelaire essaie de rendre une de ces phases de la vie mystérieuse de l'âme que les symbolistes préféreront aux lieux communs de la passion, chers aux romantiques: il s'efforce d'exprimer cette impression étrange et inexplicable, que nous avons parfois, d'avoir vécu dans un autre pays et à une autre époque.

J'ai longtemps habité sous de vastes portiques
Que les soleils marins teignaient [55] de mille feux,
Et que leurs grands piliers, droits et majestueux,
Rendaient pareils, le soir, aux grottes basaltiques.[56]

Les houles, en roulant les images des cieux,
Mêlaient d'une façon solennelle et mystique
Les tout-puissants accords de leur riche musique
Aux couleurs du couchant reflété par mes yeux.

C'est là que j'ai vécu dans les voluptés calmes,
Au milieu de l'azur, des vagues, des splendeurs
Et des esclaves nus, tout imprégnés d'odeurs,

Qui me rafraîchissaient le front avec des palmes,
Et dont l'unique soin était d'approfondir [57]
Le secret douloureux qui me faisait languir.

Les Fleurs du mal

[54] ambre, musc, benjoin, encens: "ambergris," "musk," "benzoin," "incense."

[55] teignaient: "dyed."

[56] grottes basaltiques: le basalte est une roche volcanique dont les couches se fendent verticalement en formant des espèces de colonnes ou piliers.

[57] approfondir: les soins des esclaves calmaient la fièvre du poète, mais le bien-être physique rendait encore plus aigu et plus douloureux le "spleen" qui le rongeait.

HARMONIE DU SOIR

Baudelaire a écrit ce poème pour Mme Sabatier, qui fut une de ses grandes inspiratrices. Le sens du poème est à peu près le suivant: par ce beau soir que décrit le poète, un spectateur mélancolique contemple le soleil couchant pour que le souvenir de cette vision éclatante le protège contre les tristesses de la nuit. De même, le souvenir de Mme Sabatier console et soutient le poète hanté par l'idée de la mort.

On remarquera: (1) Les correspondances entre les sensations de couleur, de parfums et de sons; (2) La façon dont Baudelaire a suggéré sans les exprimer les sentiments qu'il éprouve; (3) La forme particulière du poème qui est à peu près un pantoum.[58]

> Voici venir les temps où vibrant sur sa tige
> Chaque fleur s'évapore ainsi qu'un encensoir;
> Les sons et les parfums tournent dans l'air du soir;
> Valse mélancolique et langoureux vertige!
>
> Chaque fleur s'évapore ainsi qu'un encensoir;
> Le violon frémit comme un cœur qu'on afflige;
> Valse mélancolique et langoureux vertige!
> Le ciel est triste et beau comme un grand reposoir.[59]
>
> Le violon frémit comme un cœur qu'on afflige,
> Un cœur tendre, qui hait le néant vaste et noir! [60]
> Le ciel est triste et beau comme un grand reposoir;
> Le soleil s'est noyé dans son sang qui se fige.[61] . . .

[58] pantoum: poème à forme fixe souvent employé dans la poésie orientale. Il se compose de strophes de quatre vers; le deuxième et le quatrième vers de chaque strophe deviennent le premier et le troisième vers de la strophe suivante.
[59] reposoir: les couleurs éclatantes du ciel au soleil couchant le font comparer à un autel orné de draperies rouges et dorées.
[60] le néant vaste et noir: la nuit, symbole de la mort.
[61] se fige: se coagule.

Un cœur tendre, qui hait le néant vaste et noir,
Du passé lumineux [62] recueille tout vestige!
Le soleil s'est noyé dans son sang qui se fige . . .
Ton souvenir en moi luit comme un ostensoir! [63]

Les Fleurs du mal

RECUEILLEMENT

L'atmosphère de ce poème rappelle celle de l'œuvre poétique
d'Edgar Poe, et l'on peut y retrouver "l'accent extra-terrestre, le
calme dans la mélancolie, la solennité délicieuse" que Baudelaire
admirait dans les vers de l'écrivain américain.   C'est une espèce
de plainte résignée dans laquelle le poète salue la venue de la nuit
qui, en amenant l'ombre et le silence, va lui permettre d'oublier les
hommes et de rester seul avec sa douleur comme avec une amie
très douce et très chère.

Sois sage, [64] ô ma Douleur, et tiens-toi plus tranquille.
Tu réclamais le Soir; il descend; le voici:
Une atmosphère obscure enveloppe la ville,
Aux uns portant la paix, aux autres le souci.

Pendant que des mortels la multitude vile,
Sous le fouet du Plaisir, ce bourreau sans merci,
Va cueillir des remords dans la fête servile, [65]
Ma Douleur, donne-moi la main; viens par ici

Loin d'eux.   Vois se pencher les défuntes Années, [66]
Sur les balcons du ciel, en robes surannées;
Surgir du fond des eaux [67] le Regret souriant; [68]

[62] passé lumineux: l'éclat du soleil qui symbolise l'amour et les joies qu'i
apporte.
[63] ostensoir: "monstrance": dans l'église catholique, pièce d'orfèvrerie dans
laquelle on expose l'hostie à l'adoration des fidèles.   Ce mot évoque à la fois
l'idée de richesse et d'éclat amenée par "reposoir," et "passé lumineux," et aussi
l'idée d'adoration qui est la note dominante dans le poème.
[64] Sois sage: le poète parle à sa douleur comme une mère parle à son enfant.
[65] fête servile: les débauchés sont les esclaves du Plaisir.
[66] défuntes Années: dans le calme du soir le souvenir du passé s'empare de
l'âme du poète.
[67] du fond des eaux: les eaux de la Seine que le poète contemple au soleil
couchant.
[68] le Regret souriant: dans la paix du soir, le poète oublie un moment sa
douleur et le regret du passé mort n'est pas amer, mais doucement mélancolique.

Le Soleil moribond s'endormir sous une arche,
Et, comme un long linceul traînant à l'Orient,
Entends, ma chère, entends la douce Nuit qui marche.

Les Fleurs du mal

L'INVITATION AU VOYAGE

Voici le plus célèbre peut-être de tous les poèmes de Baudelaire. Il exprime sous une forme admirable le désir nostalgique du poète de quitter une vie qui lui est odieuse, pour s'en aller vers des pays qu'il ignore mais dont il rêve, avec la femme qu'il aime, et de vivre là une vie de calme bonheur, dans un décor d'une sereine mélancolie.

Mon enfant, ma sœur,
Songe à la douceur
D'aller là-bas vivre ensemble!
Aimer à loisir
Aimer et mourir
Au pays qui te ressemble!
Les soleils mouillés
De ces ciels brouillés [69]
Pour mon esprit ont les charmes
Si mystérieux
De tes traîtres yeux,
Brillant à travers leurs larmes.

Là, tout n'est qu'ordre et beauté,
Luxe, calme et volupté.

Des meubles luisants,
Polis par les ans,
Décoreraient notre chambre;
Les plus rares fleurs
Mêlant leurs odeurs
Aux vagues senteurs de l'ambre,

[69] brouillés: voilés de brume.

Les riches plafonds,
Les miroirs profonds,
La splendeur orientale,
Tout y parlerait
A l'âme en secret
Sa douce langue natale.

Là, tout n'est qu'ordre et beauté,
Luxe, calme et volupté.

Vois sur ces canaux [70]
Dormir ces vaisseaux
Dont l'humeur est vagabonde;
C'est pour assouvir
Ton moindre désir
Qu'ils viennent du bout du monde.
—Les soleils couchants
Revêtent les champs,
Les canaux, la ville entière,
D'hyacinthe [71] et d'or;
Le monde s'endort
Dans une chaude lumière.

Là, tout n'est qu'ordre et beauté,
Luxe, calme et volupté.

Les Fleurs du mal

[70] canaux: le poète avait dans l'esprit un paysage hollandais.
[71] hyacinthe: couleur d'un bleu tirant sur le violet: "hyacinth."

III. LE PARNASSE

III. LE PARNASSE

En 1866, l'éditeur Lemerre publia dans un recueil intitulé *Le Parnasse Contemporain*, les vers d'un groupe d'écrivains qui avaient en commun certaines idées sur la poésie. Le nom de ce recueil est devenu celui d'une école dont Leconte de Lisle fut le chef et Heredia le représentant le plus achevé.

Définition: Le mouvement parnassien est avant tout une réaction contre les faiblesses du romantisme et notamment l'excès d'imagination, la déformation de la réalité, l'abus du lyrisme. Le Parnasse correspond aux mouvements réaliste et naturaliste dans le roman, et a été amené par les mêmes influences.

A. INFLUENCES

1. *Influences sociales.*

Importance de plus en plus grande d'une bourgeoisie matérialiste et pratique qui s'intéresse peu aux rêveries romantiques; impression profonde produite par les découvertes scientifiques (notamment les chemins de fer) qui semblent consacrer le triomphe de la science.

2. *Prestige de la science.*

Il faut d'abord signaler l'influence énorme du positivisme, philosophie créée par Auguste Comte, qui enseigne qu'après l'âge théologique et l'âge métaphysique, nous sommes arrivés à l'âge scientifique. D'après Comte, il n'y a de réel, de "positif," que les faits; il faut donc étudier les faits et déduire les lois qui les régissent.

Les théories positivistes ont été surtout répandues par l'œuvre de Taine qui essaie d'étudier scientifiquement la littérature et l'histoire; par celle de Renan qui veut employer la même méthode dans l'étude des religions; par celle de Sainte-Beuve qui l'applique à la critique littéraire; par celle de Claude Bernard qui s'en sert en médecine.

3. Influences allemandes et anglaises.

Les savants allemands (Otfried Müller, Mommsen, etc.) montrent dans leurs ouvrages la nécessité et la valeur d'une documentation précise. L'ouvrage de Darwin, *L'Origine des espèces* non seulement renouvelle l'histoire naturelle, mais encore exerce une influence profonde sur la philosophie et l'art.

4. Influence des arts.

La peinture et la sculpture deviennent moins imaginatives, plus réalistes, à partir de 1835 (sculpteurs Rude et Barye, paysagistes Corot et Rousseau). Il faut noter enfin l'influence de Théophile Gautier, qui dans ses poésies n'oublie pas qu'il a été peintre.

Remarque.

En résumé, l'admiration pour la science et la confiance en son avenir sont sans bornes au début de la deuxième moitié du 19e siècle; tous les esprits semblent préoccupés de la recherche du vrai. Les poètes, comme les romanciers, essaient d'unir dans leurs œuvres l'art et la sience.

B. LE ROMANTISME ET LE PARNASSE

1. La poésie scientifique et impersonnelle.

Dans la poésie romantique, ce sont la sensibilité et l'imagination qui dominent: la poésie parnassienne essaiera de s'inspirer des découvertes de la science. Les Parnassiens critiquent l'étalage romantique du "moi" et demandent une poésie impersonnelle, dans laquelle l'expression des sentiments particuliers à l'auteur est faite avec discrétion ou remplacée par celle des sentiments communs à l'humanité toute entière.

2. Retour au classicisme.

Les Parnassiens retournent au classicisme qui avait proscrit le "moi" de la littérature. Ils reviennent aussi à l'imitation gréco-latine que les romantiques avaient essayé de remplacer par celle des littératures du Nord; mais l'antiquité [1] qu'ils décrivent est

---

[1] Il faut mentionner ici l'influence profonde exercée sur les Parnassiens par Louis Ménard (1822–1901), qui leur révéla la beauté de la vie, de l'art et de la religion des Grecs.

conforme aux découvertes de l'érudition moderne.

3. *La nature et la poésie descriptive.*

Les romantiques avaient tendance à projeter leur personnalité dans la nature; pour eux un paysage était un "état d'âme." Les Parnassiens s'intéressent à la nature pour elle-même, pour les harmònies de formes et de couleurs qu'elle offre à l'artiste.

4. *Le culte de la forme.*

A l'exception de Victor Hugo, les romantiques avaient peu souci de la forme qui est chez eux très inégale; les Parnassiens, au contraire, ont le culte de la perfection artistique, et loin de protester contre les rigueurs de la métrique française, ils tâchent de les aggraver. Alors que le vers romantique est souvent harmonieux et souple, et en somme musical, la poésie parnassienne a tendance à devenir nette et sculpturale, ou, comme on l'a dit, "marmoréenne."

VII. LECONTE DE LISLE (1818–1894)

Leconte de Lisle est né à la Réunion [1] en 1818. A l'âge de 18 ans, il vint en France pour faire son droit, mais il semble s'être intéressé surtout au journalisme et à la littérature. Revenu à la Réunion en 1843, il repartit pour la France en 1845.

Il collabora à des revues fouriéristes [2] et s'occupa activement de politique. L'échec de la révolution de 1848 et le coup d'état du 2 décembre 1851 le découragèrent, et il abandonna la politique pour la littérature. Étant sans fortune, il dut, pour vivre, accepter des travaux de traduction et il connut souvent la gêne jusqu'en 1872, époque où un poste à la bibliothèque du Sénat lui donna un peu de bien-être. Reçu à l'Académie en 1886, il mourut en 1894.

A. ŒUVRES DE LECONTE DE LISLE

1. Poésie: *Poèmes antiques* (1853); *Poèmes barbares* (1862); *Poèmes tragiques* (1884); *Derniers poèmes* (1895).
2. Théâtre: *Les Erinnyes* (1873); *L'Appollonide* (1880).
3. Traductions: *Théocrite* (1861); *Iliade* (1866); *Odyssée* (1867); *Hésiode* (1869); *Eschyle* (1872); *Horace* (1873); *Sophocle* (1877); *Euripide* (1885).

B. PERSONNALITÉ DE LECONTE DE LISLE

Le destin fut dur pour Leconte de Lisle: son enfance fut triste, sa jeunesse difficile, et ce n'est que bien tard qu'il connut l'aisance et la gloire officielle. Épris de justice et de liberté, l'indifférence du peuple devant la destruction de la liberté fut pour lui une amère désillusion. Ces raisons personnelles expliquent en partie la tristesse profonde, la vue pessimiste de l'existence qui caractérisent sa personnalité. Hautain et distant, il se résigna à rester pauvre et

---

[1] la Réunion: île située à l'est de l'Afrique. Colonie française.
[2] revues fouriéristes: c'est-à-dire qui exposaient et soutenaient les idées du philosophe et sociologue Fourier (1772–1837), dont la doctrine est une première ébauche du socialisme et du communisme modernes.

à peu près ignoré du public, mais il fut le maître respecté et souvent autoritaire de tout un groupe de jeunes écrivains.

C. L'ŒUVRE DE LECONTE DE LISLE

1. *Pessimisme.*

Comme celui de Vigny, le pessimisme de Leconte de Lisle ne s'explique qu'en partie par sa vie; c'est sa pensée qui l'a lentement dégagé, comme une leçon, du spectacle de l'existence.   Il est dominé par une idée sur laquelle repose toute l'œuvre du poète: celle de la mort inévitable.   En effet, comme son maître Fourier, Leconte de Lisle pense que la certitude de l'immortalité est nécessaire [3] au bonheur de l'humanité et qu'il nous est impossible d'être heureux si nous savons que tout ce que nous sommes, tout ce que nous aimons doit finir un jour et que notre souvenir même doit disparaître. Cette idée de la mort lui serait insupportable s'il pensait que nous ayons des raisons de regretter la vie; mais pour lui, comme pour Vigny, l'existence est pleine de laideurs et de souffrances, la nature est indifférente, Dieu n'existe que parce qu'il a été créé par nos craintes et nos espoirs.   Il en arrive à désirer la mort qui amènera au moins la fin de nos souffrances avec l'anéantissement.

2. *Stoïcisme.*

Leconte de Lisle n'est pas impassible; c'est un homme qui souffre profondément, mais par dignité il refuse d'exprimer directement son désespoir comme l'avaient fait les romantiques; ses souffrances, il ne les décrit qu'à travers celles de l'humanité tout entière.   Son idéal est le stoïcisme de Vigny: l'acceptation courageuse du malheur comme une chose inévitable, ou l'oubli dans le rêve et la contemplation, tel que le prêchent les religions de l'Inde, qu'il a beaucoup admirées.

3. *Le poète des religions.*

Hanté par son désir d'immortalité, Leconte de Lisle a voulu analyser les formes diverses qu'a prises ce désir chez les hommes de tous les temps.   Il a donc étudié les religions qui représentent le

[3] "Rien de fait pour le bonheur tant que nous n'avons pas sur l'immortalité de l'âme des garanties convaincantes et mathématiquement établies."   (Fourier, *Théorie de l'unité universelle*, II, p. 340).   Cité par Elsemberg.

rêve commun à toute l'humanité, celui d'une vie future qui continuera l'existence terrestre.   Mais les dieux meurent comme les hommes qui les ont créés, et ils apportent une nouvelle preuve que la mort est universelle: aussi est-ce avec une pitié mélancolique que Leconte de Lisle passe en revue les dieux morts.

4. *Le poète des civilisations disparues.*

Toute religion est le produit d'une certaine civilisation et exprime une certaine attitude envers l'existence.   L'histoire des religions est, pour Leconte de Lisle, une occasion de faire revivre les civilisations disparues et d'évoquer le temps où la beauté régnait dans le monde, beauté qu'il reproche au christianisme d'avoir détruite et qu'il s'efforce, avec amour et regret, de faire renaître, pour essayer d'oublier la laideur du monde moderne.

5. *Le peintre de la nature et des animaux.*

Leconte de Lisle essaie aussi de fixer les visions de beauté que l'on peut rencontrer dans le monde moderne: c'est pourquoi on trouve dans son œuvre de nombreux paysages et beaucoup de descriptions d'animaux.   Il admire la force plus que la grâce, et semble avoir aimé la nature exubérante des tropiques avec sa végétation luxuriante.   De même il décrit généralement des animaux sauvages, puissants et musculeux.

6. *L'union de l'art et de la science.*

Leconte de Lisle a écrit en 1852 dans la préface des *Poèmes antiques:* "L'art et la science, . . . longtemps séparés par suite des efforts divergents de l'intelligence, doivent tendre à s'unir étroitement, si ce n'est à se confondre."   Ses évocations historiques ne sont plus basées sur l'imagination, mais sur une solide érudition qui lui a permis de vivre par la pensée dans le pays et au siècle qu'il décrit, de se faire le contemporain de chaque époque.   Sa couleur locale n'est pas fausse ou superficielle, mais juste et précise jusqu'à la lourdeur et au pédantisme.   Il faut aussi signaler la façon remarquable dont il a su faire vivre les animaux; s'inspirant des découvertes scientifiques, il a interprété avec justesse et sympathie l'âme obscure de nos "frères inférieurs." [4]

[4] "frères inférieurs": selon le mot de Michelet.

D. LA FORME

Leconte de Lisle est un artiste impeccable qui a voulu donner à son œuvre la perfection de la forme.   Dans ses poèmes, la composition est généralement d'une logique et d'une clarté frappantes; le vocabulaire, émaillé de mots rares et exotiques, de noms propres aux syllabes sonores a quelque chose d'éclatant et de dur; la rime, toujours correcte, est souvent riche.   L'ensemble donne une impression de puissance majestueuse, mais aussi de monotonie; on a souvent comparé la poésie de Leconte de Lisle à une statue de marbre dont elle a, en effet, la noblesse et la solidité mais aussi la froideur glaciale.

§ 1. L'UNION DE L'ART ET DE LA SCIENCE

SÛRYÂ

Hymne Védique

Dans ce poème inspiré des livres des Védas,[5] Leconte de Lisle a retrouvé l'esprit des antiques religions de l'Inde, caractérisées par l'adoration des grandes forces de la nature.   Ces vers majestueux et sereins célèbrent la gloire de Sûryâ, le Dieu-soleil, en décrivant sa course dans l'espace, depuis l'aube où il apparaît à l'horizon jusqu'au soir où il semble se noyer dans les flots de la mer.

Ta demeure est au bord des océans antiques,
Maître!   Les grandes Eaux lavent tes pieds mystiques.

Sur ta face divine et ton dos écumant
L'abîme primitif ruisselle lentement.
Tes cheveux qui brûlaient au milieu des nuages,
Parmi les rocs anciens déroulés sur les plages,
Pendent en noirs limons, et la houle des mers
Et les vents infinis gémissent au travers.
Sûryâ!   Prisonnier de l'ombre infranchissable,
Tu sommeilles couché dans les replis du sable.

[5] les Védas: livres sacrés des Hindous, écrits en langue sanscrite.

Une haleine terrible habite en tes poumons;
Elle trouble la neige errante au flanc des monts;
Dans l'obscurité morne en grondant elle affaisse
Les astres submergés par la nuée épaisse,
Et fait monter en chœur les soupirs et les voix
Qui roulent dans le sein vénérable des bois.

Ta demeure est au bord des océans antiques,
Maître!   Les grandes Eaux lavent tes pieds mystiques.

Elle vient, elle accourt, ceinte de lotus blancs,
L'Aurore aux belles mains, aux pieds étincelants;
Et tandis que, songeur, près des mers tu reposes,
Elle lie au char bleu les quatre vaches roses.
Vois!   Les palmiers divins, les érables [6] d'argent,
Et les frais nymphéas [7] sur l'eau vive nageant,
La vallée où pour plaire entrelaçant leurs danses
Tournent les Apsaras [8] en rapides cadences,
Par la nue onduleuse et molle enveloppés,
S'éveillent, de rosée et de flamme trempés.
Pour franchir des sept cieux [9] les larges intervalles,
Attelle au timon d'or les sept fauves cavales,[10]
Secoue au vent des mers un reste de langueur,
Éclate, et lève-toi dans toute ta vigueur!

Ta demeure est au bord des océans antiques,
Maître!   Les grandes Eaux lavent tes pieds mystiques.

Mieux que l'oiseau géant qui tourne au fond des cieux,
Tu montes, ô guerrier, par bonds victorieux;

[6] érables: "maples."
[7] nymphéas: nénuphars: "water lilies."
[8] Apsaras: dans la mythologie de l'Inde, nymphes sorties de la mer et qui charment par leurs danses les habitants du paradis du dieu Indra.
[9] sept cieux: dans la mythologie de l'Inde le ciel est divisé en plusieurs régions superposées, généralement sept ou huit.
[10] cavales: "mares": le char de Sûryâ est trainé par sept cavales au poil fauve.

Tu roules comme un fleuve, ô Roi, source de l'Être!
Le visible infini que ta splendeur pénètre,
En houles [11] de lumière ardemment agité,
Palpite de ta force et de ta majesté.
Dans l'air flambant, immense, oh! que ta route est belle
Pour arriver au seuil de la nuit éternelle!
Quand ton char tombe et roule au bas du firmament,
Que l'horizon sublime ondule largement!
O Sûryâ!   Ton corps lumineux vers l'eau noire
S'incline, revêtu d'une robe de gloire;
L'abîme te salue et s'ouvre devant toi:
Descends sur le profond rivage et dors, ô Roi!

Ta demeure est au bord des océans antiques,
Maître!   Les grandes Eaux lavent tes pieds mystiques.

Guerrier resplendissant, qui marches dans le ciel
A travers l'étendue et le temps éternel;
Toi qui verses au sein de la terre robuste
Le fleuve fécondant de ta chaleur auguste,
Et sièges vers midi sur les brûlants sommets,
Roi du monde, entends-nous, et protège à jamais
Les hommes au sang pur, les races pacifiques
Qui te chantent au bord des océans antiques!

Poèmes antiques

LE CŒUR DE HIALMAR

Leconte de Lisle avait été très impressionné par la lecture des
Chants populaires du Nord, publiés par Xavier Marmier en 1842.
Il y avait surtout admiré le "Chant de mort de Hialmar," dans
lequel un guerrier, frappé à mort demande à son compagnon
d'armes de porter à sa fiancée son anneau d'or. Il s'en inspira
pour ce poème, plus brutal et plus barbare encore que celui du

[11] houle: "surge," "swell."

vieux poète scandinave dans lequel il nous présente un idéal bien
différent de l'extase mystique des habitants de l'Inde: une vie
d'aventures et de combats, la mort et la souffrance joyeusement
acceptées, des dieux guerriers qui honorent les braves tombés sur le
champ de bataille.

Une nuit claire, un vent glacé.   La neige est rouge.
Mille braves sont là qui dorment sans tombeaux,
L'épée au poing, les yeux hagards.   Pas un ne bouge.
Au-dessus tourne et crie un vol de noirs corbeaux.

La lune froide verse au loin sa pâle flamme.
Hialmar se soulève entre les morts sanglants,
Appuyé des deux mains au tronçon de sa lame.[12]
La pourpre du combat ruisselle de ses flancs.

—Holà!   Quelqu'un a-t-il encore un peu d'haleine,
Parmi tant de joyeux et robustes garçons
Qui, ce matin, riaient et chantaient à voix pleine
Comme des merles dans l'épaisseur des buissons?

Tous sont muets.   Mon casque est rompu, mon armure
Est trouée, et la hache a fait sauter ses clous.[13]
Mes yeux saignent.   J'entends un immense murmure
Pareil aux hurlements de la mer ou des loups.

Viens par ici, Corbeau, mon brave mangeur d'hommes!
Ouvre-moi la poitrine avec ton bec de fer.
Tu nous retrouveras demain tels que nous sommes.
Porte mon cœur tout chaud à la fille d'Ylmer.

[12] tronçon de sa lame: "stump of his sword."
[13] clous: "rivets," "bolts."

Dans Upsal,[14] où les Jarls [15] boivent la bonne bière,
Et chantent, en heurtant les cruches d'or, en chœur,
A tire-d'aile [16] vole, ô rôdeur [17] de bruyère!
Cherche ma fiancée et porte-lui mon cœur.

Au sommet de la tour que hantent les corneilles [18]
Tu la verras debout, blanche, aux longs cheveux noirs.
Deux anneaux d'argent fin lui pendent aux oreilles,
Et ses yeux sont plus clairs que l'astre des beaux soirs.

Va, sombre messager, dis-lui bien que je l'aime,
Et que voici mon cœur. Elle reconnaîtra
Qu'il est rouge et solide et non tremblant et blême;
Et la fille d'Ylmer, Corbeau, te sourira!

Moi, je meurs. Mon esprit coule par vingt blessures.
J'ai fait mon temps. Buvez, ô loups, mon sang vermeil.
Jeune, brave, riant, libre et sans flétrissures,
Je vais m'asseoir parmi les Dieux,[19] dans le soleil!

Poèmes barbares

LES HURLEURS

Jusqu'au 19e siècle la littérature et la philosophie avaient considéré l'homme comme un être privilégié, d'une essence supérieure,
alors que l'animal était, en général, représenté comme une machine
vivante. S'inspirant des découvertes de la science moderne,
Leconte de Lisle ne voit dans l'homme qu'un animal lentement
évolué. La souffrance mystérieuse qui paraît tourmenter ces chiens
et leur fait pousser ces hurlements semble au poète une ébauche

[14] Upsal: "Upsala," ville de Suède dans la province d'Upland.
[15] les Jarls: les seigneurs.
[16] A tire-d'aile: "with hasty wing."
[17] rôdeur: "prowler."
[18] corneilles: corbeaux de petite espèce: "crows."
[19] parmi les Dieux: dans la mythologie scandinave, les héros morts dans les
combats sont admis dans le Paradis, ou Walhalla, et boivent l'hydromel que
leur servent les Walkyries.

primitive de l'angoisse de l'humanité devant les mystères de la vie
et de la mort.

Le soleil dans les flots avait noyé ses flammes,
La ville s'endormait au pied des monts brumeux.
Sur de grands rocs lavés d'un nuage écumeux
La mer sombre en grondant versait ses hautes lames.[20]

La nuit multipliait ce long gémissement.
Nul astre ne luisait dans l'immensité nue;
Seule, la lune pâle, en écartant la nue,
Comme une morne lampe oscillait tristement.

Monde muet, marqué d'un signe de colère,
Débris d'un globe mort au hasard dispersé,
Elle laissait tomber de son orbe glacé
Un reflet sépulcral sur l'océan polaire.

Sans borne, assise au Nord, sous les cieux étouffants,
L'Afrique,[21] s'abritant d'ombre épaisse et de brume,
Affamait[22] ses lions dans le sable qui fume,
Et couchait près des lacs ses troupeaux d'éléphants.

Mais sur la plage aride, aux odeurs insalubres,
Parmi des ossements de bœufs et de chevaux,
De maigres chiens, épars, allongeant leurs museaux,[23]
Se lamentaient, poussant des hurlements lugubres.

La queue en cercle sous leurs ventres palpitants,[24]
L'œil dilaté, tremblant sur leurs pattes fébriles,
Accroupis çà et là, tous hurlaient, immobiles,
Et d'un frisson rapide agités par instants.

[20] lames: "waves."
[21] L'Afrique: Leconte de Lisle a vu ces chiens sur une grève près du Cap de
Bonne Espérance pendant un voyage en 1837.
[22] affamait: "starved."
[23] museaux: "noses."
[24] palpitants: "quivering."

L'écume de la mer collait sur leurs échines [25]
De longs poils qui laissaient les vertèbres saillir;
Et, quand les flots par bonds les venaient assaillir,
Leurs dents blanches claquaient sous leurs rouges babines.[26]

Devant la lune errante aux livides clartés,
Quelle angoisse inconnue, au bord des noires ondes,
Faisait pleurer une âme en vos formes immondes?
Pourquoi gémissiez-vous, spectres épouvantés?

Je ne sais; mais, ô chiens qui hurliez sur les plages,
Après tant de soleils qui ne reviendront plus,
J'entends toujours, du fond de mon passé confus,
Le cri désespéré de vos douleurs sauvages!

Poèmes barbares

SACRA FAMES [27]

Dans "Les Hurleurs" Leconte de Lisle avait montré l'animal
se rapprochant de l'homme par les sentiments qui existent en lui
sans qu'il puisse les exprimer; ici, c'est l'homme qu'il représente
comme un animal de proie, obligé de se repaître de la chair des
autres animaux. L'homme a tort de voir dans le requin [28] un
monstre, car, comme lui, il ne fait qu'obéir à la loi naturelle qui
veut la destruction impitoyable des faibles par les forts.

L'immense mer sommeille.   Elle hausse et balance
Ses houles où le ciel met d'éclatants îlots.[29]
Une nuit d'or emplit d'un magique silence
La merveilleuse horreur de l'espace et des flots.

[25] échines: "backs."
[26] babines: "lips."
[27] sacra fames: en latin, "faim sacrée."
[28] requin: "shark."
[29] d'éclatants îlots: l'ombre des nuages fait des taches sombres sur la mer.

Les deux gouffres ne font qu'un abîme sans borne
De tristesse, de paix et d'éblouissement,
Sanctuaire et tombeau, désert splendide et morne
Où des millions d'yeux regardent fixement.

Tels, le ciel magnifique et les eaux vénérables
Dorment dans la lumière et dans la majesté,
Comme si la rumeur des vivants misérables
N'avait troublé jamais leur rêve illimité.

Cependant, plein de faim dans sa peau flasque [30] et rude,
Le sinistre Rôdeur des steppes de la mer [31]
Vient, va, tourne, et, flairant au loin la solitude,
Entre-bâille d'ennui ses mâchoires de fer.

Certes, il n'a souci de l'immensité bleue,
Des Trois Rois,[32] du Triangle [33] ou du long Scorpion [33]
Qui tord dans l'infini sa flamboyante queue,
Ni de l'Ourse [33] qui plonge au clair Septentrion.

Il ne sait que la chair qu'on broie [34] et qu'on dépèce,[35]
Et, toujours absorbé dans son désir sanglant,
Au fond des masses d'eau lourdes d'une ombre épaisse
Il laisse errer son œil terne,[36] impassible et lent.

Tout est vide et muet.   Rien qui nage ou qui flotte,
Qui soit vivant ou mort, qu'il puisse entendre ou voir.
Il reste inerte, aveugle, et son grêle pilote [37]
Se pose pour dormir sur son aileron [38] noir.

[30] flasque: "flabby."
[31] Rôdeur des steppes de la mer: le requin est comparé au loup affamé qui rôde dans les steppes de la Russie.
[32] Trois Rois: les trois étoiles qui forment la ceinture du géant Orion dans la constellation du même nom.
[33] Triangle, Scorpion, Ourse: constellations: "Triangulum," "Scorpio," "Ursa Minor" ("Little Dipper").
[34] broie: "crushes."
[35] dépèce: "cuts up."
[36] terne: "dull."
[37] pilote: "pilot-fish": petit poisson qui semble servir de guide au requin.
[38] aileron: "fin."

Va, monstre! tu n'es pas autre que nous ne sommes,
Plus hideux, plus féroce, ou plus désespéré.
Console-toi! demain tu mangeras des hommes,
Demain par l'homme aussi tu seras dévoré.

La Faim sacrée est un long meurtre légitime
Des profondeurs de l'ombre aux cieux resplendissants,
Et l'homme et le requin, égorgeur ou victime,
Devant ta face, ô Mort, sont tous deux innocents.

Poèmes tragiques

§ 2. PESSIMISME ET STOÏCISME

HYPATIE [39]

Une des raisons profondes du pessimisme de Leconte de Lisle
est son dégoût de la laideur du monde moderne. Pour lui, rien ne
pourra égaler la sagesse et la beauté qui faisaient le charme de la
vie antique, et dont il reproche la destruction au christianisme: ce
sont elles qu'il personnifie dans la touchante figure d'Hypatie qui
mourut victime du fanatisme chrétien.

Au déclin des grandeurs qui dominent la terre,
Quand les cultes divins, sous les siècles ployés,
Reprenant de l'oubli le sentier solitaire,
Regardent s'écrouler leurs autels foudroyés;

Toujours des Dieux vaincus embrassant la fortune,
Un grand cœur les défend du sort injurieux:
L'aube des jours nouveaux le blesse et l'importune,
Il suit à l'horizon l'astre de ses aïeux.

[39] Hypatie: femme illustre (370–415), aussi célèbre pour sa beauté que pour
son savoir. Elle enseignait à l'école d'Alexandrie la philosophie et les sciences.
Attaquée par une foule de chrétiens fanatiques elle fut lapidée et son corps
promené dans les rues. Ce drame a inspiré à Charles Kingsley son célèbre
roman *Hypatia*.

O vierge, qui, d'un pan [40] de ta robe pieuse,
Couvris la tombe auguste où s'endormaient tes Dieux,
De leur culte éclipsé prêtresse harmonieuse,
Chaste et dernier rayon détaché de leurs cieux!

O sage enfant, si pure entre tes sœurs mortelles!
O noble front, sans tache entre les fronts sacrés!
Quelle âme avait chanté sur des lèvres plus belles,
Et brûlé plus limpide en des yeux inspirés?

Sans effleurer jamais ta robe immaculée,
Les souillures [41] du siècle ont respecté tes mains:
Tu marchais, l'œil tourné vers la Vie étoilée,
Ignorante des maux et des crimes humains.

Le vil Galiléen [42] t'a frappée et maudite,
Mais tu tombas plus grande!   Et maintenant, hélas!
Le souffle de Platon et le corps d'Aphrodite
Sont partis à jamais pour les beaux cieux d'Hellas! [43]

Dors, ô blanche victime, en notre âme profonde,
Dans ton linceul de vierge et ceinte de lotos; [44]
Dors!   L'impure laideur est la reine du monde,
Et nous avons perdu le chemin de Paros. [45]

Les Dieux sont en poussière et la terre est muette;
Rien ne parlera plus dans ton ciel déserté.
Dors! mais vivante en lui, chante au cœur du poète
L'hymne mélodieux de la sainte Beauté!

[40] pan: "fold."
[41] souillures: "impurities."
[42] Galiléen: nom donné par les païens à Jésus-Christ, qui passa son enfance à Nazareth en Galilée; donné ensuite aux chrétiens.
[43] Hellas: ancien nom de la Grèce.
[44] lotos: "lotus."
[45] Paros: ce vers veut dire que nous avons perdu ce culte de la beauté qui inspira aux artistes grecs d'admirables statues, généralement taillées dans le marbre blanc de Paros.

Elle seule survit, immuable, éternelle.
La mort peut disperser les univers tremblants,
Mais la Beauté flamboie, et tout renaît en elle,
Et les mondes encor roulent sous ses pieds blancs!

Poèmes antiques

LE VENT FROID DE LA NUIT . . .

On trouve dans ce poème les éléments les plus importants du pessimisme de Leconte de Lisle: le dégoût amer de la vie, la volonté de ne pas faiblir devant la douleur, le désir de la paix et de la mort en même temps, la crainte et l'horreur de la corruption du tombeau.

Le vent froid de la nuit siffle à travers les branches
Et casse par moments les rameaux desséchés;
La neige, sur la plaine où les morts sont couchés,
Comme un suaire étend au loin ses nappes blanches.

En ligne noire, au bord de l'étroit horizon,
Un long vol de corbeaux passe en rasant la terre,
Et quelques chiens, creusant un tertre [46] solitaire,
Entre-choquent les os dans le rude gazon.

J'entends gémir les morts sous les herbes froissées.
O pâles habitants de la nuit sans réveil,
Quel amer souvenir, troublant votre sommeil,
S'échappe en lourds sanglots de vos lèvres glacées?

Oubliez, oubliez! Vos cœurs sont consumés;
De sang et de chaleur vos artères sont vides.
O morts, morts bienheureux, en proie aux vers avides,
Souvenez-vous plutôt de la vie, et dormez!

[46] tertre: "mound."

Ah! dans vos lits profonds quand je pourrai descendre,
Comme un forçat vieilli qui voit tomber ses fers,
Que j'aimerai sentir, libre des maux soufferts,
Ce qui fut moi rentrer dans la commune cendre!

Mais, ô songe, les morts se taisent dans leur nuit.
C'est le vent, c'est l'effort des chiens à leur pâture,
C'est ton morne soupir, implacable nature!
C'est mon cœur ulcéré [47] qui pleure et qui gémit.

Tais-toi.   Le ciel est sourd, la terre te dédaigne.
A quoi bon tant de pleurs si tu ne peux guérir?
Sois comme un loup blessé qui se tait pour mourir,
Et qui mord le couteau, de sa gueule qui saigne.

Encore une torture, encore un battement.
Puis, rien.   La fosse s'ouvre, un peu de chair y tombe;
Et l'herbe de l'oubli, cachant bientôt la tombe,
Sur tant de vanité croît éternellement.

Poèmes barbares

MIDI . . .

Pour Leconte de Lisle comme pour Vigny, la nature est hostile
ou tout au moins indifférente à l'homme.   Cependant, elle peut
servir de refuge au penseur contre la laideur de la vie: qu'il se laisse
absorber dans sa force immense et il connaîtra la paix et la sérénité
qui sont l'apanage des dieux, mais que les hommes peuvent parfois
conquérir.

Midi, roi des étés, épandu [48] sur la plaine,
Tombe en nappes [49] d'argent des hauteurs du ciel bleu.
Tout se tait.   L'air flamboie et brûle sans haleine; [50]
La terre est assoupie en sa robe de feu.

[47] ulcéré: "embittered."
[48] épandu: "spread."
[49] nappes: "sheets."
[50] sans haleine: sans qu'il y ait de vent pour attiser cet incendie.

L'étendue est immense, et les champs n'ont point d'ombre,
Et la source est tarie [51] où buvaient les troupeaux;
La lointaine forêt, dont la lisière [52] est sombre,
Dort là-bas, immobile, en un pesant repos.

Seuls, les grands blés mûris, tels qu'une mer dorée,
Se déroulent au loin, dédaigneux du sommeil;
Pacifiques enfants de la terre sacrée,
Ils épuisent [53] sans peur la coupe du soleil.

Parfois, comme un soupir de leur âme brûlante,
Du sein des épis lourds qui murmurent entre eux,
Une ondulation majestueuse et lente
S'éveille, et va mourir à l'horizon poudreux.

Non loin, quelques bœufs blancs, couchés parmi les herbes,
Bavent [54] avec lenteur sur leurs fanons [55] épais,
Et suivent de leurs yeux languissants et superbes
Le songe intérieur qu'ils n'achèvent jamais.[56]

Homme, si, le cœur plein de joie ou d'amertume,
Tu passais vers midi dans les champs radieux,
Fuis! la nature est vide et le soleil consume:
Rien n'est vivant ici, rien n'est triste ou joyeux.

Mais si, désabusé des larmes et du rire,
Altéré de l'oubli de ce monde agité,
Tu veux, ne sachant plus pardonner ou maudire,
Goûter une suprême et morne volupté;

[51] tarie: "dried up."
[52] lisière: "edge."
[53] Ils épuisent: "they drain."
[54] Bavent: "slobber."
[55] fanons: la peau qui pend sous la gorge des bœufs: "dewlap."
[56] qu'ils n'achèvent jamais: les animaux semblent participer à la grande paix de la terre et peuvent recommencer sans fin le même rêve vague, alors que l'homme souffre et n'est délivré que par la mort.

Viens! Le soleil te parle en paroles sublimes;
Dans sa flamme implacable absorbe-toi sans fin;
Et retourne à pas lents vers les cités infimes,[57]
Le cœur trempé [58] sept fois dans le néant divin.

Poèmes antiques

LES MONTREURS [59]

Ce poème est un réquisitoire contre le lyrisme tel que l'avaient compris les romantiques et que Leconte de Lisle avait ainsi critiqué dans la préface des *Poèmes antiques:* "Il y a dans l'aveu public des angoisses du cœur, et de ses voluptés non moins amères, une vanité et une profanation gratuites."

Tel qu'un morne animal, meurtri, plein de poussière,
La chaîne au cou, hurlant au chaud soleil d'été,
Promène qui voudra son cœur ensanglanté [60]
Sur ton pavé cynique, ô plèbe carnassière! [61]

Pour mettre un feu stérile en ton œil hébété,[62]
Pour mendier ton rire ou ta pitié grossière,
Déchire qui voudra la robe de lumière
De la pudeur divine et de la volupté.

Dans mon orgueil muet, dans ma tombe sans gloire,
Dussé-je [63] m'engloutir pour l'éternité noire,
Je ne te vendrai pas mon ivresse ou mon mal,[64]

[57] les cités infimes: œuvres des hommes, elles paraissent insignifiantes et ridicules à côté de la puissance infinie de la nature.

[58] trempé: "tempered."

[59] les montreurs: "the showmen."

[60] son cœur ensanglanté: probablement une allusion à l'épisode du pélican dans la "Nuit de Mai" de Musset.

[61] carnassière: "flesh-devouring," parce qu'elle est avide de saisir le cœur sanglant du poète, c'est-à-dire de pénétrer dans sa vie intime.

[62] hébété: "stupid."

[63] Dussé-je: même si je devais.

[64] mon ivresse ou mon mal: c'est-à-dire il refuse de prendre le public pour confident des plaisirs de l'amour partagé ou des souffrances de l'amour malheureux.

Je ne livrerai pas ma vie à tes huées,[65]
Je ne danserai pas sur ton tréteau [66] banal
Avec tes histrions et tes prostituées.

Poèmes barbares

§ 3. LECONTE DE LISLE PEINTRE ANIMALIER

Nous donnons ici deux de ces magnifiques portraits d'animaux qui ont fait dire à un critique (E. Estève) que Leconte de Lisle était "le Barye ou le Frémiet [67] de la poésie française."

LES ÉLÉPHANTS

Le sable rouge est comme une mer sans limite,
Et qui flambe,[68] muette, affaissée en son lit.
Une ondulation immobile remplit
L'horizon aux vapeurs de cuivre où l'homme habite.

Nulle vie et nul bruit. Tous les lions repus [69]
Dorment au fond de l'antre éloigné de cent lieues,[70]
Et la girafe boit dans les fontaines bleues,
Là-bas, sous les dattiers [71] des panthères connus.

Pas un oiseau ne passe en fouettant de son aile
L'air épais, où circule un immense soleil.
Parfois quelque boa, chauffé dans son sommeil,
Fait onduler son dos dont l'écaille étincelle.

[65] huées: "hoots."
[66] tréteau: mot dédaigneux pour "scène": "stage."
[67] Barye, Frémiet: sculpteurs du 19e siècle, célèbres pour leurs statues d'animaux.
[68] flambe: qui semble être en feu.
[69] repus: "gorged."
[70] lieues: ancienne mesure de longueur qui valait quatre kilomètres: "leagues."
[71] dattiers: "date-trees."

Tel l'espace enflammé brûle sous les cieux clairs.
Mais, tandis que tout dort aux mornes solitudes,
Les éléphants rugueux,[72] voyageurs lents et rudes,
Vont au pays natal à travers les déserts.

D'un point de l'horizon, comme des masses brunes,
Ils viennent, soulevant la poussière, et l'on voit,
Pour ne point dévier du chemin le plus droit,
Sous leur pied large et sûr crouler [73] au loin les dunes.

Celui qui tient la tête est un vieux chef.   Son corps
Est gercé [74] comme un tronc que le temps ronge et mine
Sa tête est comme un roc, et l'arc de son échine [75]
Se voûte puissamment à ses moindres efforts.

Sans ralentir jamais et sans hâter sa marche,
Il guide au but certain ses compagnons poudreux;
Et, creusant par derrière un sillon sablonneux,
Les pèlerins massifs suivent leur patriarche.

L'oreille en éventail, la trompe entre les dents,[76]
Ils cheminent, l'œil clos.   Leur ventre bat et fume,
Et leur sueur dans l'air embrasé monte en brume;
Et bourdonnent autour mille insectes ardents.

Mais qu'importent la soif et la mouche vorace,
Et le soleil cuisant leur dos noir et plissé?
Ils rêvent [77] en marchant du pays délaissé,
Des forêts de figuiers où s'abrita leur race.

[72] rugueux: allusion à la peau épaisse et rude des éléphants.
[73] crouler: "to crumble."
[74] gercé: "chapped."
[75] échine: "back."
[76] dents: défenses: "tusks."
[77] Ils rêvent: remarquer que Leconte de Lisle prête aux éléphants des sentiments humains.

Ils reverront le fleuve échappé des grands monts,
Où nage en mugissant l'hippopotame énorme,
Où, blanchis par la lune et projetant leur forme,
Ils descendaient pour boire en écrasant les joncs.

Aussi, pleins de courage et de lenteur, ils passent
Comme une ligne noire, au sable illimité; [78]
Et le désert reprend son immobilité
Quand les lourds voyageurs à l'horizon s'effacent.

Poèmes barbares

LE SOMMEIL DU CONDOR

Par delà l'escalier des roides [79] Cordillères,[80]
Par delà les brouillards hantés des aigles noirs,
Plus haut que les sommets creusés en entonnoirs [81]
Où bout [82] le flux sanglant des laves familières,[83]
L'envergure pendante [84] et rouge par endroits,
La vaste Oiseau, tout plein d'une morne indolence,
Regarde l'Amérique et l'espace en silence,
Et le sombre soleil qui meurt dans ses yeux froids,
La nuit roule de l'Est, où les pampas sauvages
Sous les monts étagés [85] s'élargissent sans fin;
Elle endort le Chili, les villes, les rivages,
Et la mer Pacifique et l'horizon divin;
Du continent muet elle s'est emparée:
Des sables aux coteaux, des gorges aux versants,[86]
De cime en cime, elle enfle, en tourbillons croissants,

[78] au sable illimité: ils disparaissent à l'horizon du désert de sable qui semble sans bornes.
[79] roides: "steep."
[80] Cordillères: chaîne de montagnes volcaniques dans l'Amérique du Sud: "Cordilleras."
[81] creusés en entonnoirs: "scooped into craters."
[82] bout: "seethes."
[83] familières: parce que le condor les voit souvent.
[84] L'envergure pendante: "with drooping wings."
[85] étagés: "rising tier on tier."
[86] versants: "mountain slopes."

Le lourd débordement de sa haute marée.
Lui, comme un spectre, seul, au front du pic altier,
Baigné d'une lueur qui saigne sur la neige,
Il attend cette mer sinistre qui l'assiège:
Elle arrive, déferle et le couvre en entier.
Dans l'abîme sans fond la Croix australe allume
Sur les côtes du ciel son phare constellé.
Il râle [87] de plaisir, il agite sa plume,
Il érige [88] son cou musculeux et pelé,
Il s'enlève [89] en fouettant l'âpre neige des Andes,
Dans un cri rauque il monte où n'atteint pas le vent,
Et, loin du globe noir,[90] loin de l'astre vivant,[91]
Il dort dans l'air glacé, les ailes toutes grandes.

Poèmes barbares

[87] Il râle: "he croaks."
[88] Il érige: "he cranes."
[89] Il s'enlève: "he soars."
[90] globe noir: la terre, à ce moment plongée dans l'obscurité.
[91] l'astre vivant: la Croix du Sud qui scintille et semble vivante.

VIII. JOSÉ-MARIA DE HEREDIA (1842–1905)

José-Maria de Heredia est né à Cuba, d'un père espagnol et d'une mère française. Il fut élevé en France où il reçut une éducation fortement classique. Disciple et ami de Leconte de Lisle, il fut un des premiers collaborateurs du *Parnasse Contemporain*. C'est le plus pur des Parnassiens. Ses sonnets, déjà presque tous célèbres, furent réunis en recueil en 1893 sous le titre *Les Trophées*. C'est son unique ouvrage en vers.

A. ŒUVRES DE HEREDIA

1. Poésie: *Les Trophées* (1893).

2. Prose: *Histoire de la conquête de la Nouvelle-Espagne* (1877–78); *La nonne Alférez* (1894).

B. L'ŒUVRE DE HEREDIA

1. *Le culte de la beauté.*

Comme Leconte de Lisle, et plus que lui, Heredia est un poète impersonnel mais non pas impassible. Sa sensibilité est toute entière tournée du côté de la beauté; il lui rend un véritable culte, et il trouve dans sa contemplation une joie sereine qui adoucit chez lui l'amertume du pessimisme de son maître. Il l'aime et la recherche sous tous ses aspects: dans les formes harmonieuses du corps humain, dans les décors changeants de la nature, dans le pittoresque des époques disparues et dans les œuvres d'art qu'elles ont laissées, dans la vie héroïque des grands hommes et dans les exploits qui les ont rendus célèbres. Ce culte du beau s'accompagne chez le poète, d'une calme mélancolie à l'idée que le temps et la mort détruisent la beauté, et du désir de l'immortaliser dans des vers impérissables.

2. *"Les Trophées."*

C'est pourquoi il a voulu écrire une espèce de "Légende des siècles" uniquement basée sur l'histoire et l'archéologie, ayant pour but, non pas d'étudier l'évolution morale de l'humanité, mais d'évoquer les différentes manifestations de la beauté au cours des âges. Il a enfermé ces visions de beauté dans des sonnets qu'il a voulu rendre parfaits et dignes de leur sujet: "Chacun d'eux résume à la fois beaucoup de science et beaucoup de rêve. Tel sonnet renferme toute la beauté d'un mythe, tout l'esprit d'une époque, tout le pittoresque d'une civilisation." (Jules Lemaître.)

3. *La forme.*

La forme dans *Les Trophées* est impeccable et le succès éclatant de ces sonnets parus au moment de la plus grande vogue du symbolisme en est le témoignage. Heredia, comme Gautier, était persuadé que l'art est le résultat d'un travail patient et méthodique: c'est pourquoi il s'est imposé la forme difficile du sonnet qui interdit la médiocrité, oblige le poète à éviter le détail inutile ou insignifiant, et le protège contre la tentation d'étaler sa personnalité. Sa rime est toujours riche et son rythme harmonieux; sa langue, pleine de mouvement et de couleur, qui emploie avec précision les vocabulaires techniques, est remarquable par le choix très heureux des épithètes.

C. CONCLUSION

On a souvent reproché à Heredia d'être froid, de manquer de vie et de profondeur de pensée, mais il est difficile de lui refuser la perfection de la forme; les critiques s'accordent à saluer en lui un incomparable artiste.

OUBLI

Heredia traite ici un thème très à la mode chez les Parnassiens: la mort des dieux antiques, oubliés par les hommes indifférents, et dont le souvenir ne subsiste plus que dans quelques œuvres d'art, sur lesquelles s'exercent les ravages du temps.

Le temple est en ruine au haut du promontoire.
Et la Mort a mêlé, dans ce fauve terrain,
Les Déesses de marbre et les Héros d'airain
Dont l'herbe solitaire ensevelit la gloire.

Seul, parfois, un bouvier [1] menant ses buffles [2] boire,
De sa conque [3] où soupire un antique refrain
Emplissant le ciel calme et l'horizon marin,
Sur l'azur infini dresse sa forme noire.

La Terre maternelle et douce aux anciens Dieux,
Fait à chaque printemps, vainement éloquente,
Au chapiteau [4] brisé verdir une autre acanthe; [5]

Mais l'Homme indifférent au rêve des aïeux
Écoute sans frémir, du fond des nuits sereines,
La Mer qui se lamente en pleurant les Sirènes.

Les Trophées

LA TREBBIA

La Trebbia est une rivière de l'Italie du nord, sur les bords de
laquelle Hannibal remporta sur les Romains une victoire éclatante
(218 av. J.-C.). Heredia, à quelques détails près, ne fait que
condenser dans un sonnet des renseignements empruntés à Tite-
Live (XXIᵉ Livre), dont il suit la narration en la résumant sans
l'affaiblir.

L'aube d'un jour sinistre [6] a blanchi les hauteurs.
Le camp s'éveille.   En bas roule et gronde le fleuve
Où l'escadron léger des Numides [7] s'abreuve.
Partout sonne l'appel clair des buccinateurs. [8]

[1] bouvier: "herdsman."
[2] buffles: espèce de bœufs sauvages: "buffaloes."
[3] conque: coquille recourbée dont sonnaient les tritons: "conch."
[4] chapiteau: partie supérieure d'une colonne: "capital."
[5] acanthe: plante épineuse à feuilles élégamment découpées; le dessin de ces
feuilles a été employé comme motif de décoration sur les chapiteaux des colonnes
corinthiennes: "acanthus."
[6] sinistre: ce mot a ici le sens antique: "de mauvais présage."
[7] Numides: peuples qui habitaient la Numidie (l'Algérie d'aujourd'hui).
Ils avaient fourni à Hannibal une excellente cavalerie.
[8] buccinateurs: soldats qui jouaient du buccin, trompette tordue en forme de
coquille.

Car malgré Scipion,[9] les augures [10] menteurs,
La Trebbia débordée, et qu'il vente et qu'il pleuve,
Sempronius Consul,[11] fier de sa gloire neuve,
A fait lever la hache et marcher les licteurs.[12]

Rougissant le ciel noir de flamboîments lugubres,
A l'horizon, brûlaient les villages Insubres; [13]
On entendait au loin barrir [14] un éléphant.

Et là-bas, sous le pont, adossé contre une arche,
Hannibal écoutait, pensif et triomphant,[15]
Le piétinement sourd des légions en marche.

Les Trophées

LE CYDNUS [16]

Heredia décrit magnifiquement Cléopâtre, qui, confiante dans sa beauté, remonte le Cydnus dans sa galère pour aller à la rencontre d'Antoine, qu'elle va voir pour la première fois.   Les deux derniers vers évoquent le destin sinistre de la reine.

Sous l'azur triomphal, au soleil qui flamboie,
La trirème d'argent blanchit le fleuve noir
Et son sillage [17] y laisse un parfum d'encensoir
Avec des sons de flûte et des frissons de soie.

[9] Scipion: il avait été vaincu et blessé quelque temps auparavant et était découragé.
[10] augures: devins qui prédisaient l'avenir par l'examen des entrailles des victimes: "augurs."
[11] Sempronius Consul: Heredia reproduit exactement le titre romain.
[12] licteurs: un consul était précédé de douze licteurs qui portaient les faisceaux et la hache, insignes de son pouvoir.
[13] Insubres: peuplade de la Gaule cisalpine, alliée d'Hannibal.
[14] barrir: "to trumpet."
[15] triomphant: il a tendu un piège à l'armée romaine et sait qu'elle va y tomber.
[16] Cydnus: fleuve d'Asie Mineure sur lequel est situé Tarse ("Tarsus").
[17] sillage: "wake."

A la proue éclatante où l'épervier [18] s'éploie,
Hors de son dais royal se penchant pour mieux voir,
Cléopâtre debout en la splendeur du soir
Semble un grand oiseau d'or qui guette au loin sa proie.

Voici Tarse, où l'attend le guerrier désarmé; [19]
Et la brune Lagide [20] ouvre dans l'air charmé
Ses bras d'ambre où la pourpre a mis des reflets roses;

Et ses yeux n'ont pas vu, présage de son sort,
Auprès d'elle, effeuillant [21] sur l'eau sombre des roses,
Les deux Enfants divins, le Désir et la Mort.

Les Trophées

SOIR DE BATAILLE

A la fin d'une dure journée de combat, Antoine apparaît pour
passer en revue ses soldats victorieux.   On remarquera que Heredia,
en décrivant cette scène, semble faire une "transposition d'art."
"On dirait que le poète a eu sous les yeux un tableau: les trois plans
de la scène, les attitudes, les couleurs, attestent des préoccupations
de peintre" (M. Ibrovac).

Le choc avait été très rude.   Les tribuns [22]
Et les centurions,[23] ralliant les cohortes,[24]
Humaient encor dans l'air où vibraient leurs voix fortes
La chaleur du carnage et ses âcres [25] parfums.

[18] épervier: "hawk": l'oiseau sacré d'Égypte est sculpté à la proue, les ailes
"éployées" ("outspread").
[19] désarmé: vaincu d'avance par la beauté de Cléopâtre.
[20] Lagide: descendante de Lagus ou Ptolémée, qui fonda la dynastie des
Lagides.
[21] effeuillant: jetant les pétales.
[22] tribuns: les tribuns militaires, officiers supérieurs qui veillaient à la
discipline: "tribunes."
[23] centurions: le centurion commandait une centurie ou cent fantassins:
"centurions."
[24] cohortes: dans l'armée romaine la dixième partie de la légion: "cohorts."
[25] âcres: "pungent."

D'un œil morne, comptant leurs compagnons défunts,
Les soldats regardaient, comme des feuilles mortes,
Au loin, tourbillonner les archers de Phraortes; [26]
Et la sueur coulait de leurs visages bruns.

C'est alors qu'apparut, tout hérissé de flèches,
Rouge du flux vermeil de ses blessures fraîches,
Sous la pourpre flottante et l'airain rutilant,[27]

Au fracas des buccins qui sonnaient leur fanfare,
Superbe, maîtrisant son cheval qui s'effare,
Sur le ciel enflammé, l'Imperator [28] sanglant.

Les Trophées

ANTOINE ET CLÉOPÂTRE

Quand ce sonnet parut en 1884 dans *Le Monde poétique*, il portait
cette épigraphe tirée du drame de Shakespeare (Acte III, Scène 8):
"Nous avons perdu en baisers des royaumes et des provinces."
Antoine, tout à son amour pour Cléopâtre, oublie les dangers qui
l'entourent. Mais soudain, dans les yeux de sa maîtresse, il croit
voir une scène de désastre et de trahison: ces galères qui s'enfuient
sont celles de Cléopâtre qui l'abandonnera pendant la bataille
d'Actium, assurant ainsi la victoire d'Octave.

Tous deux ils regardaient, de la haute terrasse,
L'Égypte s'endormir sous un ciel étouffant
Et le Fleuve,[29] à travers le Delta noir qu'il fend,
Vers Bubaste ou Saïs [30] rouler son onde grasse.[31]

[26] Phraortes: mis sans doute pour Phraates, roi des Parthes, contre qui Antoine
guerroya en 36 av. J.-C.
[27] rutilant: étincelant.
[28] Imperator: nom donné dans l'armée romaine au général commandant en
chef.
[29] le Fleuve: le Nil.
[30] Bubaste, Saïs: villes sur les branches du delta.
[31] grasse: chargée de boue.

Et le Romain sentait sous la lourde cuirasse,
Soldat captif berçant le sommeil d'un enfant,
Ployer et défaillir sur son cœur triomphant
Le corps voluptueux que son étreinte embrasse.

Tournant sa tête pâle entre ses cheveux bruns
Vers celui qu'enivraient d'invincibles parfums,
Elle tendit sa bouche et ses prunelles claires;

Et sur elle courbé, l'ardent Imperator
Vit dans ses larges yeux étoilés de points d'or
Toute une mer immense où fuyaient des galères.

Les Trophées

SUR LE PONT-VIEUX

Le Pont-Vieux est le célèbre Ponte-Vecchio de Florence, sur
l'Arno et Heredia décrit ce pont tel qu'il devait être à l'époque de
la Renaissance.   Il évoque le culte fervent de l'art, si répandu en
Italie à cette époque, et surtout la prestigieuse figure de Cellini
dont il admirait l'œuvre magnifique.

Le vaillant Maître Orfèvre, à l'œuvre dès matines,[32]
Faisait, de ses pinceaux d'où s'égouttait l'émail,
Sur la paix niellée [33] ou sur l'or du fermail [34]
Épanouir la fleur des devises latines.

Sur le Pont, au son clair des cloches argentines,
La cape coudoyait le froc et le camail; [34a]
Et le soleil montant en un ciel de vitrail
Mettait un nimbe au front des belles Florentines.

[32] matines: la première prière du jour, chantée entre minuit et le lever du
soleil: "matins."
[33] niellée: "nieller," "to niello" consiste à graver sur l'or ou l'argent un orne-
ment dans lequel on coule ensuite un émail noir.
[34] fermail: agrafe ou boucle: "clasp," "buckle."
[34a] La cape . . . camail: la cape du soldat voisinait avec le froc du moine et
le camail (espèce de manteau à capuchon) du bourgeois.

Et prompts au rêve ardent qui les savait charmer,
Les apprentis, pensifs, oubliaient de fermer
Les mains des fiancés au chaton [35] de la bague;

Tandis que d'un burin trempé comme un stylet,[36]
Le jeune Cellini, sans rien voir, ciselait
Le combat des Titans au pommeau d'une dague.[37]

Les Trophées

LE LABOUREUR

On a sans doute un peu exagéré le manque de sensibilité chez Heredia. Dans cette description du pauvre laboureur qui a tant souffert ici-bas qu'il n'ose espérer le repos, même au séjour des morts, il semble que nous pouvons sentir une émotion qui nous rappelle celle que Flaubert n'a pas pu cacher dans l'épisode célèbre de "la vieille servante," dans *Madame Bovary*.

Le semoir,[38] la charrue, un joug,[38] des socs luisants,
La herse,[38] l'aiguillon [38] et la faulx acérée
Qui fauchait en un jour les épis d'une airée,[39]
Et la fourche qui tend la gerbe aux paysans;

Ces outils familiers, aujourd'hui trop pesants,
Le vieux Parmis les voue [40] à l'immortelle Rhée [41]
Par qui le germe éclôt sous la terre sacrée.
Pour lui, sa tâche est faite; il a quatre-vingts ans.

[35] chaton: partie d'une bague dans laquelle une pierre précieuse est sertie: "bezel."
[36] stylet: petit poignard à lame très aigüe: "stiletto."
[37] au pommeau d'une dague: "on the pommel of a dagger": on a souvent fait la remarque que ce vers résume admirablement l'art d'Heredia lui-même.
[38] semoir, joug, herse, aiguillon: "seed-bag," "yoke," "harrow," "goad."
[39] airée: quantité de gerbes que l'on peut mettre à la fois sur l'aire ("threshing-floor").
[40] voue: consacre.
[41] Rhée: autre nom de Cybèle, déesse de la terre et des moissons.

Près d'un siècle, au soleil, sans en être plus riche,
Il a poussé le coutre [42] au travers de la friche; [43]
Ayant vécu sans joie, il vieillit sans remords.

Mais il est las d'avoir tant peiné sur la glèbe [44]
Et songe que peut-être il faudra, chez les morts,
Labourer des champs d'ombre arrosés par l'Érèbe.[45]

Les Trophées

LES CONQUÉRANTS

Le mot de "conquérants" est la traduction du mot espagnol
conquistadores, qui désigne les aventuriers espagnols qui partirent
chercher fortune au Nouveau Monde.   Parmi eux se trouvait un
ancêtre du poète.   Certains détails du sonnet se rapportent au
voyage de Christophe Colomb, d'autres à celui d'autres navigateurs.
Ce que Heredia a voulu faire, c'est résumer l'âme, la poésie de toute
une race et de toute une époque.

Comme un vol de gerfauts [46] hors du charnier [47] natal,
Fatigués de porter leurs misères hautaines,[48]
De Palos de Moguer,[49] routiers [50] et capitaines
Partaient, ivres d'un rêve héroïque et brutal.

[42] coutre: fer tranchant placé devant le soc d'une charrue: "colter."
[43] friche: champ peu fertile.
[44] glèbe: la terre que le paysan rend fertile à force de travail: "soil."
[45] Érèbe: Heredia semble confondre l'Érèbe, c'est-à-dire le royaume des
Enfers, avec le Styx, le fleuve qui l'arrose.
[46] gerfauts: faucons de grande taille: "gerfalcons."
[47] charnier: le nid du faucon est plein des ossements des animaux dont il se
nourrit.
[48] misères hautaines: ces aventuriers étaient souvent des gentilshommes
pauvres et fiers, qui saisirent cette occasion de faire fortune.
[49] Palos de Moguer: Palos près de Moguer, en Andalousie, est le port d'où
partit Colomb en 1492.
[50] routiers: "soldiers of fortune."

Ils allaient conquérir le fabuleux métal
Que Cipango [51] mûrit [52] dans ses mines lointaines,
Et les vents alizés [53] inclinaient leurs antennes [54]
Aux bords mystérieux du monde Occidental.

Chaque soir, espérant des lendemains épiques,
L'azur phosphorescent de la mer des Tropiques
Enchantait leur sommeil d'un mirage doré;

Ou penchés à l'avant des blanches caravelles,[55]
Ils regardaient monter en un ciel ignoré
Du fond de l'Océan des étoiles nouvelles.[56]

Les Trophées

[51] Cipango: ancien nom du Japon.
[52] mûrit: "ripens": on croyait au moyen âge que tous les métaux représentaient la même substance à des degrés différents de maturité.   Le fait que l'or se trouvait dans les pays chauds avait fait croire qu'il était "mûri" par le soleil.
[53] vents alizés: "trade winds."
[54] antennes: vergue longue et oblique qui porte une voile triangulaire: "lateen-sailyards."
[55] caravelles: petits vaisseaux à quatre mâts, très élevés à l'avant et à l'arrière.   C'est avec des vaisseaux semblables que Colomb partit pour son voyage de découverte.
[56] étoiles nouvelles: ils marchaient vers le sud-ouest et, d'un jour à l'autre, ils voyaient monter au-dessus de l'horizon de nouvelles parties de la sphère céleste.

IX. SULLY PRUDHOMME (1839–1907)

Né à Paris en 1839, il fit des études scientifiques, mais ne put entrer à l'École Polytechnique à cause d'une maladie des yeux. Une déception d'amour causa en lui une crise sentimentale qui lui laissa, pour le reste de sa vie, un fond d'incurable tristesse. Il travailla pendant quelque temps aux usines du Creusot, puis étudia le droit et se fixa à Paris. Un héritage lui procura des loisirs; il se lia alors avec les Parnassiens dont il se sépara assez vite; il se consacra entièrement à la littérature, fut élu à l'Académie en 1881 et mourut en 1907, dans la retraite que lui avait imposée sa mauvaise santé.

A. PRINCIPALES ŒUVRES

1. Poésie: *Stances et poèmes* (1865); *Les Épreuves* (1866); *La vie intérieure* (1866); *Les Solitudes* (1869); *Le Zénith, Les vaines Tendresses* (1875); *La Justice* (1878); *Le Bonheur* (1888).

2. Prose: *L'expression dans les beaux-arts* (1885); *Que sais-je? examen de conscience* (1896); *La vraie religion selon Pascal* (1905).

B. PERSONNALITÉ DE SULLY PRUDHOMME

Le trait dominant du caractère de Sully Prudhomme est une grande sensibilité, quelque peu romantique, qui le rend attentif aux plus subtiles nuances de sentiment. Mais cette sensibilité est contrôlée par une délicatesse et une réserve qui l'éloignent de tout étalage et de toute exagération. Son esprit, formé par les études scientifiques aux habitudes d'analyse, s'est tourné naturellement du côté des spéculations philosophiques, ce qui a desséché un peu son inspiration.

C. L'ŒUVRE DE SULLY PRUDHOMME

1. *Le Parnassien.*

Sully Prudhomme avait été poussé vers le Parnasse par la réserve sentimentale qui lui faisait détester le lyrisme romantique. Il apprit de Leconte de Lisle le culte de la beauté, le respect de la forme, la recherche de l'expression élégante et juste. Comme les Parnassiens, il a cherché l'union de la science et de l'art, mais il sentit bien vite que l'impassibilité ne convenait pas à sa nature, non plus que l'intérêt que les disciples de Leconte de Lisle portaient à l'antiquité. Il croyait à l'avenir de la science, et voulait regarder vers le futur plutôt que vers le passé. "L'idéal du Parnasse n'est pas le mien," dira-t-il.

2. *Le poète philosophique.*

Dans ses premières œuvres, déjà séparé du Parnasse, il tourne vers lui-même son esprit d'observation et note avec finesse toutes les nuances de sa vie intérieure. Reprenant quelques-uns des thèmes romantiques, il les a assourdis et nuancés avec une grande délicatesse, laissant deviner plutôt que voir sa personnalité, et généralisant ses sentiments pour les voiler. Bientôt, cependant, sa pensée se détache de lui-même et prend une forme plus générale. Sa poésie devient alors philosophique et toute imprégnée d'optimisme scientifique: elle s'exprime par des symboles qui font de lui l'héritier de Vigny plutôt qu'un adepte du symbolisme dont l'écartent la clarté et la netteté de son esprit, ainsi qu'une certaine sécheresse de forme. Ses deux poèmes les plus importants, *La Justice* et *Le Bonheur*, expriment l'idée que la justice est une conquête de l'homme sur la nature, et le bonheur le résultat de l'effort.

D. LA FORME

Le vers de Sully Prudhomme, délicatement poli et musical dans les premiers poèmes personnels, devient didactique et froid, s'élevant peu au-dessus de la prose scientifique, dans la partie philosophique de son œuvre. Il atteint quelquefois la grande poésie quand la forme et la pensée peuvent se fondre heureusement, mais dans l'ensemble le souci philosophique nuit à la valeur artistique.

E. CONCLUSION

Sully Prudhomme est un poète original qui a cru pouvoir allier à un lyrisme romantique adouci, les richesses d'une poésie philosophique toute nourrie des ressources de la science. Malgré tout le charme de sa délicatesse et de sa sincérité, une certaine impuissance d'expression l'empêchera d'être très populaire et de s'élever au-dessus du second rang.

§ 1. LE POËTE DE LA VIE INTÉRIEURE

Nous donnons ici trois des poèmes les plus connus de Sully Prudhomme, dans lesquels il se montre poète délicat et intime, capable de rendre avec finesse les subtilités du cœur humain. Ce lyrisme, moins éclatant que celui des romantiques, peut cependant toucher et émouvoir. "Le vase brisé" contient un symbole simple et juste, exprimé sous une forme très gracieuse qui lui a valu une grande célébrité.

LE VASE BRISÉ

Le vase où meurt cette verveine [1]
D'un coup d'éventail fut fêlé;
Le coup dut effleurer à peine.
Aucun bruit ne l'a révélé.

Mais la légère meurtrissure,
Mordant le cristal chaque jour,
D'une marche invisible et sûre
En a fait lentement le tour.

Son eau fraîche a fui goutte à goutte,
Le suc des fleurs s'est épuisé;
Personne encore ne s'en doute.
N'y touchez pas, il est brisé.

Souvent aussi la main qu'on aime,
Effleurant le cœur, le meurtrit;
Puis le cœur se fend de lui-même,
La fleur de son amour périt;

[1] verveine: "verbena."

Toujours intact aux yeux du monde,
Il sent croître et pleurer tout bas
Sa blessure fine et profonde,
Il est brisé, n'y touchez pas.

La vie intérieure

LES YEUX

Bleus ou noirs, tous aimés, tous beaux,
Des yeux sans nombre ont vu l'aurore;
Ils dorment au fond des tombeaux,
Et le soleil se lève encore.

Les nuits, plus douces que les jours,
Ont enchanté des yeux sans nombre;
Les étoiles brillent toujours,
Et les yeux se sont remplis d'ombre.

Oh! qu'ils aient perdu le regard,
Non, non, cela n'est pas possible!
Ils se sont tournés quelque part,
Vers ce qu'on nomme l'invisible;

Et comme les astres penchants
Nous quittent, mais au ciel demeurent,
Les prunelles ont leurs couchants,
Mais il n'est pas vrai qu'elles meurent:

Bleus ou noirs, tous aimés, tous beaux,
Ouverts à quelque immense aurore,
De l'autre côté des tombeaux
Les yeux qu'on ferme voient encore.

La vie intérieure

PRIÈRE

Ah! si vous saviez comme on pleure
De vivre seul et sans foyer,
Quelquefois devant ma demeure
    Vous passeriez.

Si vous saviez ce que fait naître
Dans l'âme triste un pur regard,
Vous regarderiez ma fenêtre
    Comme au hasard.

Si vous saviez quel baume apporte
Au cœur la présence d'un cœur,
Vous vous assoiriez sous ma porte
    Comme une sœur.

Si vous saviez que je vous aime,
Surtout si vous saviez comment,
Vous entreriez peut-être même
    Tout simplement.

Les vaines tendresses

§ 2. LE PARNASSIEN

LE CYGNE

Ce poème, purement descriptif, est un bon exemple de l'inspiration parnassienne chez Sully Prudhomme; il est remarquable par l'harmonie et la pureté de la forme, et par la recherche de la beauté parfaite. Ce tableau, d'une grande précision plastique, laisse en même temps une impression de fluidité musicale, et l'on comprend qu'il ait inspiré une pièce célèbre au musicien Saint-Saëns.

Sans bruit, sous le miroir des lacs profonds et calmes,
Le cygne chasse l'onde avec ses larges palmes,[2]

[2] palmes: "webs."

Et glisse.   Le duvet de ses flancs est pareil
A des neiges d'avril qui croulent au soleil;
Mais, ferme et d'un blanc mat, vibrant sous le zéphire,
Sa grande aile l'entraîne ainsi qu'un lent navire.

Il dresse son beau col au-dessus des roseaux,
Le plonge, le promène allongé sur les eaux,
Le courbe gracieux comme un profil d'acanthe,
Et cache son bec noir dans sa gorge éclatante.

Tantôt le long des pins, séjour d'ombre et de paix,
Il serpente, et, laissant les herbages épais
Traîner derrière lui comme une chevelure,
Il va d'une tardive et languissante allure.

La grotte où le poète écoute ce qu'il sent,
Et la source qui pleure un éternel absent,
Lui plaisent: il y rôde; une feuille de saule
En silence tombée effleure son épaule.

Tantôt il pousse au large, et, loin du bois obscur,
Superbe, gouvernant du côté de l'azur,
Il choisit, pour fêter sa blancheur qu'il admire,
La place éblouissante où le soleil se mire.

Puis, quand les bords de l'eau ne se distinguent plus,
A l'heure où toute forme est un spectre confus,
Où l'horizon brunit rayé d'un long trait rouge,
Alors que pas un jonc, pas un glaïeul [3] ne bouge,
Que les rainettes [4] font dans l'air serein leur bruit
Et que la luciole [5] au clair de lune luit,
L'oiseau, dans le lac sombre où sous lui se reflète
La splendeur d'une nuit lactée et violette,
Comme un vase d'argent parmi des diamants,
Dort, la tête sous l'aile, entre deux firmaments.

Les Solitudes

[3] glaïeul: "gladiolus."
[4] rainettes: "green frogs."
[5] luciole: "glow-worm."

§ 3.   LA POÉSIE SCIENTIFIQUE

LE ZÉNITH [6]

Ce poème a été inspiré à Sully Prudhomme par l'expédition de trois aéronautes: Sivel, Tissandier et Crocé-Spinelli, qui le 15 avril 1875 s'élevèrent en ballon au-dessus de Paris pour tâcher d'atteindre des hauteurs encore inexplorées.   Ils montèrent à plus de 8000 mètres, mais deux d'entre eux étaient morts asphyxiés quand le ballon revint à terre.   Tissandier, le seul survivant, raconta l'ascension dans plusieurs articles.   Sully Prudhomme fait le récit de cette aventure; il décrit le début de l'ascension, puis son dernier épisode.   Il tire les leçons que comporte ce bel exemple d'héroïsme et de dévouement au progrès, et exprime en même temps son enthousiasme et sa foi en l'éternité de la science.   Quoiqu'alourdi par ce mélange de science, de philosophie et de littérature, ce poème est un des meilleurs exemples de la poésie philosophique de Sully Prudhomme.   Ici, l'émotion sincère et profonde du poète arrive à donner de l'élan, de la chaleur et une réelle beauté à un genre poétique quelque peu artificiel.

Ils montent! le ballon, qui pour nous diminue,
Fait pour eux s'effacer les contours de la nue,
S'abîmer [7] la campagne, et l'horizon surgir
Grandissant . . . comme on voit, sur une mer bien lisse,
Que du bout de son aile une mouette [8] plisse,
Autour du point troublé les rides s'élargir.

Les plaines, les forêts, les fleuves se déroulent,
Les monts humiliés [9] en s'allongeant s'écroulent.

---

[6] Zénith: nom du ballon employé par les trois aéronautes.
[7] S'abîmer: s'enfoncer comme dans un abîme.
[8] mouette: "sea-gull."
[9] humiliés: parce que, malgré leur hauteur, ils semblent se confondre avec le sol.

Le cœur semble se faire, à la merci des cieux,
Un berceau [10] du péril dont pourtant il frissonne,
Et regarde sombrer tout ce qui l'emprisonne
Avec un abandon grave et délicieux . . .

Ils montent, épiant [11] l'échelle [12] où se mesure
L'audace du voyage au déclin du mercure,
Par la fuite du lest [13] au ciel précipités;
Et cette cendre éparse, un moment radieuse,
Retourne se mêler à la poudre odieuse
De nos chemins étroits que leurs pieds ont quittés.

Depuis que la pensée, affranchissant la brute,
A découvert l'essor [14] dans les lois de la chute,
Et su déraciner les pieds humains du sol,
L'homme a hanté des airs que nul oiseau n'explore,
Mais il n'avait jamais osé donner encore
Une aussi téméraire envergure à son vol!

Pourtant ils n'ont pas peur.   La vérité suscite
Au plus timide front que son amour visite
Une sereine audace à l'épreuve de tout;
Immuable [15] elle inspire à ses amants sa force,
Et, quand de ses beaux yeux on a suivi l'amorce,[16]
Affamé de l'atteindre, on vit et meurt debout.

Ils goûtent du désert l'horreur libératrice.
Mais, si vite arrachée à sa ferme nourrice,

[10] Un berceau: le danger est si grand qu'il semble endormir la prudence des aéronautes.
[11] épiant: "watching eagerly."
[12] échelle: périphrase assez gauche pour décrire le baromètre.
[13] lest: "ballast."
[14] essor: le poète veut sans doute dire que c'est en étudiant la loi de la gravitation qui semble le clouer à la terre que l'homme a appris à s'en affranchir.
[15] Immuable: "steadfast."
[16] amorce: "bait," "lure."

La chair tressaille en eux par un instinct d'enfant;
Serrant l'osier [17] qui craque et n'osant lâcher prise,
Il semble qu'elle étreigne un lien qui se brise
Et pressente qu'en haut plus rien ne la défend.

Plus rien ne la défend, car elle n'est pas née
Pour une vagabonde et large destinée:
Il lui faut une assise, une borne, un chemin,
La tiédeur des vallons, et des toits l'ombre chère;
Où la pensée aspire elle est une étrangère;
Il lui faut l'horizon tout proche de la main.

Surtout il lui faut l'air! L'air bientôt lui fait faute.
Alors s'élève entre elle et son invisible hôte,
Le génie aux destins de son argile uni,
L'éternelle dispute, agonie incessante:
La chair, au sol vouée, implore la descente,
L'esprit ailé lui crie un *sursum* [18] infini . . .

Maître, dit-elle, assez! mon angoisse m'accable . . .
—Plus haut! lui répond-il.—Et d'un long flot de sable
L'équipage allégé se rue au ciel profond.
—O maître, quel tourment ta volonté m'inflige!
Je succombe.—Plus haut!—Pitié!—Plus haut, te dis-je.
Et le sable épanché provoque un nouveau bond.

—Grâce, mon sang déborde [19] et je n'ai plus d'haleine.
—Plus haut!—Arrêtons-nous; maître, je vis à peine . . .

[17] osier: "wicker-work": la nacelle ("car") du ballon.
[18] sursum: mot latin qui signifie: "en haut." Pendant la messe le prêtre demande aux fidèles de se recueillir en leur disant "sursum corda" ("haut les cœurs").
[19] mon sang déborde: la pression atmosphérique diminue et les aéronautes perdent leur sang par le nez et les oreilles.

—Monte.—Oh! cruel, encor?—Monte! esclave.—Encore?—
   Oui.
Mais épuisée enfin la chair plie et s'affaisse,
Et comme un feu sacré dont se meurt la prêtresse,[20]
L'esprit abandonné s'abat évanoui. . . .

* * *

Un seul s'est réveillé de ce funèbre somme,
Les deux autres . . . ô vous, qu'un plus digne [21] vous nomme,
Qu'un plus proche de vous dise qui vous étiez!
Moi, je salue en vous le genre humain qui monte,
Indomptable vaincu des cimes qu'il affronte,
Roi d'un astre, et pourtant jaloux [22] des cieux entiers!

L'espérance a volé sur vos sublimes traces,
Enfants perdus,[23] lancés en éclaireurs des races
Dans l'air supérieur, à nos songes trop cher,[24]
Vous de qui la poitrine obstinément fidèle,
Défiant l'inconnu d'un immense coup d'aile,
Brava jusqu'à la mort l'irrespirable éther!

Mais quelle mort! la chair, misérable martyre,
Retourne par son poids où la cendre l'attire,
Vos corps sont revenus demander des linceuls;
Vous les avez jetés, dernier lest,[25] à la terre,
Et, laissant retomber le voile du mystère,[26]
Vous avez achevé l'ascension tout seuls!

Pensée, amour, vouloir,[27] tout ce qu'on nomme l'âme,
Toute la part de vous que l'infini réclame,

---

[20] la prêtresse: le corps; le "feu sacré" est l'esprit.
[21] plus digne: le poète se prétend indigne de célébrer un tel héroïsme.
[22] jaloux: avide de conquérir.
[23] Enfants perdus: on appelait ainsi dans l'ancienne armée des groupes de soldats qu'on envoyait en avant pour exécuter les missions les plus dangereuses.
[24] trop cher: que nous rêvons sans cesse d'explorer malgré les dangers.
[25] dernier lest: pour permettre à l'âme de monter plus haut.
[26] voile du mystère: nous ne pouvons suivre l'âme dans son ascension.
[27] vouloir: volonté.

Plane encor, sans figure, anéanti? non pas!
Tel un vol de ramiers que son pays rappelle
Part, s'enfonce et s'efface en la plaine éternelle,
Mais n'y devient néant que pour les yeux d'en bas.

Mourir où les regards d'âge en âge s'élèvent,
Où tendent tous les fronts qui pensent et qui rêvent!
Où se règlent les temps [28] graver son souvenir!
Fonder au ciel sa gloire, et dans le grain qu'on sème [29]
Sur terre propager le plus pur de soi-même,
C'est peut-être expirer,[30] mais ce n'est pas finir:

Non! de sa vie à tous léguer l'œuvre et l'exemple,
C'est la revivre en eux plus profonde et plus ample,
C'est durer dans l'espèce en tout temps, en tout lieu,
C'est finir d'exister dans l'air où l'heure sonne [31]
Sous le fantôme étroit qui borne la personne,
Mais pour commencer d'être à la façon d'un dieu!

Le Zénith

[28] Où se règlent les temps: où la course des astres mesure le temps.
[29] grain qu'on sème: le grain qu'ont semé les héros, c'est l'exemple fécond de leur sacrifice.
[30] expirer: mourir dans son corps.
[31] où l'heure sonne: où le temps est limité, par opposition à la vie éternelle.

IV. LE SYMBOLISME

IV.   LE SYMBOLISME

On donne le nom de symbolisme à la forme de poésie qui a dominé en France vers 1885.   Le grand précurseur du symbolisme a été Baudelaire; ses maîtres ont été Verlaine, Rimbaud, et Mallarmé; ses représentants les plus caractéristiques, des poètes moins importants dont plusieurs étaient d'origine étrangère.

A.   LES ORIGINES DU SYMBOLISME

1. *Réaction contre le Parnasse et le naturalisme.*

Le symbolisme est tout d'abord une réaction du public et des écrivains contre la poésie froide, dure, "marmoréenne" du Parnasse. On reproche aux Parnassiens leur manque de sensibilité, leur forme raide et monotone.   Enfin on est surtout lassé du naturalisme, auquel on reproche son pédantisme, sa brutalité, ses prétentions scientifiques.   On peut dire que le symbolisme est un retour vers la sensibilité romantique.

2. *Ruine du positivisme.*

Une réaction violente se dessine à cette époque contre le positivisme.   On commence à comprendre que la science ne peut pas tout expliquer; on proclame même qu'elle a "fait faillite" et qu'en tout cas il y a tout un monde mystérieux qu'elle est impuissante à pénétrer.

3. *Influence de l'art.*

Grande influence sur les écrivains, de la peinture idéaliste de Puvis de Chavannes, des œuvres vagues et rêveuses de Cazin et de Carrière, des visions hallucinées d'Odilon Redon, de la sculpture symbolique de Rodin.   Influence de la peinture idéaliste et moralisatrice des préraphaélites anglais (Rossetti, Burne-Jones).

4. *Influence de la littérature anglaise.*

Grande influence des romans de George Eliot et de Dickens. Malgré leurs côtés réalistes, ils renferment un enseignement, une

morale, une consolation. Ils s'opposent nettement à la brutalité
du naturalisme et à la doctrine de l'art pour l'art, chère aux Parnassiens.

5. *Influence de Poe.*

Son œuvre en prose est révélée par Baudelaire (1856–1859); sa
poésie est traduite de 1869 à 1876. Il a une influence énorme sur
la jeune littérature par son amour de l'étrange et de l'artificiel,
et par ses théories sur les relations de la musique et de la poésie.

6. *Influence du roman russe.*

Signalés au public français par plusieurs livres, dont *le Roman
russe* de Melchior de Voguë (1886), les romanciers russes (Tolstoï,
Dostoïewski, Tourguenev) deviennent très populaires; ils frappent
par leur idéalisme, leur pitié pour ceux qui souffrent, leur religiosité
sentimentale, et enfin la façon frappante dont ils font sentir le
mystère de notre destinée. Malgré leur réalisme, leurs œuvres
sont avant tout l'expression de leur sensibilité.

7. *Influence de Wagner.*

Le grand musicien allemand exerce une influence très importante
sur les poètes symbolistes. En effet, il soutient qu'en face du
monde matériel que la science peut explorer, il existe un univers
mystérieux que nous ne pouvons découvrir que par l'intuition, par
la sensibilité, qu'il déclare supérieures à la raison. Le poète,
l'artiste qui découvrent les vérités supérieures, sont égaux sinon
supérieurs au savant, d'où la dignité sacerdotale de l'artiste. Enfin
dans les livrets de ses opéras, il donne des exemples d'audace
extrême dans la structure du vers; il traite la langue comme une
musique dont les mots sont les notes. Il subordonne tout à l'expression du sentiment, bouleverse la syntaxe, se crée un vocabulaire
nouveau, et obtient des effets d'une beauté incomparable.

B. LE PROGRAMME DU SYMBOLISME

1. *But de la poésie.*

Le but de la poésie n'est plus de discuter des idées, d'exprimer
des sentiments ou de décrire le monde extérieur, comme l'avaient
fait les romantiques et les Parnassiens. Les poètes symbolistes

veulent avant tout décrire la vie intérieure de l'âme, les profondeurs secrètes de la vie psychologique, les inquiétudes de l'humanité devant le mystérieux infini qui nous entoure. Le poète redevient, comme aux temps antiques, un voyant inspiré qui reçoit des révélations d'un monde inconnu du profane.

2. *Le symbole.*

Ce monde mystérieux, le poète l'évoquera par des procédés nouveaux et notamment celui du symbole qui s'efforce d'établir des correspondances entre les différentes perceptions de nos sens (couleurs, formes, sons, parfums) ou entre les phénomènes du monde extérieur et ceux de la vie psychologique.

Mallarmé donne de la poésie symbolique la définition suivante: "Les Parnassiens prennent la chose entièrement et la montrent. . . . Nommer un objet c'est supprimer les trois quarts de la jouissance du poème, qui est faite du bonheur de deviner peu à peu; le *suggérer*, voilà le rêve. C'est le parfait usage de ce mystère qui constitue le symbole."

3. *La forme.*

Les symbolistes ont voulu créer une langue poétique et une prosodie nouvelles, pouvant exprimer ces visions vagues, ces sentiments délicats, ce mystère qu'ils veulent peindre.

a. Nouvelle langue poétique. Ils veulent renouveler le vocabulaire en ressuscitant de vieux mots, en en créant de nouveaux, en employant les termes usuels dans un sens différent de celui que leur donne le dictionnaire; certains vont même jusqu'à prendre le mot pour sa valeur musicale, pour sa puissance de suggestion, sans souci de sa signification.

b. Nouvelle prosodie. Ils essaient aussi de renouveler la versification en créant des rythmes nouveaux, plus variés, plus souples, plus musicaux; ils aiment particulièrement les rythmes impairs (7 et 11 syllabes). Certains d'entre eux emploient le vers libre, qui suit d'une façon très souple le mouvement de la pensée.

Il convient de remarquer que ces tentatives ont été hésitantes et n'ont eu qu'un succès relatif.

C. CONCLUSION

Le Parnasse, qui voulait rendre la beauté du monde extérieur, avait fait de la poésie un art plastique comme la peinture, ou plutôt comme la sculpture dont elle avait la froideur et la dureté. Le symbolisme, au contraire par son caractère délicat, subtil, vaporeux, mystérieux, se rapproche de la musique.

X. PAUL VERLAINE (1844–1896)

Paul Verlaine, né à Metz en 1844, était le fils d'un officier. Après de solides études à Paris, il commença à faire son droit, qu'il abandonna pour devenir employé à l'Hôtel de Ville (1864). Il fréquenta alors les milieux parnassiens et ses vers furent favorablement reçus, mais déjà il buvait beaucoup et c'est dans l'espoir de changer de vie qu'il se maria en 1870, sans d'ailleurs réussir à abandonner ses mauvaises habitudes. En 1871, il fit la connaissance de Rimbaud qui prit aussitôt sur lui une grande influence. En juillet 1872, il abandonna sa femme pour partir avec son ami. Après avoir vécu ensemble en Belgique et en Angleterre, ils se trouvaient à Bruxelles quand Rimbaud déclara qu'il allait partir seul. Affolé à l'idée de perdre son ami, Verlaine le blessa d'un coup de révolver; condamé à deux ans de prison, il fut incarcéré à Mons. Dans sa prison, il revint à la foi catholique, et lorsqu'il fut libéré, il mena quelque temps une vie plus sobre et plus décente. Mais bientôt, il retomba dans l'intempérance et la débauche; sa santé était devenue mauvaise et il était ruiné. Il vécut ainsi quelques années en bohème alcoolique et passa une grande partie de son temps à l'hôpital. C'est alors qu'il devint tout à coup célèbre, mais il était épuisé et mourut le 8 janvier 1896.

A. PRINCIPALES ŒUVRES DE VERLAINE

1. Poésie: *Poèmes saturniens* (1866); *Fêtes galantes* (1869); *La Bonne Chanson* (1870); *Romances sans paroles* (1874); *Sagesse* (1881); *Jadis et naguère* (1884); *Amour, Parallèlement* (1888).

2. Prose: *Les poètes maudits* (1884 et 1888); *Mes hôpitaux* (1891); *Mes prisons* (1893); *Confessions* (1895).

B. PERSONNALITÉ DE VERLAINE

Verlaine était intelligent et cultivé, mais il semble avoir eu une vie intellectuelle peu profonde et sa personnalité était surtout dominée par la sensibilité et les instincts. C'était un tendre, un sentimental, et dans un de ses poèmes il a parlé de sa "fureur d'aimer." C'était aussi une nature faible et sensuelle, incapable de résister à aucune tentation, et ni le regret du foyer détruit par sa faute, ni une dévotion qui fut quelque temps profonde et sincère, ne l'empêchèrent de tomber dans le vice et l'ivrognerie. Mais ce débauché avait une splendide imagination et vivait dans un monde de rêve, peuplé de visions délicates et mélancoliques, dans lequel son génie lui a permis de transporter ses lecteurs.

C. L'ŒUVRE DE VERLAINE

1. *Les débuts de Verlaine* (1866–1871).

   a. *Poèmes saturniens* [1] (1866).   Verlaine apparaît dans ce recueil comme un imitateur de Baudelaire et de Leconte de Lisle, mais l'accent personnel de sa poésie se sent déjà dans la façon dont il interprète certains de leurs thèmes favoris: le spleen de Baudelaire et le désespoir hautain de Leconte de Lisle se transforment chez lui en une mélancolie rêveuse exprimée sous une forme légère, vague et musicale.

   b. *Les Fêtes galantes* (1869).   C'est un recueil inspiré par les œuvres de Watteau.   Ces poèmes ne sont pas des descriptions, des "transpositions d'art," mais plutôt des rêveries nées de la sensibilité du poète au contact de l'œuvre gracieuse et mélancolique de Watteau.

   c. *La Bonne Chanson* (1870).   Ce sont des poèmes composés pour sa fiancée; l'inspiration en est assez banale, mais dans quelques-uns les sentiments simples et sincères de l'auteur sont exprimés sous une forme si originale et si belle qu'ils sont considérés comme les meilleurs de Verlaine.

2. *L'influence de Rimbaud* (1871–1873).

   a. "Art poétique."   Rimbaud avait rêvé d'une poésie nouvelle qui traduirait avec des moyens nouveaux des sensations rares, ultra-modernes, et qui obligerait le poète à être une espèce de voyant halluciné.   Complètement dominé par ce génie

---

[1] saturniens: vieux mot retrouvé par Baudelaire et repris par Verlaine, qui signifiait: qui est né sous l'influence de la planète Saturne, c'est-à-dire mélancolique, sombre, taciturne.

merveilleux et précoce, Verlaine essaya de le suivre, mais sa nature plus faible, plus timorée, ne lui permit pas d'aller aussi loin que son ami. Cependant, l'influence de Rimbaud aida Verlaine à dégager son originalité et c'est à cette époque qu'il écrivit son "Art poétique."

b. *Romances sans paroles* (1874) sont la mise en pratique de ces nouvelles théories. Comme l'indique le titre du recueil, Verlaine a voulu employer les mots comme des notes de musique, c'est-à-dire non pour leur signification, mais pour leur valeur musicale et leur puissance de suggestion. Ces poèmes sont également très remarquables par des rythmes nouveaux d'une extraordinaire variété.

3. *Le poète catholique* (1875–1881).

Sagesse (1881). Dans la prison de Mons, Verlaine eut une crise religieuse et se convertit. Il était parfaitement sincère, mais après sa sortie de prison, il retomba dans ses habitudes d'intempérance et la religion ne fut plus pour lui qu'un thème lyrique comme un autre. Il doit cependant à cette inspiration religieuse plusieurs poèmes admirables, pleins d'un repentir vrai, d'un grand désir de vie honnête et d'un amour éperdu pour Dieu qui l'avait secouru et consolé.

D. L'ART DE VERLAINE

1. *Le fond.*

a. Spontanéité et sincérité. "L'art, mes enfants," a dit Verlaine, "c'est d'être absolument soi-même." En effet, dans son œuvre, il parle de lui-même franchement, naïvement: sa poésie n'est, en grande partie, qu'une confession de ses désirs, de ses fautes, de ses repentirs.

b. Rêve et mélancolie. La poésie de Verlaine montre un goût naturel pour la mélancolie, pour une tristesse douce et égale, sans éclat ni désespoir; c'est elle qui donne le ton à toutes ses rêveries, à toutes ses descriptions; c'est surtout à elle qu'on pense quand on parle de poésie "verlainienne."

2. *La forme.*

Verlaine a choisi la forme qui lui permettait le mieux d'exprimer sa sensibilité. Il a voulu d'abord, comme il le dit dans "l'Art poétique," enlever au vers sa précision, et le rendre aussi indécis, aussi vague, aussi musical que possible. Pour atteindre ce but:

  a. Il supprime souvent l'ordre logique entre les phrases qui suivent non pas les règles de la syntaxe, mais le rythme intérieur de l'émotion qui inspire le poète.

  b. Dans le vocabulaire, il essaie de diminuer la clarté du vers en employant les mots dans un sens anormal; ses innovations ne sont d'ailleurs pas toujours heureuses.

  c. Dans la versification, il a achevé de libérer le vers de ses dernières contraintes; il a réduit l'importance de la rime, augmenté la souplesse en variant à l'infini la césure et en multipliant les rejets et les enjambements. Cependant, il n'a jamais employé le vers libre et les symbolistes l'ont considéré comme un Parnassien attardé.

E. CONCLUSION

Verlaine est un très grand poète dont l'œuvre, à beaucoup de points de vue, est unique. Cependant son influence semble aujourd'hui inférieure à celle de Baudelaire, de Mallarmé et de Rimbaud.

§ 1. L'ÉVOCATEUR DES "FÊTES GALANTES"

L'art de Watteau fut pour Verlaine une importante source d'inspiration; les deux poèmes suivants, bien qu'appartenant à des recueils différents, sont dus à son influence. Le grand peintre, longtemps méconnu, venait d'être remis à la mode par les Goncourt, qui en 1860 avaient attiré sur lui l'attention du public. Ils avaient montré, chez Watteau, des paysages de rêve, une fête perpétuelle, des amours aimables et conventionnelles, une gaîté factice, apportée par les masques de la comédie italienne, et, sous tout cela, quelque chose d'irréel, de mélancolique, une "tristesse musicale." C'est cette atmosphère que Verlaine a su admirablement évoquer.

NUIT DE WALPURGIS CLASSIQUE [2]

C'est plutôt le sabbat [3] du second Faust que l'autre.[4]
Un rhythmique sabbat, rhythmique, extrêmement
Rhythmique.—Imaginez un jardin de Lenôtre,[5]
    Correct, ridicule et charmant.

Des ronds-points; [6] au milieu, des jets d'eau; des allées
Toutes droites; sylvains de marbre; dieux marins
De bronze; çà et là, des Vénus étalées;
    Des quinconces,[7] des boulingrins; [8]

Des châtaigniers; des plants [9] de fleurs formant la dune; [10]
Ici, des rosiers nains qu'un goût docte effila; [11]
Plus loin, des ifs taillés en triangle.   La lune
    D'un soir d'été sur tout cela.

Minuit sonne, et réveille au fond du parc aulique [12]
Un air mélancolique, un sourd, lent et doux air
De chasse: tel, doux, lent, sourd et mélancolique,
    L'air de chasse de *Tannhäuser*.

[2] Nuit de Walpurgis classique: la nuit du 1er mai, ainsi appellée du nom de Sainte Walpurgis dont la fête tombait à cette date.   Comme le 1er mai restait associé au souvenir des anciennes fêtes païennes, la nuit de Walpurgis dans les légendes populaires devint celle où les sorcières et les démons se donnaient rendez-vous sur la montagne du Brocken.   Dans la deuxième partie de *Faust*, Goethe donne le nom de "Nuit de Walpurgis classique" à une évocation de l'histoire et de la mythologie grecques.   Verlaine donne le même titre à cette évocation des ombres de personnages du dix-huitième siècle, dans ce décor très "classique" d'un jardin à la française.

[3] le sabbat: réunion de sorcières et d'êtres surnaturels.

[4] que l'autre: le rêve de la nuit de Walpurgis dans la première partie de *Faust*.

[5] Lenôtre: célèbre dessinateur de jardins et de parc, qui fit le plan du parc de Versailles (1613–1700).

[6] ronds-points: place circulaire où aboutissent plusieurs allées.

[7] quinconces: des arbres disposés par groupes de cinq, quatre en carré et un au milieu: "quincunx."

[8] boulingrins: parterres de gazon.

[9] plants: "beds," "plots."

[10] formant la dune: expression obscure qui veut dire sans doute que les fleurs sont arrangées de façon à donner l'impression du sommet arrondi d'une dune de sable.

[11] effila: "tailla en pointe."

[12] aulique: mot rare qui signifie: "qui appartient à la cour": "aulic," "lordly."

Des chants voilés de cors lointains où la tendresse
Des sens étreint l'effroi de l'âme en des accords
Harmonieusement dissonants dans l'ivresse;
     Et voici qu'à l'appel des cors

S'entrelacent soudain des formes toutes blanches,
Diaphanes, et que le clair de lune fait
Opalines parmi l'ombre verte des branches,
     —Un Watteau rêvé par Raffet!—[13]

S'entrelacent parmi l'ombre verte des arbres
D'un geste alangui, plein d'un désespoir profond;
Puis, autour des massifs, des bronzes et des marbres
     Très lentement dansent en rond.

—Ces spectres agités, sont-ce donc la pensée
Du poète ivre, ou son regret, ou son remords,
Ces spectres agités en tourbe [14] cadencée,
     Ou bien tout simplement des morts?

Sont-ce donc ton remords, ô rêvasseur qu'invite
L'horreur, ou ton regret, ou ta pensée,—hein? [15]—tous
Ces spectres qu'un vertige irrésistible agite,
     Ou bien des morts qui seraient fous?

N'importe! ils vont toujours, les fébriles fantômes,
Menant leur ronde vaste et morne et tressautant
Comme dans un rayon de soleil des atomes,[16]
     Et s'évaporent à l'instant

[13] Watteau rêvé par Raffet: c'est-à-dire un paysage et des personnages de Watteau, éclairés de cette lumière mystérieuse que Raffet a donnée à sa célèbre "Revue Nocturne."

[14] tourbe: foule (latin *turba*).

[15] hein?: exclamation familière qui marque l'interrogation: "What do you say?"

[16] atomes: comme des grains de poussière illuminés par le soleil.

Humide et blême où l'aube éteint l'un après l'autre
Les cors, en sorte qu'il ne reste absolument
Plus rien—absolument—qu'un jardin de Lenôtre,
　　Correct, ridicule et charmant.

　　　　　　　　　　　　　　　Poèmes saturniens

CLAIR DE LUNE

Votre âme est un paysage choisi
Que vont charmant masques [17] et bergamasques,[18]
Jouant du luth et dansant et quasi [19]
Tristes [20] sous leurs déguisements fantasques.

Tout en chantant sur le mode mineur [21]
L'amour vainqueur et la vie opportune,[22]
Ils n'ont pas l'air de croire à leur bonheur
Et leur chanson se mêle au clair de lune,

Au calme clair de lune triste et beau,
Qui fait rêver les oiseaux dans les arbres
Et sangloter d'extase les jets d'eau,
Les grands jets d'eau sveltes parmi les marbres.

　　　　　　　　　　　　　　　Fêtes galantes

§ 2.　VERLAINE MUSICIEN

CHANSON D'AUTOMNE

Ce poème fait partie des *Poèmes saturniens;* il est très caractéristique de la façon dont Verlaine a traité certains thèmes baudelairiens. Au lieu d'un désespoir accablant, il décrit une mélancolie

---

[17] masques: les masques de la Comédie Italienne.
[18] bergamasque: danse rustique italienne.
[19] quasi: "almost."
[20] tristes: c'est cette tristesse que les Goncourt avaient sentie dans l'œuvre de Watteau.
[21] mode mineur: "minor key": c'est-à-dire que leur musique est mélancolique.
[22] opportune: a ici le sens de "heureux," "agréable."

discrète et élégante, qui voile l'existence sans l'assombrir.   Au lieu du vers sonore de Baudelaire, majestueux comme le grondement des orgues, nous entendons une jolie mélodie mélancolique qui semble, en effet, être jouée sur un violon.

> Les sanglots longs
> Des violons
>   De l'automne
> Blessent mon cœur
> D'une langueur
>   Monotone.
>
> Tout suffocant
> Et blême, quand
>   Sonne l'heure,
> Je me souviens
> Des jours anciens
>   Et je pleure.
>
> Et je m'en vais
> Au vent mauvais
>   Qui m'emporte
> Deci, delà,
> Pareil à la
>   Feuille morte.

Poèmes saturniens

LA LUNE BLANCHE . . .

Ce poème est tiré du recueil intitulé *La Bonne Chanson*, écrit pour sa fiancée.   Cette charmante vision, très pâle, diaphane et mélancolique est comme un reflet symbolique de l'amour profond et pur que Verlaine éprouvait alors.

La lune blanche
Luit dans les bois;
De chaque branche
Part une voix
Sous la ramée. . . .

O bien-aimée.

L'étang reflète,
Profond miroir,
La silhouette
Du saule noir
Où le vent pleure. . . .

Rêvons: c'est l'heure.

Un vaste et tendre
Apaisement
Semble descendre
Du firmament
Que l'astre irise. . . .

C'est l'heure exquise.
La Bonne Chanson

IL PLEURE DANS MON CŒUR . . .

Ce poème, tiré des *Romances sans paroles*, est un des plus connus
de Verlaine.   On y trouve l'expression de la mélancolie verlainienne,
qui se cherche un écho dans la nature.   La forme est remarquable
notamment pour les libertés que le poète prend avec la rime.

Il pleure dans mon cœur
Comme il pleut sur la ville.
Quelle est cette langueur
Qui pénètre mon cœur?

O bruit doux de la pluie
Par terre et sur les toits!
Pour un cœur qui s'ennuie
O le chant de la pluie!

Il pleure sans raison
Dans ce cœur qui s'écœure.
Quoi! nulle trahison?
Ce deuil est sans raison.

C'est bien la pire peine
De ne savoir pourquoi,
Sans amour et sans haine,
Mon cœur a tant de peine.

Romances sans paroles

LE SON DU COR . . .

Alors que les Parnassiens se plaisaient à reproduire des paysages
méditerranéens inondés de soleil, dans lesquels les contours des
objets apparaissent nettement, Verlaine préférait le vague des
paysages de l'aube, du crépuscule, des scènes d'hiver ou d'automne
voilées de brume. Voici un joli paysage d'hiver, ouaté de neige et
qui semble s'assoupir, bercé par la voix mélancolique du cor dans
les bois.

Le son du cor s'afflige vers les bois
D'une douleur on [23] veut croire orpheline
Qui vient mourir au bas de la colline
Parmi la brise errant en courts abois.[24]

[23] on: pour "qu'on," exemple des libertés que Verlaine prend avec la grammaire.
[24] abois: le souffle intermittent de la brise est comparé aux aboiements sac-
cadés d'un chien.

L'âme du loup pleure dans cette voix
Qui monte avec le soleil qui décline
D'une agonie on veut croire câline [25]
Et qui ravit et qui navre [26] à la fois.

Pour faire mieux cette plainte assoupie,
La neige tombe à longs traits de charpie [27]
A travers le couchant sanguinolent,

Et l'air a l'air d'être un soupir d'automne,
Tant il fait doux par ce soir monotone
Où se dorlote [28] un paysage lent.

Sagesse

§ 3.   VERLAINE POÈTE LYRIQUE

ÉCOUTEZ LA CHANSON BIEN DOUCE . . .

Ce poème, ainsi que le suivant, a été inspiré à Verlaine par le souvenir de sa femme qu'il continua d'aimer, et qu'il ne put jamais oublier.   Dans le désir de se racheter et de recommencer sa vie, le poète demande humblement le pardon de ses fautes, au nom de son repentir et de son amour toujours sincère et profond.

Écoutez la chanson bien douce,
Qui ne pleure que pour vous plaire,
Elle est discrète, elle est légère:
Un frisson d'eau sur de la mousse!

La voix [29] vous fut connue (et chère?),
Mais à présent elle est voilée
Comme une veuve désolée,
Pourtant comme elle encore fière,

[25] câline: douce et caressante.
[26] navre: désespère.
[27] charpie: "lint."
[28] se dorlote: "snuggles up": le paysage a l'air de jouir de cette langueur paresseuse.
[29] la voix: celle du poète.

Et dans les longs plis de son voile
Qui palpite aux brises d'automne
Cache et montre au cœur qui s'étonne
La vérité comme une étoile.

Elle dit, la voix reconnue,
Que la bonté c'est notre vie,
Que de la haine et de l'envie
Rien ne reste, la mort venue.

Elle parle aussi de la gloire
D'être simple sans plus attendre,
Et de noces d'or [30] et du tendre
Bonheur d'une paix sans victoire.[31]

Accueillez la voix qui persiste
Dans son naïf épithalame.[32]
Allez, rien n'est meilleur à l'âme
Que de faire une âme moins triste!

Elle est "en peine" et "de passage," [33]
L'âme qui souffre sans colère,
Et comme sa morale est claire! . . .
Écoutez la chanson bien sage.

Sagesse

LES CHÈRES MAINS . . .

Les chères mains qui furent miennes,
Toutes petites, toutes belles,
Après ces reprises mortelles
Et toutes ces choses païennes,

---

[30] noces d'or: le poète montre son espoir timide d'un long bonheur au foyer reconstruit.

[31] paix sans victoire: c'est-à-dire basée sur des concessions mutuelles.

[32] épithalame: chant de noces.

[33] de passage: la voix chante sa chanson "en passant" sans oser s'arrêter, comme une humble prière.

Après les rades [34] et les grèves,
Et les pays et les provinces,
Royales mieux qu'au temps des princes,
Les chères mains m'ouvrent les rêves.

Mains en songe, mains sur mon âme,
Sais-je, moi, ce que vous daignâtes,
Parmi ces rumeurs scélérates,
Dire à cette âme qui se pâme?

Ment-elle, ma vision chaste
D'affinité spirituelle,
De complicité maternelle,
D'affection étroite et vaste?

Remords si chers, peine très bonne,
Rêves bénits, mains consacrées,
O ces mains, ses mains vénérées,
Faites le geste qui pardonne!

Sagesse

LE CIEL EST, PAR-DESSUS LE TOIT . . .

Ce poème a été composé par Verlaine dans sa prison. Dans le
calme de la réclusion, le poète fait un retour sur lui-même, et
regrette les années perdues de sa jeunesse.

Le ciel est, par-dessus le toit,
    Si bleu, si calme!
Un arbre, par-dessus le toit,
    Berce sa palme.[35]

La cloche dans le ciel qu'on voit
    Doucement tinte.
Un oiseau sur l'arbre qu'on voit
    Chante sa plainte.

[34] rades: "roadsteads," "harbors."
[35] sa palme: ses rameaux.

Mon Dieu, mon Dieu, la vie est là,
    Simple et tranquille.
Cette paisible rumeur-là
    Vient de la ville.

Qu'as-tu fait, ô toi que voilà
    Pleurant sans cesse,
Dis, qu'as-tu fait, toi que voilà,
    De ta jeunesse?

                     Sagesse

MON DIEU M'A DIT . . .

Verlaine a écrit dans *Sagesse* une série de sonnets qui sont des dialogues entre Dieu qui pardonne et console, et le pécheur qui se repent.   Ces poèmes, admirables par la pensée et par la forme, se placent au premier rang parmi les chefs-d'œuvre de la littérature mystique en France.

Mon Dieu m'a dit:—Mon fils, il faut m'aimer. Tu vois
Mon flanc percé, mon cœur qui rayonne et qui saigne,
Et mes pieds offensés [36] que Madeleine [37] baigne
De larmes, et mes bras douloureux sous le poids

De tes péchés, et mes mains!   Et tu vois la croix,
Tu vois les clous, le fiel, l'éponge,[38] et tout t'enseigne
A n'aimer, en ce monde amer où la chair règne,
Que ma Chair et mon Sang, ma parole et ma voix.

Ne t'ai-je pas aimé jusqu'à la mort moi-même,
O mon frère en mon Père, ô mon fils en l'Esprit,
Et n'ai-je pas souffert, comme c'était écrit?

[36] offensés: au sens étymologique: "blessés."
[37] Madeleine: Marie Madeleine, la pécheresse convertie qui devint une des Saintes Femmes.
[38] le fiel, l'éponge: Jésus ayant soif on lui offrit du vin mélangé de fiel et plus tard une éponge imbibée de vinaigre.

N'ai-je pas sangloté ton angoisse suprême
Et n'ai-je pas sué la sueur de tes nuits,
Lamentable ami qui me cherches où je suis?

* * *

J'ai répondu:—Seigneur, vous avez dit mon âme.[39]
C'est vrai que je vous cherche et ne vous trouve pas.
Mais vous aimer!   Voyez comme je suis en bas,
Vous dont l'amour toujours monte comme la flamme.

Vous, la source de paix que toute soif réclame,
Hélas! voyez un peu tous mes tristes combats!
Oserai-je adorer la trace de vos pas,
Sur ces genoux saignants d'un rampement infâme? [40]

Et pourtant je vous cherche en longs tâtonnements,[41]
Je voudrais que votre ombre au moins vêtît ma honte,
Mais vous n'avez pas d'ombre, ô vous dont l'amour monte,

O vous, fontaine calme, amère aux seuls amants
De leur damnation, ô vous toute lumière,
Sauf aux yeux dont un lourd baiser tient la paupière.

* * *

—Il faut m'aimer!   Je suis l'universel Baiser,
Je suis cette paupière et je suis cette lèvre
Dont tu parles, ô cher malade, et cette fièvre
Qui t'agite, c'est moi toujours!   Il faut oser

M'aimer!   Oui, mon amour monte sans biaiser[42]
Jusqu'où ne grimpe pas ton pauvre amour de chèvre,
Et t'emportera, comme un aigle vole un lièvre,
Vers des serpolets [43] qu'un ciel cher vient arroser!

[39] vous avez dit mon âme: vous avez bien compris mes désirs et mes hésitations.

[40] rampement infâme: il est souvent vaincu dans les "tristes combats" qui se livrent dans son âme entre son désir du bien et ses vices, et souvent il "rampe" ("crawls") dans la débauche.

[41] tâtonnements: "gropings."

[42] biaiser: hésiter.

[43] serpolets: plante odorante très recherchée des lapins: "wild thyme."

O ma nuit claire! ô tes yeux dans mon clair de lune!
O ce lit de lumière et d'eau parmi la brume!
Toute cette innocence et tout ce reposoir!

Aime-moi!   Ces deux mots sont mes verbes suprêmes,
Car étant ton Dieu tout-puissant, je peux vouloir,
Mais je ne veux d'abord que pouvoir que tu m'aimes.

* * *

—Ah! Seigneur, qu'ai-je?   Hélas! me voici tout en larmes
D'une joie extraordinaire: votre voix
Me fait comme du bien et du mal à la fois,
Et le mal et le bien, tout a les mêmes charmes.

Je ris, je pleure, et c'est comme un appel aux armes
D'un clairon pour des champs de bataille [44] où je vois
Des anges bleus et blancs portés sur des pavois,[45]
Et ce clairon m'enlève en de fières alarmes.[46]

J'ai l'extase et j'ai la terreur [47] d'être choisi.
Je suis indigne, mais je sais votre clémence.
Ah! quel effort, mais quelle ardeur!   Et me voici

Plein d'une humble prière, encor qu'un trouble immense
Brouille [48] l'espoir que votre voix me révéla,
Et j'aspire en tremblant.

* * *

—Pauvre âme, c'est cela! [49]

Sagesse

[44] champs de bataille: Verlaine veut devenir un soldat du Christ.
[45] portés sur des pavois: allusion à une coutume des Francs: le chef élu par les guerriers était porté en triomphe sur le "pavois" ou bouclier.   Verlaine veut dire que les anges viennent mener au combat l'armée des soldats du Christ.
[46] alarmes: sens primitif, "appel aux armes."
[47] la terreur: parce qu'il a peur d'être indigne.
[48] brouille: rend faible et incertain.
[49] c'est cela: c'est son repentir et le sentiment de son indignité qui lui vaudront le pardon.

§ 4. VERLAINE THÉORICIEN DU SYMBOLISME

ART POÉTIQUE

Ce poème a été composé par Verlaine en 1874 au moment où, sous l'influence de Rimbaud, il avait enfin pris conscience de son originalité. On étudiera cet "art poétique" du symbolisme en l'opposant à l'"Art" de Théophile Gautier qui représente l'idéal parnassien. D'une façon générale, Verlaine condamne l'éloquence romantique ou parnassienne. La poésie, selon lui, doit avant tout traduire des sensations, des sentiments, des rêves. Devant suggérer et non décrire, elle doit fuir la netteté, la clarté, la précision. Pour cela, le poète choisira des mots vagues, évocateurs, réduira l'importance de la rime et emploiera de préférence des rythmes impairs. Il se donnera un but unique: toucher la sensibilité du lecteur.

De la musique avant toute chose,
Et pour cela préfère l'Impair [50]
Plus vague et plus soluble [51] dans l'air,
Sans rien en lui qui pèse ou qui pose.[52]

Il faut aussi que tu n'ailles point
Choisir tes mots sans quelque méprise: [53]
Rien de plus cher que la chanson grise
Où l'Indécis au Précis se joint.

C'est [54] des beaux yeux derrière des voiles,
C'est le grand jour tremblant de midi,
C'est, par un ciel d'automne attiédi,
Le bleu fouillis des claires étoiles!

[50] l'Impair: le vers qui compte un nombre impair de syllabes: 3, 5, 7, etc.
[51] soluble: qui peut se dissoudre dans l'air comme une brume vaporeuse.
[52] pose: qui arrête trop longtemps le mouvement.
[53] sans quelque méprise: il faut employer des mots vagues, ou des mots connus en faisant volontairement une légère erreur sur leur sens.
[54] C'est . . .: cette façon de choisir les mots fait ressembler les vers à. . . .

Car nous voulons la Nuance [55] encor,
Pas la Couleur, rien que la nuance!
Oh! la nuance seule fiance
Le rêve au rêve et la flûte au cor!

Fuis du plus loin la Pointe assassine,[56]
L'Esprit cruel et le Rire impur,
Qui font pleurer les yeux de l'Azur,
Et tout cet ail [57] de basse cuisine!

Prends l'éloquence [58] et tords-lui son cou!
Tu feras bien, en train d'énergie,[59]
De rendre un peu la Rime assagie.[60]
Si l'on n'y veille, elle ira jusqu'où?

O qui dira les torts de la Rime!
Quel enfant sourd ou quel nègre fou [61]
Nous a forgé ce bijou d'un sou
Qui sonne creux et faux sous la lime? [62]

De la musique encore et toujours!
Que ton vers soit la chose envolée
Qu'on sent qui fuit d'une âme en allée
Vers d'autres yeux à d'autres amours.

[55] la Nuance: il faut éviter les couleurs trop simples comme les mots au sens trop clair.

[56] la Pointe assassine: "the murderous witticism": le trait d'esprit perce l'âme comme la pointe d'un poignard, et la tue.

[57] ail: "garlic": l'esprit et le rire sont des assaisonnements vulgaires comme l'ail.

[58] l'éloquence: Verlaine s'attaque ici à la poésie souvent pédante et déclamatoire des Romantiques.

[59] en train d'énergie: pendant que tu as l'énergie nécessaire pour faire toutes ces réformes.

[60] rendre . . . assagie: discipliner la rime devenue tyrannique.

[61] enfant sourd . . . nègre fou: ne pouvant apprécier la beauté du rythme, beaucoup de gens ne s'intéressent qu'à la rime qui a quelque chose de brillant et de vulgaire, comme feraient un enfant ou un sauvage.

[62] lime: "file": pour Verlaine les grands ciseleurs de vers ne réussissent qu'à créer une poésie sonore et vide.

Que ton vers soit la bonne aventure [63]
Éparse au vent crispé [64] du matin
Qui va fleurant [65] la menthe et le thym . . .
Et tout le reste est littérature.[66]

Jadis et naguère

[63] la bonne aventure: l'inspiration poétique doit avoir quelque chose de fantaisiste, de vagabond.
[64] crispé: le vent frais qui fait crisper le visage.
[65] fleurant: qui exhale une odeur de . . .
[66] littérature: au mauvais sens du mot, c'est-à-dire quelque chose de raide et d'artificiel.

XI. ARTHUR RIMBAUD (1854–1891)

Né à Charleville en 1854, il a une enfance malheureuse dans une famille désunie, auprès d'une mère dévote et sans tendresse. Il fait de très brillantes études. Quatre fois, en 1870, il s'échappe à pied et sans argent pour aller chercher aventure à Paris, et chaque fois il doit regagner Charleville après maintes péripéties.

En 1871, il envoie à Verlaine son poème "Le Bateau ivre," puis va se fixer à Paris où il se lie avec les principaux poètes et littérateurs de l'époque, particulièrement avec Verlaine en compagnie de qui il vit désormais, voyageant en Belgique et en Angleterre; leurs relations sont rompues par une querelle au cours de laquelle Verlaine le blesse d'un coup de revolver. Il écrit alors *Une saison en Enfer*, sorte d'autobiographie qu'il fait publier à Bruxelles. Mais bientôt, rentré dans sa famille, il brûle tout ce qu'il a écrit jusqu'alors et renonce à la poésie. Dès lors, il part à l'aventure, fait divers métiers, arrive enfin en Abyssinie où il crée des comptoirs de commerce et réalise une petite fortune. Ses amis avaient sauvé et publié une partie de son œuvre, et son nom était devenu célèbre, mais il ne s'occupa jamais plus de sa poésie. La maladie le ramène en France où il meurt à l'hôpital de Marseille le 10 novembre 1891.

A. ŒUVRES DE RIMBAUD

Une saison en Enfer (1873—édition détruite par l'auteur); *Illuminations* (1886—publiées par Verlaine); *Œuvres de Jean-Arthur Rimbaud* (1898); *Lettres de Jean-Arthur Rimbaud* (1899).

B. PERSONNALITÉ DE RIMBAUD

La personnalité de Rimbaud est une énigme que les critiques ne s'accordent pas à déchiffrer. De quinze à dix-neuf ans, il produisit une œuvre poétique de génie qu'il a reniée par la suite en disant: "Je ne pouvais pas continuer, c'était mal." Après une vie assez courte au cours de laquelle il avait essayé toutes les débauches, il se convertit à son lit de mort. Ses poèmes nous révèlent en lui une imagination fièvreuse, la fougue de la jeunesse, avec quelque chose d'outré dans le bien comme dans le mal, et surtout un désir effréné d'échapper par le rêve à toutes les réalités du monde.

C. LE POÈTE

1. *Le fond.*

Rimbaud a d'abord imité Victor Hugo, les Parnassiens et Baudelaire; mais bientôt il a cherché une formule nouvelle et personnelle. Dans un passage de *Une saison en Enfer*, intitulé "L'alchimie du verbe," il a donné une explication de son œuvre que les critiques interprètent à peu près ainsi: il abandonne toute logique, renonce à exprimer des pensées et même à créer des images: pour lui la poésie doit suggérer, comme une hallucination, le rêve intérieur du poète, au moyen de la musique des mots, non de leur signification. Le poète doit être un "voyant." "J'écrivais des silences, des nuits, je notais l'inexprimable. Je fixais des vertiges" ("L'alchimie du verbe"). Sa poésie se trouve, de ce fait, encombrée de symboles, de métaphores compliquées et touffues, d'allusions difficilement compréhensibles: elle présente souvent l'incohérence du rêve.

2. *La forme.*

Au début, son vers se ressent de l'influence du Parnasse et se conforme presque toujours aux règles traditionnelles; il a plus tard employé une sorte de prose rythmée, qui deviendra le modèle du vers libre.

D. CONCLUSION

L'influence de Rimbaud a été considérable dès la publication des *Illuminations* en 1886. Il est la grande inspiration de toutes les écoles de poésie nées après lui. Les symbolistes se réclament de lui pour l'assouplissement du vers, la musique des mots, mais surtout pour la collaboration qu'ils demandent au lecteur qui doit interpréter lui-même ce qui, dans le rêve du poète, est suggéré et non exprimé.

VOYELLES

Il ne faut pas prendre trop au sérieux ce poème que Rimbaud lui-même considérait comme un paradoxe amusant (*Une saison en Enfer*: "L'alchimie du verbe"—'Délires,' II.). Il a néanmoins

été très remarqué par les symbolistes, qui y ont vu une nouvelle
forme de ces "correspondances" que Baudelaire avait déjà indi-
quées. Un érudit, M. E. Gaubert, a proposé "une explication
nouvelle du sonnet des "Voyelles" d'Arthur Rimbaud" (*Mercure
de France*, novembre 1904). Il a, en effet, découvert un vieil
alphabet publié entre 1840 et 1859, dans lequel chaque voyelle
est coloriée de la façon indiquée par Rimbaud et entourée de
gravures qui offrent des analogies avec les visions évoquées dans
ce sonnet.

A noir, E blanc, I rouge, U vert, O bleu, voyelles,
Je dirai quelque jour vos naissances latentes.[1]
A, noir corset velu des mouches éclatantes
Qui bombillent [2] autour des puanteurs cruelles,

Golfe d'ombre; E, candeur des vapeurs et des tentes,
Lance des glaciers fiers, rois blancs, frissons d'ombelles; [3]
I, pourpre, sang craché, rire des lèvres belles
Dans la colère ou les ivresses pénitentes;

U, cycles, vibrements divins des mers virides,[4]
Paix des pâtis [5] semés d'animaux, paix des rides
Que l'alchimie imprime aux grands fronts studieux;

O, suprême clairon plein de strideurs [6] étranges,
Silences traversés des Mondes et des Anges:
—O l'Oméga, rayon violet de Ses Yeux! [7]

Illuminations

[1] latentes: cachées.
[2] bombillent: bourdonnent: "buzz."
[3] ombelles: "umbels."
[4] virides: vertes.
[5] pâtis: "pasture grounds."
[6] strideur: "shrillness."
[7] Ses Yeux: peut-être une allusion à une jeune fille que Rimbaud aimait à
cette époque.

LE DORMEUR DU VAL

Ce poème, écrit en novembre 1870, est la reproduction d'une scène que Rimbaud vit pendant un de ces voyages à pied qu'il fit audacieusement malgré la guerre et les dangers de toute sorte.

C'est un trou de verdure où chante une rivière
Accrochant follement aux herbes des haillons
D'argent, où le soleil, de la montagne fière,
Luit; c'est un petit val qui mousse [8] de rayons.

Un soldat jeune, bouche ouverte, tête nue
Et la nuque baignant dans le frais cresson [9] bleu,
Dort: il est étendu dans l'herbe, sous la nue,
Pâle dans son lit vert où la lumière pleut.

Les pieds dans les glaïeuls, il dort.   Souriant comme
Sourirait un enfant malade, il fait un somme.
Nature, berce-le chaudement: il a froid!

Les parfums ne font pas frissonner sa narine;
Il dort dans le soleil, la main sur sa poitrine
Tranquille.   Il a deux trous rouges au côté droit.

Poésies

MARINE

Voici un exemple curieux de ces hallucinations que Rimbaud cherchait à provoquer en lui-même pour les exprimer ensuite.   Il décrit la mer et la lande en interchangeant le vocabulaire de telle sorte qu'elles semblent s'identifier devant sa vision.

Les chars d'argent et de cuivre,
Les proues d'acier et d'argent,
Battent l'écume,
Soulèvent les souches des [10] ronces.

[8] mousse: "sparkles."
[9] cresson: "water cress."
[10] souches: "stumps."

Les courants de la lande,
Et les ornières [11] immenses du reflux,
Filent circulairement vers l'est,
Vers les piliers [12] de la forêt,
Vers les fûts [13] de la jetée [14]
Dont l'angle est heurté par des tourbillons de lumière.

Illuminations

BATEAU IVRE

Voici le plus célèbre des poèmes de Rimbaud, celui dans lequel apparaît le mieux son étrange génie, celui aussi qui a exercé l'influence la plus profonde sur la poésie moderne.   Au moyen du symbole du bateau sans pilote, que le fleuve emporte vers une mer inconnue, Rimbaud veut représenter son âme qui désire s'évader des contraintes de la vie civilisée et marcher vers l'aventure.   On étudiera, dans ce poème, l'imagination puissante, les visions hallucinées qui donnent à la poésie de Rimbaud son atmosphère particulière.   Pour apprécier ce que ce poème a d'extraordinaire, il faut considérer qu'il a été écrit alors que le poète, âgé seulement de dix-sept ans, n'avait jamais vu la mer.   D'autre part si l'on pense à sa vie si pleine d'action et d'aventures et à sa fin prématurée, il devient évident que Rimbaud, dans un moment de divination, a eu le pressentiment de son étrange destin.

Comme je descendais des Fleuves impassibles,
Je ne me sentis plus guidé par les haleurs.[15]
Des Peaux-Rouges criards les avaient pris pour cibles,[16]
Les ayant cloués nus aux poteaux de couleurs.

J'étais insoucieux de tous les équipages,
Porteur de blés flamands ou de cotons anglais.
Quand avec mes haleurs ont fini ces tapages,
Les Fleuves m'ont laissé descendre où je voulais.

[11] ornières: "ruts."
[12] piliers: "piles," "pillars": ce mot devrait se rapporter à la jetée.
[13] fûts: "columns": ce mot devrait se rapporter aux arbres de la forêt.
[14] jetée: "pier."
[15] haleurs: "haulers."
[16] cibles: "targets."

Dans les clapotements furieux des marées,
Moi, l'autre hiver, plus sourd [17] que les cerveaux d'enfants,
Je courus! et les péninsules démarrées [18]
N'ont pas subi tohu-bohus plus triomphants.

La tempête a béni mes éveils maritimes.[19]
Plus léger qu'un bouchon j'ai dansé sur les flots
Qu'on appelle rouleurs éternels de victimes,
Dix nuits, sans regretter l'œil niais des falots.

Plus douce qu'aux enfants la chair des pommes sures,[20]
L'eau verte pénétra ma coque de sapin
Et des taches de vins bleus et des vomissures
Me lava, dispersant gouvernail et grappin.[21]

Et, dès lors, je me suis baigné dans le poème
De la mer infusé d'astres et lactescent,[22]
Dévorant les azurs verts où, flottaison blême
Et ravie, un noyé pensif parfois descend.

Où, teignant tout à coup les bleuités, délires
Et rythmes lents sous les rutilements du jour,
Plus fortes que l'alcool, plus vastes que vos lyres,
Fermentent les rousseurs amères de l'amour!

[17] sourd: jusqu'à ce moment sa vie avait été calme, car comme un enfant, il
était resté sourd à l'appel de l'aventure.
[18] péninsules démarrées: c'est-à-dire "qui ont rompu leurs amarres." Il
veut sans doute comparer la navigation agitée du bateau au milieu des tempêtes,
aux cataclysmes qui ont créé les péninsules et les îles.
[19] éveils maritimes: son premier contact avec la mer.
[20] sures: au goût acide: "sour."
[21] grappin: petite ancre à plusieurs pointes: "grapnel."
[22] lactescent: laiteux.

Je sais les cieux crevant en éclairs, et les trombes,[23]
Et les ressacs,[24] et les courants; je sais le soir,
L'aube exaltée [25] ainsi qu'un peuple de colombes,
Et j'ai vu quelquefois ce que l'homme a cru voir.[26]

J'ai vu le soleil bas taché d'horreurs mystiques,[27]
Illuminant de longs figements violets;[28]
Pareils à des acteurs de drames très antiques,
Les flots roulant au loin leurs frissons de volets.[29]

J'ai rêvé la nuit verte aux neiges éblouies,
Baisers montant aux yeux des mers avec lenteur:
La circulation des sèves inouïes,
Et l'éveil jaune et bleu des phosphores chanteurs.[30]

* * *

Or moi, bateau perdu sous les cheveux des anses,[31]
Jeté par l'ouragan dans l'éther sans oiseau [32]
Moi dont les Monitors et les voiliers des Hanses [33]
N'auraient pas repêché la carcasse ivre d'eau,

[23] trombes: "water spouts."
[24] ressacs: "surf."
[25] L'aube exaltée: qui s'élève dans le ciel.
[26] ce que l'homme a cru voir: des spectacles étranges qui, s'ils ont été vus par d'autres hommes, ont été pris pour des visions hallucinatoires.
[27] horreurs mystiques: allusions aux mythes qui voient dans le coucher du soleil la mort d'un dieu.
[28] figements violets: des nuages violets qui semblent figés ("curdled") sur le fond pourpre du soleil couchant.
[29] frissons de volets: les ondulations régulières de la mer sont comparées aux fentes parallèles des volets ("shutters").
[30] phosphores chanteurs: la couleur éblouissante des phosphorescences évoque par transposition l'idée de notes éclatantes.
[31] cheveux des anses: le bateau était autrefois prisonnier dans une anse ("cove") vaseuse pleine d'herbes aquatiques.
[32] éther sans oiseau: la mer. Rimbaud semble ne faire aucune différence entre la mer et le ciel.
[33] Hanses: compagnies de commerce formées par les ports allemands du 13e au 18e siècle: "the Hanseatic cities."

Libre, fumant, monté [34] de brumes violettes,
Moi qui trouais le ciel rougeoyant comme un mur
Qui porte, confiture exquise [35] aux bons poètes,
Des lichens de soleil et des morves [36] d'azur,

Qui courais taché de lunules [37] électriques,
Planche folle, escorté des hippocampes [38] noirs,
Quand les Juillets faisaient crouler à coups de triques [39]
Les cieux ultramarins aux ardents entonnoirs,

Moi qui tremblais, sentant geindre à cinquante lieues
Le rut des Béhémots [40] et des Maelstroms épais,
Fileur éternel des immobilités bleues,
Je regrette l'Europe aux anciens parapets.

J'ai vu des archipels sidéraux, et des îles
Dont les cieux délirants sont ouverts au vogueur:
Est-ce en ces nuits sans fond que tu dors et t'exiles,
Million d'oiseaux d'or, ô future Vigueur? [41]

Mais, vrai, j'ai trop pleuré.   Les aubes sont navrantes
Toute lune est atroce et tout soleil amer.
L'âcre amour m'a gonflé de torpeurs enivrantes.
Oh, que ma quille éclate! oh, que j'aille à la mer! [42]

[34] monté: ayant pour équipage.
[35] confiture exquise: les végétations qui couvrent la coque du bateau sont agréables au poète car elles sont la marque du voyage fantastique qu'il a accompli.
[36] morves: "mucus."
[37] lunules: figures en forme de croissant: "lunules."
[38] hippocampe: monstre mythologique ayant la tête d'un cheval et le corps terminé en queue de poisson.
[39] à coups de triques: la chaleur intense de juillet frappe comme un coup de bâton.
[40] Béhémots: "behemoth": animal monstrueux dont parle le *Livre de Job*.
[41] ô future Vigueur: le poète se demande si dans ces régions inconnues du ciel ne se cache pas la réserve inépuisable d'énergie qui doit régénérer le monde.
[42] que j'aille à la mer: que je coule au fond de la mer.

Si je désire une eau d'Europe, c'est la flache [43]
Noire et froide où, vers le crépuscule embaumé,
Un enfant accroupi, plein de tristesse, lâche
Un bateau frêle comme un papillon de mai.

Je ne puis plus, baigné de vos langueurs, ô lames,
Enlever leur sillage [44] aux porteurs de cotons,
Ni traverser l'orgueil des drapeaux et des flammes,
Ni nager sous les yeux horribles des pontons! [45]

Poésies

[43] flache: petite mare.
[44] Enlever leur sillage: surgir brusquement par le travers des navires de commerce et couper leur sillage.
[45] yeux horribles des pontons: les pontons ("hulks") sont de vieux navires généralement employés comme prisons; leurs yeux sont les hublots ("port holes").

XII. STÉPHANE MALLARMÉ (1842–1898)

Stéphane Mallarmé, né en 1842, fit ses études au collège de Sens. En 1862, après un séjour en Angleterre où il étudia sérieusement la langue, il devint professeur d'anglais; il enseigna d'abord en province, puis à Paris à partir de 1873. Il collabora alors à différentes revues, mais son œuvre poétique resta inconnue jusqu'au jour où son nom fut révélé au public par Huysmans dans son roman *A Rebours* (1884). Il devint alors le chef reconnu du groupe symboliste et reçut chez lui, tous les mardis soirs, les principaux poètes de la jeune génération. Il se retira en 1894 aux environs de Paris et mourut le 9 novembre 1898.

A. PRINCIPALES ŒUVRES DE MALLARMÉ

1. Poésie: *L'Après-midi d'un Faune* (1876); *Poésies complètes* (1887 et 1889).

2. Prose: Traduction des poèmes d'Edgar Poe (1888); *La musique et les lettres* (1894).

B. PERSONNALITÉ DE MALLARMÉ

Mallarmé avait fait deux parts de sa vie; l'une vouée à la tâche quotidienne qui lui assurait l'existence, l'autre consacrée à la poésie pure qui lui permettait d'oublier la monotonie et l'ennui de la vie journalière. Il vivait enfermé dans une sorte d'extase hallucinée où venaient se révéler à lui les idées qui, d'après ses théories, sont la seule réalité de ce monde; inlassablement il se berçait de musique dont il était un fervent amateur. Ce rêve intérieur qui le laissait parfaitement équilibré et normal, il le communiquait à ses disciples dans des causeries délicates et discrètes qui firent le succès de ses "Mardis" et lui valurent, à la mort de Verlaine, d'hériter du titre de "Prince des poètes." Mais il se fit bientôt un jeu et une pose de cet idéalisme transcendental; il devint de plus en plus subtil et obscur, et une grande partie de son œuvre est, de ce fait, à peu près incompréhensible à première lecture.

C. L'ŒUVRE DE MALLARMÉ

1. *La poésie d'évocation.*

Il a d'abord appartenu au groupe des Parnassiens. Ses premiers poèmes, d'ailleurs fort remarquables, ont pour la forme et le fond beaucoup de ressemblances avec ceux de Baudelaire. Mais il abandonna cette première manière et devint le créateur d'un genre de poésie entièrement nouveau. Cette poésie dont il a éliminé tous les éléments de sensation et de sentiment est purement intellectuelle. Les idées qui en sont l'objet, se présentent à l'esprit du poète dans des sortes d'hallucinations; elles ont entre elles des affinités qui les font s'associer comme s'harmonisent, les uns avec les autres, les sons et les couleurs. Le poète ne doit pas expliquer ces idées, encore moins les développer, mais donner au lecteur des occasions de les évoquer lui-même, de rêver à leur sujet et de pénétrer ainsi dans le monde des symboles.

2. *La poésie et la musique.*

Cette sorte de poésie est très éloignée de la logique du raisonnement. C'est la musique qu'elle imite et à laquelle elle emprunte ses procédés de composition; un poème devient une sorte de symphonie, ayant un thème fondamental que l'auteur, à la façon du musicien, doit orchestrer au moyen de toutes les idées accessoires qui peuvent s'y rapporter. Mallarmé crée ainsi une sorte de poésie très touffue, très riche, mais aussi très obscure pour ceux qui ne sont pas sensibles à toutes les variations possibles du thème fondamental.

3. *L'expression de cette poésie.*

    a. *Le rythme.* Le vers qui conviendra à une telle poésie ne sera plus le rythme spontanément trouvé par les romantiques ou laborieusement ciselé par les Parnassiens, mais le produit d'une recherche studieuse ayant pour but de faire naître des associations d'idées et des correspondances dans l'âme du lecteur.

    b. *La syntaxe.* La syntaxe habituelle ne convient pas non plus à la poésie transcendentale; celle qu'emploie Mallarmé doit coordonner les idées et non plus les parties du discours;

il est ainsi amené à emprunter des constructions de phrases aux autres langues, à l'allemand et surtout à l'anglais. Dans ces conditions, Mallarmé a été contraint à un travail de grammairien si méticuleux que son inspiration en a souvent été paralysée.

c. *Le vocabulaire.* Les mots ordinaires, créés pour un usage pratique, sont trop lourds pour exprimer cette poésie; Mallarmé consent cependant à les employer, mais pour leur valeur musicale seulement, leur accordant tantôt leur sens usuel, tantôt leur sens étymologique ou figuré, leur faisant subir toutes les transformations qui lui semblent nécessaires.

D. CONCLUSION

Pour avoir voulu s'enfermer dans un rêve abstrait, Mallarmé a créé une sorte de poésie difficile et quelque peu précieuse dont il a augmenté comme à dessein l'obscurité. Ayant voulu tenter l'impossible, il a laissé une œuvre fragmentaire, mais de très grande valeur, et sa réputation n'a fait que grandir depuis sa mort. Son plus grand titre de gloire est peut-être d'avoir été une sorte d'apôtre pour les jeunes poètes qui l'entouraient et qui admiraient jusqu'à ses défauts. Il leur a enseigné la richesse du rêve intérieur, la valeur évocatrice de la musique des mots et la nécessité d'un minutieux travail de la forme. Il fut le vrai créateur du symbolisme.

§ 1.   L'INSPIRATION BAUDELAIRIENNE
L'AZUR

"L'Azur" symbolise la beauté idéale que le poète désespère de pouvoir reproduire. Le sentiment de son impuissance devient pour lui une souffrance qui le torture, et la beauté finit par être un défi ironique et une insulte.

De l'éternel Azur la sereine ironie
Accable, belle indolemment comme les fleurs,
Le poète impuissant qui maudit son génie [1]
A travers un désert stérile de Douleurs.

[1] maudit son génie: parce que c'est le génie qui lui fait connaître l'existence de cet idéal qu'il ne peut atteindre.

Fuyant, les yeux fermés, je le sens qui regarde
Avec l'intensité d'un remords atterrant,[2]
Mon âme vide.   Où fuir?   Et quelle nuit hagarde
Jeter, lambeaux,[3] jeter sur ce mépris navrant?

Brouillards, montez!   Versez vos cendres monotones,
Avec de longs haillons de brume dans les cieux
Que noiera le marais livide des automnes,
Et bâtissez un grand plafond silencieux!

Et toi, sors des étangs léthéens [4] et ramasse,
En t'en venant, la vase et les pâles roseaux,
Cher Ennui, pour boucher d'une main jamais lasse
Les grands trous bleus [5] que font méchamment les oiseaux.

Encor! que sans répit les tristes cheminées
Fument, et que de nuit une errante prison
Éteigne dans l'horreur de ses noires traînées
Le soleil se mourant jaunâtre à l'horizon!

—Le Ciel est mort.—Vers toi, j'accours! donne, ô matière,[6]

L'oubli de l'Idéal cruel et du Péché
A ce martyr qui vient partager la litière [7]
Où le bétail heureux des hommes est couché,

---

[2] atterrant: qui accable de désespoir.
[3] lambeaux: il voudrait pouvoir voiler cet éclat ironique de l'Azur avec des "lambeaux" ("shreds") de brouillard et de fumée.
[4] léthéens: du Léthé, fleuve des Enfers, dans la mythologie grecque; ses eaux faisaient oublier le passé à ceux qui en buvaient.
[5] grands trous bleus: exemple de correspondances entre les sensations visuelles et auditives.   Le poète attribue aux chants des oiseaux les trous bleus qui apparaissent dans les déchirures des nuages.
[6] ô matière: la vie matérielle, les plaisirs grossiers des sens.
[7] litière: les hommes vulgaires, qui ne sont pas hantés par l'idéal, sont comparés par le poète à des animaux couchés sur la litière; il envie pourtant leur bonheur grossier, et va se joindre à leur foule stupide.

Car j'y veux, puisque enfin ma cervelle, vidée
Comme le pot de fard [8] gisant au pied d'un mur,
N'a plus l'art d'attifer [9] la sanglotante idée,
Lugubrement bâiller vers un trépas obscur. . . .

En vain! l'Azur triomphe, et je l'entends qui chante
Dans les cloches.   Mon âme, il se fait voix pour plus
Nous faire peur avec sa victoire méchante,
Et du métal vivant sort en bleus angélus! [10]

Il roule par la brume, ancien [11] et traverse
Ta native agonie [12] ainsi qu'un glaive sûr;
Où fuir dans la révolte inutile et perverse?
Je suis hanté.   L'Azur! l'Azur! l'Azur! L'Azur!

Poésies

BRISE MARINE

Ce poème célèbre traite le thème baudelairien de "l'invitation
au voyage."   Fatigué du bonheur paisible et monotone, le poète
entend retentir au fond de son âme l'appel irrésistible de l'aventure,
et délaissant ceux qu'il aime, il va s'évader vers l'inconnu mystérieux dont il rêve.

La chair est triste, hélas! et j'ai lu tous les livres.
Fuir! là-bas fuir!   Je sens que les oiseaux sont ivres
D'être parmi l'écume inconnue [13] et les cieux!
Rien, ni les vieux jardins reflétés par les yeux

[8] fard: "rouge."
[9] attifer: parer, embellir.
[10] bleus angélus: autre correspondance.   Pour le poète hanté par l'Azur la
voix des cloches est bleue.
[11] ancien: l'Azur est éternel et infini.
[12] native agonie: ce désespoir qui lui fait désirer la mort, le poète le portait
en lui depuis sa naissance.
[13] écume inconnue: écume des mers inconnues.

Ne retiendra ce cœur qui dans la mer se trempe
O nuits ! ni la clarté déserte [14] de ma lampe
Sur le vide papier que la blancheur défend [15]
Et ni la jeune femme allaitant son enfant.
Je partirai!   Steamer balançant ta mâture,
Lève l'ancre pour une exotique nature!
Un Ennui, désolé par les cruels espoirs,
Croit encore à l'adieu suprême [16] des mouchoirs!
Et, peut-être, les mâts, invitant les orages,
Sont-ils de ceux qu'un vent penche sur les naufrages [17]
Perdus, sans mâts, sans mâts, ni fertiles îlots . . .
Mais, ô mon cœur, entends le chant des matelots!

Poésies

§ 2. LA POÉSIE MALLARMÉENNE

ÉVENTAIL DE MADEMOISELLE MALLARMÉ

Voici un exemple de la véritable poésie mallarméenne, poésie d'évocation dans laquelle le fait le plus banal, l'objet le plus ordinaire, suffisent à éveiller la rêverie du poète qui, d'image en image, semble se prolonger indéfiniment.   L'éventail parle à la jeune fille et lui demande de rêver à son sujet: il deviendra alors l'aile qui palpite dans sa main; l'air qu'il agite viendra effleurer sa main comme un baiser; ses plis seront les retraites mystérieuses où viendront se cacher les sourires de la jeune fille; replié, il sera le sceptre d'un royaume imaginaire où elle pourra, en rêve, venir contempler le soleil couchant.

[14] déserte: abandonnée par le poète découragé.
[15] la blancheur défend: le poète ne veut pas souiller la blancheur du papier par des mots inutiles.
[16] l'adieu suprême: bien que l'affection des êtres chers soit impuissante à le retenir, il connaîtra cependant la mélancolie des adieux que symbolisent les mouchoirs agités par ceux qu'il quitte.
[17] naufrages: tous les dangers qui l'attendent sur ces mers inconnues, ne peuvent l'empêcher d'entendre l'appel qui retentit dans "le chant des matelots."

O rêveuse, pour que je plonge [18]
Au pur délice sans chemin [19]
Sache, par un subtil mensonge,
Garder mon aile dans ta main.

Une fraîcheur de crépuscule
Te vient à chaque battement
Dont le coup prisonnier recule
L'horizon délicatement.

Vertige! voici que frissonne
L'espace comme un grand baiser
Qui, fou de naître pour personne,
Ne peut jaillir ni s'apaiser.

Sens-tu le paradis farouche
Ainsi qu'un rire enseveli
Se couler du coin de ta bouche
Au fond de l'unanime [20] pli.

Le sceptre des rivages roses
Stagnants sur les soirs d'or, ce l'est,[21]
Ce blanc vol fermé que tu poses
Contre le feu d'un bracelet.

Poésies

LE TOMBEAU D'EDGAR POE

On appelle "tombeau" une œuvre dans laquelle on rend hommage à la mémoire d'un écrivain mort en célébrant son génie. Voici celui que Mallarmé écrivit en l'honneur d'Edgar Poe qui eut sur lui, comme sur Baudelaire, une profonde influence, et dont

[18] pour que je plonge: pour que je te plonge.
[19] sans chemin: qui te donnera l'illusion d'être perdue dans un monde inconnu.
[20] unanime: les plis réguliers de l'éventail semblent animés d'une même vie. (Latin *unus*, un, et *animus*, esprit.)
[21] ce l'est: construire "Ce blanc vol . . . c'est le sceptre."

il traduisit l'œuvre poétique. Écrit dans la forme subtile de
Mallarmé, il semble incompréhensible à première lecture, et nous
donnons, à titre de curiosité, la paraphrase que propose Jules
Lemaître.

1ᵉʳ quatrain:

Redevenu vraiment maître de lui-même, tel qu'enfin l'éternité
nous le montre, le poète, de l'éclair de son glaive nu, réveille et
avertit son siècle, épouvanté de ne pas s'être aperçu que sa voix
étrange était la grande voix de la mort.

2ᵉ quatrain:

La foule qui d'abord avait sursauté comme une hydre en enten-
dant donner un sens nouveau et plus pur aux mots du langage
vulgaire, proclama très haut que le sortilège qu'il nous jetait, il
l'avait puisé dans l'ignoble ivresse des alcools ou des absinthes.

1ᵉʳ tercet:

O crime de la terre et du ciel! Si avec les images qu'il nous a
suggérées, nous ne pouvons sculpter un bas-relief dont se pare sa
tombe éblouissante.

2ᵉ tercet:

Que du moins ce granit, calme bloc pareil à l'aérolithe qu'a jeté
sur terre quelque désastre mystérieux, marque la borne où les
blasphèmes futurs des ennemis du poète viendront briser leur vol
noir.

(Lemaître, Les Contemporains, t. V, p. 43)

Tel qu'en Lui-même enfin l'éternité le change,
Le Poète suscite avec un glaive nu
Son siècle épouvanté de n'avoir pas connu
Que la mort triomphait dans cette voix étrange!

Eux, comme un vil sursaut d'hydre oyant jadis l'ange
Donner un sens plus pur aux mots de la tribu
Proclamèrent très haut le sortilège bu
Dans le flot sans honneur de quelque noir mélange.

Du sol et de la nue hostiles, ô grief!
Si notre idée avec ne sculpte un bas-relief
Dont la tombe de Poe éblouissante s'orne

Calme bloc ici-bas chu d'un désastre obscur
Que ce granit du moins montre à jamais sa borne
Aux noirs vols du Blasphème épars dans le futur.

Poésies

XIII. ALBERT SAMAIN (1858–1900)

Albert Samain est né à Lille le 3 avril 1858. La mort de son
père l'ayant forcé d'interrompre ses études, il dut mener la vie
obscure et difficile d'un petit employé, soutien de famille; il vécut
d'abord à Lille puis à Paris depuis 1880 jusqu'à sa mort en 1900.
Il échappait à la monotonie de sa vie par la lecture des grands poètes
et par l'étude du grec et de l'anglais qu'il poussa fort loin. Il
acquit un peu d'argent et des loisirs après la publication de son
premier ouvrage, qui connut un grand succès; il put ainsi un peu
voyager et visiter la Savoie, la Provence, l'Italie et l'Allemagne.
Il contribua à la fondation du *Mercure de France* dont il fut un
collaborateur assidu.   Il mourut à quarante-deux ans d'une maladie
de poitrine.

A. ŒUVRES DE SAMAIN

1. Poésie: *Au Jardin de l'Infante* (1893); *Aux flancs du vase* (1898);
   Le Chariot d'or (posthume: 1901).

2. Drame en vers: *Polyphème* (joué au Théâtre de l'Œuvre, 1904).

3. Prose: un volume de *Contes* (posthume: 1902).

B. L'ŒUVRE DE SAMAIN

1. *L'inspiration.*

Samain a tout d'abord été influencé par les romantiques qui ont
laissé en lui quelque chose de leur pessimisme, de leur mélancolie
et de leur amour de la solitude.   Comme eux il laisse son imagination l'entraîner vers des rêves pittoresques ou exotiques.   Il subit
ensuite pendant un temps l'influence de Baudelaire et des Parnassiens, qui lui enseignent le respect de la forme et le culte de la beauté
plastique.   Enfin son admiration pour Verlaine fixe sa manière et
le rattache au mouvement symboliste.   Ayant plus ou moins imité
tous ces maîtres, il n'est pas très original quant à l'inspiration; il
l'est surtout par son art.

2. *L'art.*

Son œuvre, parfaitement harmonieuse, est celle d'un grand peintre et d'un grand musicien. Malgré la valeur de ses reconstitutions de la vie antique et la vigueur de quelques poèmes isolés, Samain a plus de grâce et de souplesse que de puissance. Il est avant tout l'interprète des rêveries vagues, des tristesses résignées et touchantes, de l'amour à la fois sensuel et mystique, et peu de poètes ont aussi bien rendu la splendeur triste du crépuscule ou le charme mélancolique du clair de lune.

Cette poésie féminine et fluide est soutenue par une forme qui, sans être rigide, est cependant classique; il ne s'est permis aucune des libertés du symbolisme, et, comme les Parnassiens, il a particulièrement aimé le cadre étroit du sonnet. Sa langue comme son style est remarquablement pure et il a réussi à fondre harmonieusement dans son œuvre l'élégance parnassienne, la subtilité symboliste et la clarté du classicisme.

L'INFANTE [1]

C'est le poème de Samain le plus souvent cité; il est en effet un bon exemple de cette douceur féminine et de cette tristesse nostalgique et résignée qui caractérisent son œuvre.

Mon âme est une infante en robe de parade,
Dont l'exil se reflète, éternel et royal,
Aux grands miroirs déserts d'un vieil Escurial,[2]
Ainsi qu'une galère oubliée dans la rade.

Aux pieds de son fauteuil, allongés noblement,
Deux lévriers d'Écosse aux yeux mélancoliques
Chassent, quand il lui plaît, les bêtes symboliques
Dans la forêt du Rêve et de l'Enchantement.

Son page favori, qui s'appelle Naguère,
Lui lit d'ensorcelants poèmes à mi-voix,
Cependant qu'immobile, une tulipe aux doigts,
Elle écoute mourir en elle leur mystère. . . .

[1] Infante: " Infanta": nom donné aux filles des rois d'Espagne et de Portugal.
[2] Escurial: palais des rois d'Espagne, près de Madrid.

Le parc alentour d'elle étend ses frondaisons,[3]
Ses marbres, ses bassins, ses lampes à balustres;[4]
Et, grave, elle s'enivre à ces songes illustres
Que recèlent pour nous les nobles horizons.

Elle est là, résignée et douce, et sans surprise,
Sachant trop pour lutter comme tout est fatal,
Et se sentant, malgré quelque dédain natal,
Sensible à la pitié comme l'onde à la brise.

Elle est là résignée, et douce en ses sanglots,
Plus sombre seulement quand elle évoque en songe
Quelque Armada sombrée à l'éternel mensonge,[5]
Et tant de beaux espoirs endormis sous les flots.

Des soirs trop lourds de pourpre où sa fierté soupire,
Les portraits de Van Dyck [6] aux beaux doigts longs et purs,
Pâles en velours noir sur l'or vieilli des murs,
En leurs grands airs défunts la font rêver d'empire.

Les vieux mirages d'or ont dissipé son deuil,
Et dans les visions où son ennui s'échappe,
Soudain—gloire ou soleil—un rayon qui la frappe
Allume en elle tous les rubis de l'orgueil.

Mais d'un sourire triste elle apaise ces fièvres;
Et, redoutant la foule aux tumultes de fer,
Elle écoute la vie—au loin—comme la mer . . .
Et le secret se fait plus profond sur ses lèvres.

---

[3] frondaisons: "foliage."
[4] balustres: "balusters."
[5] mensonge: les rêves détruits par la vie sont comparés à l'Armada dispersée
et détruite par la tempête.
[6] Van Dyck: célèbre portraitiste de l'école flamande (1599–1641).

Rien n'émeut d'un frisson l'eau pâle de ses yeux,
Où s'est assis l'esprit voilé des Villes mortes;
Et par les salles, où sans bruit tournent les portes,
Elle va, s'enchantant de mots mystérieux.

L'eau vaine des jets d'eau là-bas tombe en cascade,
Et, pâle, à la croisée, une tulipe aux doigts,
Elle est là, reflétée aux miroirs d'autrefois,
Ainsi qu'une galère oubliée en la rade.

Mon Âme est une infante en robe de parade.

Au Jardin de l'Infante

SOIR

Ce sonnet est très représentatif de plusieurs côtés importants du symbolisme; c'est une véritable symphonie de correspondances entre les couleurs, la musique et les parfums; on y respire ce mysticisme vague, cette atmosphère d'irréalité qu'on trouve dans la peinture des préraphaélites anglais, qui exercèrent une grande influence sur les symbolistes.

Le Séraphin des soirs passe le long des fleurs . . .
La Dame-aux-Songes chante à l'orgue de l'église;
Et le ciel, où la fin du jour se subtilise,[7]
Prolonge une agonie exquise de couleurs.

Le Séraphin des soirs passe le long des cœurs . . .
Les vierges au balcon boivent l'amour des brises; [8]
Et sur les fleurs et sur les vierges indécises [9]
Il neige lentement d'adorables pâleurs.

[7] se subtilise: les nuances du ciel deviennent de plus en plus difficiles à distinguer.
[8] l'amour des brises: le parfum de la brise les fait rêver à l'amour.
[9] indécises: il devient difficile de les voir dans l'obscurité qui augmente.

Toute rose au jardin s'incline, lente et lasse,
Et l'âme de Schumann [10] errante par l'espace
Semble dire une peine impossible à guérir. . . .

Quelque part une enfant très douce doit mourir . . .
O mon âme, mets un signet [11] au livre d'heures,[12]
L'Ange va recueillir le rêve que tu pleures.

Au Jardin de l'Infante

VERSAILLES

L'âme nostalgique de Samain aime à se réfugier dans le passé
et à en évoquer les splendeurs disparues.   C'est ainsi que, comme
Verlaine, il a chanté harmonieusement les fêtes galantes, et évoqué
"l'âme divine de Watteau." Voici le premier d'une série de
sonnets sur Versailles dans lesquels il rend avec un art consommé
la mélancolie sereine qui semble s'exhaler du parc et du château
déserts.

O Versailles, par cette après-midi fanée,
Pourquoi ton souvenir m'obsède-t-il ainsi?
Les ardeurs de l'été s'éloignent, et voici
Que s'incline vers nous la saison surannée.[13]

Je veux revoir au long d'une calme journée
Tes eaux glauques [14] que jonche un feuillage roussi,
Et respirer encore, un soir d'or adouci,
Ta beauté plus touchante au déclin de l'année.

[10] Schumann: quelqu'un joue une mélodie de Schumann dont la musique
mélancolique s'harmonise avec le crépuscule.
[11] signet: "marker," "bookmark."
[12] livre d'heures: "prayer book."
[13] saison surannée: l'automne est comparé à la vieillesse de l'année qui va
mourir: "superannuated."
[14] glauques: "sea-green."

Voici tes ifs en cône et tes tritons joufflus,[15]
Tes jardins composés [16] où Louis ne vient plus,
Et ta pompe arborant les plumes et les casques.

Comme un grand lys tu meurs, noble et triste, sans bruit;
Et ton onde épuisée au bord moisi [17] des vasques
S'écoule, douce ainsi qu'un sanglot dans la nuit.

Le Chariot d'or

LE REPAS PRÉPARÉ

Ce poème appartient à un recueil dans lequel, comme l'indique le titre, Samain a voulu décrire une série de spectacles familiers comme ceux que les Grecs représentaient sur leurs vases. Le décor est ici entièrement moderne, et le poète présente sous une forme légèrement idéalisée une de ces scènes de la vie quotidienne dont l'habitude nous empêche de sentir la beauté.

Ma fille, laisse là ton aiguille et ta laine;
Le maître va rentrer; sur la table de chêne
Avec la nappe neuve aux plis étincelants
Mets la faïence claire et les verres brillants.
Dans la coupe arrondie à l'anse en col de cygne
Pose les fruits choisis sur des feuilles de vigne:
Les pêches que recouvre un velours vierge encor,
Et les lourds raisins bleus mêlés aux raisins d'or.
Que le pain bien coupé remplisse les corbeilles,
Et puis ferme la porte et chasse les abeilles.
Dehors le soleil brûle, et la muraille cuit.
Rapprochons les volets, faisons presque la nuit,
Afin qu'ainsi la salle, aux ténèbres plongée,
S'embaume toute aux fruits dont la table est chargée.

[15] joufflus: "chubby": leurs joues sont gonflées parce qu'ils soufflent dans leurs conques.
[16] composés: allusion à la fois au caractère artificiel des jardins à la française et aussi à leur aspect froid et solennel.
[17] moisi: "mouldy."

Maintenant, va puiser l'eau fraîche dans la cour;
Et veille que surtout la cruche, à ton retour,
Garde longtemps, glacée et lentement fondue,
Une vapeur légère à ses flancs suspendue.

Aux flancs du vase

LA CUISINE

Voici un poème très curieux qui montre qu'il y avait dans l'œuvre de Samain des inspirations variées, et qui permet de penser que la mort l'empêcha de nous donner une œuvre très différente des poèmes de ses débuts.   Samain était d'origine flamande, et ce poème réaliste et sensuel, véritable "transposition d'art," semble reproduire une de ces natures mortes [18] qu'aiment les peintres flamands et hollandais.

Dans la cuisine où flotte une senteur de thym,
Au retour du marché, comme un soir de butin,[19]
S'entassent pêle-mêle avec les lourdes viandes
Les poireaux,[20] les radis, les oignons en guirlandes,
Les grands choux violets, le rouge potiron,[21]
La tomate vernie et le pâle citron.
Comme un grand cerf-volant [22] la raie [23] énorme et plate
Gît fouillée au couteau, d'une plaie écarlate.
Un lièvre au poil rougi traîne sur les pavés
Avec des yeux pareils à des raisins crevés.
D'un tas d'huîtres vidé d'un panier couvert d'algues
Monte l'odeur du large [24] et la fraîcheur des vagues.

[18] natures mortes: "still life pictures."
[19] butin: les victuailles entassées sur la table sont comparées au butin ("booty") réuni par les soldats après le pillage d'une ville.
[20] poireaux: "leeks."
[21] potiron: "pumpkin."
[22] cerf-volant: "kite."
[23] raie: "skate."
[24] du large: de la haute mer.

Les cailles, les perdreaux au doux ventre ardoisé
Laissent, du sang au bec, pendre leur cou brisé;
C'est un étal [25] vibrant de fruits verts, de légumes,
De nacre, d'argent clair, d'écailles et de plumes.
Un tronçon de saumon saigne et, vivant encor,
Un grand homard de bronze, acheté sur le port,
Parmi la victuaille au hasard entassée,
Agite, agonisant, une antenne [26] cassée.

Le Chariot d'or

[25] étal: table sur laquelle on débite la viande de boucherie: "stall."
[26] antenne: "feeler."

XIV. HENRI DE RÉGNIER (1864–   )

Henri de Régnier, qui appartient à une très ancienne famille de l'aristocratie française, est né à Honfleur le 28 décembre 1864. Venu à Paris avec sa famille en 1871, il fait ses études au lycée Stanislas, puis fait son droit, mais se consacre bientôt entièrement à la littérature. A quinze ans il avait écrit son premier poème, et à partir de ce moment il commença à collaborer à différentes revues sous le pseudonyme de Hughes Vitrix, pour marquer son admiration pour Hugo et Vigny. Il fréquenta les salons de Mallarmé et de Heredia, où il rencontra Leconte de Lisle qui eut une assez grande influence sur sa poésie. Il publia son premier livre *Les Lendemains* en 1885. En 1896 il épousa la seconde fille de Heredia, elle-même poète et romancière, qui écrit sous le nom de Gérard d'Houville. A partir de 1900, il ajouta à son œuvre poétique déjà considérable une œuvre en prose de tout premier ordre. En 1911, il fut élu à l'Académie française, et devint de ce fait le représentant officiel de la poésie en France.

A. ŒUVRES DE HENRI DE RÉGNIER

1. Poésie: *Les Lendemains* (1885); *Poèmes* (1887–1892); *Les Jeux rustiques et divins* (1897); *Premiers poèmes* (1899); *Les Médailles d'argile* (1900); *La Cité des Eaux* (1902); *La Sandale ailée* (1906); *Le Miroir des heures* (1910); *Vestigia flammae* (1921).

2. Prose:
   a. Romans: *La double maîtresse* (1900); *Le bon plaisir* (1902); *Les vacances d'un jeune homme sage* (1903); *Les rencontres de M. de Bréot* (1904); *Le passé vivant* (1905); *La peur de l'amour* (1907); *La flambée* (1909); *Romaine Mirmault* (1914); *La pécheresse* (1920); *L'escapade* (1926).
   b. Contes: *La canne de jaspe* (1897); *Couleur du temps* (1909); *Bonheurs perdus* (1923).

1. *Le symboliste.*

On a appelé Henri de Régnier "le novateur traditionnel,"
expression qui rend compte du double aspect de sa personnalité
et de son œuvre. Dans ses premiers poèmes il est symboliste et
reconnaît Mallarmé pour son maître; comme celui-ci, il cherche
sous les apparences le rêve caché, rêve qui chez lui est tout imprégné
de mythologie et de la douce mélancolie du passé qui meurt, tout
peuplé de statues antiques et d'objets d'art. Sa poésie est alors
faite de visions souvent vagues et insaisissables, parfois sensuelles
et voluptueuses, et toujours fières et aristocratiques, car Henri de
Régnier craint comme une indiscrétion de révéler son moi intime.

2. *Le classique.*

Après 1900, on remarque chez Henri de Régnier certains changements qui sont en réalité l'aboutissement d'une lente évolution.
Même dans ses poèmes d'inspiration symbolique, les rêves et les
suggestions se précisaient sous forme d'images aux contours nets;
il y avait dans l'allure générale quelque chose d'énergique et de
sculptural qui rappelait le Parnasse. L'influence de Heredia auquel
Régnier était attaché par "sa profonde admiration et sa filiale
reconnaissance" peut en partie expliquer ce retour à une poésie
plus traditionnelle. C'est à Heredia que sont dédiés *La Cité des
Eaux* et *La Sandale ailée.* La civilisation et l'art grecs semblent
avoir toujours exercé une sorte de fascination sur son esprit et
donnent à sa poésie, surtout après 1905, un caractère classique très
particulier; il n'a cependant jamais renié ses premières années de
poète symboliste.

3. *La forme.*

C'est principalement dans la forme que se marque l'évolution de
l'art de Henri de Régnier. Dès 1890, il a atteint la maturité de
son art, qui se caractérise surtout par l'emploi du vers libre. Pour
lui, le vers est une modulation de la voix; tout rythme est acceptable
à la seule condition qu'il soit beau. Il a su manier ce vers libre avec
une adresse suprême, et de plus il a su le faire accepter par la critique. Avant lui, en effet, le vers libre avait été souvent employé

par des poètes d'origine étrangère (le grec Moréas, les américains Viellé-Griffin et Stuart Merrill), et semblait aux lecteurs français une innovation dangereuse et éphémère.   Henri de Régnier montra que c'était au contraire un instrument d'une grande délicatesse, qui offrait des possibilités jusqu'alors inconnues.   Depuis 1900, cependant, il est revenu à des formes plus classiques et à l'alexandrin (les sonnets dominent dans *La Cité des Eaux* et les vers libres sont presque totalement absents dans *La Sandale ailée.*).   D'ailleurs, s'il fut hardi pour le rythme et la prosodie, M. de Régnier est au contraire conservateur en ce qui concerne la syntaxe et la langue.   Il s'est vanté de n'employer que des mots qui se trouvent dans *Le Petit Larousse*, et il a soigneusement évité l'obscurité voulue de certains symbolistes.

4. *Les œuvres en prose.*

Parallèlement à son œuvre en vers, Henri de Régnier a produit un nombre considérable de romans, contes et essais, dans lesquels il se montre artiste et psychologue de grande valeur.   Ses romans les plus remarquables sont des reconstructions historiques faisant revivre le 17e et le 18e siècles qui sont ses époques de prédilection.

C. CONCLUSION

Henri de Régnier est un poète éclectique qui s'inspire des sources les plus diverses et s'exprime sous une forme très variée.   Il rappelle quelquefois Vigny, Musset, Heredia, quelquefois Mallarmé et Verlaine.   Son élection à l'Académie a été la consécration officielle du symbolisme, parce qu'en lui cette école avait trouvé un représentant qui a su la faire accepter par le public, en modérant ses excès avec une habileté et un goût de pure tradition française classique.

L'ONDE NE CHANTE PLUS . . .

Avec l'antiquité grecque, les époques où se réfugie le plus volontiers la rêverie de Henri de Régnier sont le dix-septième et le dix-huitième siècles.   Il a célébré avec amour les villes dans lesquelles flotte encore le souvenir de ses époques de prédilection: Versailles et Venise.

Ce passage se trouve à la fin du "Salut à Versailles," le premier des poèmes de *La Cité des Eaux*.[1] On pourra comparer la mélancolie de Henri de Régnier, qui garde quelque chose de grave et de solennel, avec celle de Samain dans "Versailles," plus subjective et plus féminine.

L'onde ne chante plus en tes mille fontaines,
O Versailles, Cité des Eaux, Jardin des Rois!
Ta couronne ne porte plus, ô souveraine,
Les clairs lys de cristal qui l'ornaient autrefois!

La nymphe qui parlait par ta bouche s'est tue
Et le temps a terni sous le souffle des jours
Les fluides miroirs où tu t'es jadis vue
Royale et souriante en tes jeunes atours.[2]

Tes bassins, endormis à l'ombre des grands arbres,
Verdissent en silence au milieu de l'oubli,
Et leur tain,[3] qui s'encadre aux bordures de marbre,
Ne reconnaîtrait plus ta face d'aujourd'hui.

Qu'importe! ce n'est pas ta splendeur et ta gloire
Que visitent mes pas et que veulent mes yeux;
Et je ne monte pas les marches de l'histoire
Au-devant du Héros qui survit en tes Dieux.

Il suffit que tes eaux égales et sans fête
Reposent dans leur ordre et leur tranquillité,
Sans que demeure rien en leur noble défaite
De ce qui fut jadis un spectacle enchanté.

[1] La Cité des Eaux: c'est Michelet qui, le premier, a appelé ainsi Versailles, à cause des nombreuses fontaines de son parc.
[2] atours: "adornments," "finery."
[3] tain: étain mis derrière une glace pour qu'elle réfléchisse les objets. Ce mot est amené par la comparaison des bassins du parc de Versailles avec des miroirs où se reflète la façade du palais.

Que m'importent le jet, la gerbe et la cascade
Et que Neptune à sec [4] ait brisé son trident,
Ni qu'en son bronze aride un farouche Encelade [5]
Se soulève, une feuille morte entre les dents,

Pourvu que faible, basse, et dans l'ombre incertaine,
Du fond d'un vert bosquet qu'elle a pris pour tombeau,
J'entende longuement ta dernière fontaine,
O Versailles, pleurer sur toi, Cité des Eaux!

La Cité des Eaux

INSCRIPTION POUR LA PORTE DES GUERRIERS

Henri de Régnier imagine que dans une cité grecque, entourée de remparts, il consacre des portes aux divers groupes de la société, en y gravant une inscription appropriée. Celle de la porte des marchands est souple et humble, celle de la porte des comédiennes légère et harmonieuse, etc. Voici celle de la porte des guerriers, dure, éclatante, sonore, dont le rythme martial évoque le pas des légions.

Porte haute! ne crains point l'ombre, laisse ouvert
Ton battant [6] d'airain dur et ton battant de fer.
On a jeté tes clefs au fond de la citerne.
Sois maudite à jamais si la peur te referme;
Et coupe, comme au fil [7] d'un double couperet, [8]
Le poing de toute main qui te refermerait.
Car, sous ta voûte sombre où résonnaient leurs pas,
Des hommes ont passé qui ne reculent pas,
Et la Victoire prompte et haletante encor
Marchait au milieu d'eux, nue en ses ailes d'or,

---

[4] à sec: "high and dry": une statue de Neptune reste au milieu du bassin vide comme un navire sur le rivage à marée basse.

[5] Encelade: un des plus célèbres des Titans qui se révoltèrent contre Jupiter.

[6] battant: chaque partie d'une porte double (à deux battants).

[7] fil: "edge."

[8] couperet: "butcher's knife."

Et les guidait du geste calme de son glaive;
Et son ardent baiser en pourpre sur leur lèvre
Saignait, et les clairons aux roses de leurs bouches
Vibraient, rumeur de cuivre et d'abeilles farouches!
Ivre essaim de la guerre aux ruches des armures,
Allez cueillir la mort sur la fleur des chairs mûres,
Et si vous revenez vers la ville natale
Qu'on suive sur mon seuil au marbre de ses dalles,
Quand ils auront passé, Victoire, sous tes ailes,
La marque d'un sang clair à leurs rouges semelles!

Les Jeux rustiques et divins

ÉLÉGIE DOUBLE

Cette méditation mélancolique sur la mort et le souvenir est une
des œuvres les plus justement célèbres de Henri de Régnier. Si le
sujet est de tous les temps, le décor et l'atmosphère sont antiques
et pleins d'une grâce harmonieuse qui rappelle les plus beaux poèmes
de Chénier. La première partie est une prière adressée à l'ombre du
mort par l'amie vivante qui lui demande de quitter le séjour des
ombres pour venir visiter les lieux témoins de leur amour. La deuxième partie est la réponse de l'ombre, plaintive et vague comme un
écho. Tristement, le mort rappelle qu'il n'a plus de corps et qu'il
ne pourrait pas manifester sa présence; il est inutile qu'il revienne
dans ces lieux familiers, puisque l'amour de son amie lui assure la
seule vie à laquelle puissent prétendre les morts: la vie dans le
souvenir de ceux qu'ils aimèrent ici-bas.

Ami, le hibou [9] pleure où venait la colombe,
Et ton sang souterrain [10] a fleuri sur ta tombe
Et mes yeux qui t'ont vu sont las d'avoir pleuré
L'inexorable absence où tu t'es retiré

[9] hibou: "owl": il symbolise le deuil qui a remplacé l'amour, symbolisé par
la colombe.
[10] sang souterrain: les fleurs qui poussent sur la tombe se nourissent de son
corps.

Loin de mes bras pieux et de ma bouche triste.
Reviens! le doux jardin mystérieux t'invite
Et ton pas sera doux à sa mélancolie;
Tu viendras, les pieds nus et la face vieillie,
Peut-être, car la route est longue qui ramène
De la rive du Styx à notre humble fontaine
Qui pleure goutte à goutte et rit d'avoir pleuré.

Ta maison te regarde, ami!   J'ai préparé
Sur le plateau d'argent, sur le plateau d'ébène,
La coupe de cristal et la coupe de frêne,
Les figues et le vin, le lait et les olives,
Et j'ai huilé les gonds de la porte d'une huile
Qui la fera s'ouvrir ainsi que pour une ombre,[11]
Mais je prendrai la lampe et par l'escalier sombre
Nous monterons tous deux en nous tenant la main;
Puis, dans la chambre vaste où le songe divin
T'a ramené des bords du royaume oublieux,
Nous nous tiendrons debout, face à face, joyeux
De l'étrange douceur de rejoindre nos lèvres,
O voyageur venu des roseaux de la grève [12]
Que ne réveille pas l'aurore ni le vent!
Je t'ai tant aimé mort que tu seras vivant
Et j'aurai soin, n'ayant plus d'espoir ni d'attente,[13]
De vider la clepsydre [14] et d'éteindre la lampe.

—Laisse brûler la lampe et pleurer la clepsydre,
Car le jardin autour de notre maison vide
Se fleurira de jeunes fleurs sans que reviennent
Mes lèvres pour reboire encore à la fontaine;

[11] ainsi que pour une ombre: silencieusement.
[12] grève: la grève du Styx, fleuve des Enfers.
[13] plus d'espoir ni d'attente: elle n'aura pas de bonheur plus grand à souhaiter et elle voudrait pouvoir arrêter la fuite du temps.
[14] clepsydre: horloge antique qui marquait le temps par l'écoulement de l'eau d'un vase dans un autre: "clepsydra."

Les baisers pour jamais meurent avec les bouches.
Laisse la figue mûre et les olives rousses;
Hélas! les fruits sont bons aux lèvres qui sont chair.
Mais j'habite un royaume au delà de la Mer
Ténébreuse, et mon corps est cendre sous le marbre.
Je suis une Ombre, et si mon pas lent se hasarde
Au jardin d'autrefois et dans la maison noire
Où tu m'attends du fond de toute ta mémoire,
Tes chers bras ne pourront étreindre mon fantôme;
Tu pleurerais le souvenir de ma chair d'homme,
A moins que, dans ton âme anxieuse et fidèle,
Tu m'attendes en rêve [15] à la porte éternelle,
Me regardant venir à travers la nuit sombre,
Et que ton pur amour soit digne de mon ombre.

Les Jeux rustiques et divins

ODELETTE

Ce charmant petit poème est un bon exemple des effets que Henri de Régnier a obtenus avec le vers libre qui, chez lui, n'est pas affecté et artificiel comme chez certains symbolistes, mais au contraire facile, clair, musical.

Un petit roseau m'a suffi
Pour faire frémir l'herbe haute
Et tout le pré
Et le doux saule
Et le ruisseau qui chante aussi;
Un petit roseau m'a suffi
A faire chanter la forêt.

[15] en rêve: c'est seulement le rêve des vivants qui peut redonner la vie aux morts.

Ceux qui passent l'ont entendu
Au fond du soir, en leurs pensées
Dans le silence et dans le vent,
Clair ou perdu,
Proche ou lointain . . .
Ceux qui passent en leurs pensées
En écoutant, au fond d'eux-mêmes
L'entendront encore et l'entendent
Toujours qui chante.

Il m'a suffi
De ce petit roseau cueilli
A la fontaine où vint l'Amour
Mirer, un jour,
Sa face grave
Et qui pleurait,
Pour faire pleurer ceux qui passent
Et trembler l'herbe et frémir l'eau;
Et j'ai, du souffle d'un roseau,
Fait chanter toute la forêt.

Les Jeux rustiques et divins

LE VASE

Le thème de ce poème est le suivant: Un sculpteur veut décorer de bas-reliefs un vase de marbre. Plein d'angoisse, il attend que vienne l'inspiration. Dans la forêt, il entend des bruits mystérieux, et devant lui apparaissent des faunes, des centaures, des nymphes, tout un monde de rêve et de beauté. Possédé par l'inspiration, il sculpte aux flancs du vase toutes ces visions. L'œuvre achevée, l'inspiration disparaît, et avec elle, les magnifiques visions qui ont enchanté l'artiste. Malgré la beauté de son œuvre, il regrette le monde de rêve dans lequel il a vécu, et qu'il n'a pu recréer qu'imparfaitement.

Ce poème, émouvante analyse de ce que l'inspiration artistique

a de douloureux et de décevant, est remarquable par le sentiment
de la beauté sensuelle du monde antique, et il fait penser au Mallarmé de *L'Après-midi d'un faune* ou aux plus beaux poèmes de
Keats et de Swinburne. On étudiera aussi la façon très souple
dont le vers libre suit les mouvements de l'âme du poète.

Mon marteau lourd sonnait dans l'air léger,
Je voyais la rivière et le verger,
La prairie et jusques au bois
Sous le ciel plus bleu d'heure en heure,
Puis rose et mauve au crépuscule;
Alors je me levais tout droit
Et m'étirais [16] heureux de la tâche des heures,
Gourd [17] de m'être accroupi de l'aube au crépuscule
Devant les blocs de marbre où je taillais les pans
Du vase fruste [18] encor que mon marteau pesant,
Rythmant le matin clair et la bonne journée,
Heurtait, joyeux d'être sonore en l'air léger!

Le vase naissait dans la pierre façonnée.
Svelte et pur il avait grandi
Informe encore en sa sveltesse,
Et j'attendis,
Les mains oisives et inquiètes,
Pendant des jours, tournant la tête
A gauche, à droite, au moindre bruit,
Sans plus polir la panse [19] ou lever le marteau.
L'eau
Coulait de la fontaine comme haletante.
Dans le silence
J'entendais, un à un, aux arbres du verger,
Les fruits tomber de branche en branche;
Je respirais un parfum messager

[16] (je) m'étirais: "I stretched myself."
[17] gourd: "numb."
[18] fruste: au sens propre cet adjectif indiquerait que les sculptures sont usées
par le temps. Ici il indique qu'elles n'existent pas encore.
[19] panse: "curving side."

De fleurs lointaines sur le vent;
Souvent,
Je croyais qu'on avait parlé bas,
Et, un jour que je rêvais—ne dormant pas—
J'entendis par delà les prés et la rivière
Chanter des flûtes . . .

Un jour, encor,
Entre les feuilles d'ocre et d'or
Du bois, je vis, avec ses jambes de poil jaune,
Danser un faune;
Je l'aperçus aussi, une autre fois,
Sortir du bois
Le long de la route et s'asseoir sur une borne
Pour prendre un papillon à l'une de ses cornes.

Une autre fois,
Un centaure passa la rivière à la nage;
L'eau ruisselait sur sa peau d'homme et son pelage; [20]
Il avança de quelques pas dans les roseaux,
Flaira le vent, hennit, repassa l'eau;
Le lendemain, j'ai vu l'ongle de ses sabots
Marqué dans l'herbe . . .

Des femmes nues
Passèrent en portant des paniers et des gerbes,
Très loin, tout au bout de la plaine.

Un matin, j'en trouvai trois à la fontaine.
Dont l'une me parla.   Elle était nue.
Ellé me dit: Sculpte la pierre
Selon la forme de mon corps en tes pensées,
Et fais sourire au bloc ma face claire;
Écoute autour de toi les heures dansées

[20] pelage: "coat," "hide."

Par mes sœurs dont la ronde se renoue,
Entrelacée,
Et tourne et chante et se dénoue.
Et je sentis sa bouche tiède sur ma joue.

Alors le verger vaste et le bois et la plaine
Tressaillirent d'un bruit étrange, et la fontaine
Coula plus vive avec un rire dans ses eaux;
Les trois Nymphes debout auprès des trois roseaux
Se prirent par la main et dansèrent; du bois
Les faunes roux sortaient par troupes, et des voix
Chantèrent par delà les arbres du verger
Avec des flûtes en éveil dans l'air léger.
La terre retentit du galop des centaures;
Il en venait du fond de l'horizon sonore,
Et l'on voyait, assis sur la croupe qui rue,[21]
Tenant des thyrses tors [22] et des outres [23] ventrues,
Des satyres boiteux piqués par des abeilles,
Et les bouches de crin [24] et les lèvres vermeilles
Se baisaient, et la ronde immense et frénétique,
Sabots lourds, pieds légers, toisons, croupes, tuniques,
Tournait éperdument autour de moi qui, grave,
Au passage, sculptais aux flancs gonflés du vase
Le tourbillonnement des forces de la vie.

Du parfum exhalé de la terre mûrie
Une ivresse montait à travers mes pensées,
Et dans l'odeur des fruits et des grappes pressées,
Dans le choc des sabots et le heurt des talons,
En de fauves odeurs de boucs [25] et d'étalons,[26]

[21] rue: en galopant le centaure rue: "kicks out."
[22] thyrses tors: bâtons entourés de feuillage que portaient Bacchus et les bacchantes.
[23] outres: "leather bottles."
[24] de crin: "hairy."
[25] boucs: "he-goats."
[26] étalons: "stallions."

Sous le vent de la ronde et la grêle des rires,
Au marbre je taillais ce que j'entendais bruire;
Et parmi la chair chaude et les effluves tièdes,
Hennissement du mufle [27] ou murmure des lèvres,
Je sentais sur mes mains, amoureux ou farouches,
Des souffles de naseaux ou des baisers de bouches.
Le crépuscule vint et je tournai la tête.

Mon ivresse était morte avec la tâche faite;
Et sur son socle [28] enfin, du pied jusques aux anses,
Le grand Vase se dressait nu dans le silence,
Et, sculptée en spirale à son marbre vivant,
La ronde dispersée et dont un faible vent
Apportait dans l'écho la rumeur disparue,
Tournait avec ses boucs, ses dieux, ses femmes nues,
Ses centaures cabrés [29] et ses faunes adroits,
Silencieusement autour de la paroi,
Tandis que, seul, parmi, à jamais, la nuit sombre,
Je maudissais l'aurore et je pleurais vers l'ombre.

Les Jeux rustiques et divins

[27] mufle: "nose."
[28] socle: "pedestal."
[29] cabrés: "rearing."

V.   TROIS POÈTES CONTEMPORAINS

V. TROIS POÈTES CONTEMPORAINS

XV. PAUL CLAUDEL (1868–   )

Paul Claudel, né le 6 août 1868, ambassadeur de France à Washington, doit à sa carrière diplomatique d'avoir parcouru le monde de l'Extrême Orient à l'Amérique.   Athée à dix-huit ans, il a été touché par la foi la nuit de Noël 1886, pendant la messe de minuit à Notre-Dame, et est devenu un grand poète catholique.

Paul Claudel est avant tout un mystique; le catholicisme est le fond même de toute son inspiration.   Il apporte dans la contemplation de l'univers qu'il connaît sous ses aspects les plus variés, une grande richesse de sensations et d'émotions; il aime profondément la nature; il a un sens très délicat de la beauté, mais partout il sent presque physiquement la présence de Dieu vers lequel il cherche à entraîner son lecteur.

Disciple de Rimbaud, nourri de la Bible, M. Claudel donne souvent à son vers la forme de versets; cette forme si personnelle, heurtée, parfois incohérente rend la lecture de sa poésie assez difficile, compromet l'œuvre de propagande qu'il semble vouloir poursuivre et l'empêche de devenir un poète populaire.

PRINCIPALES ŒUVRES DE CLAUDEL

1. Oeuvres poétiques: *Cinq grandes odes* (1911); *Vers l'exil* (1911–1912); *Deux poèmes d'été* (1913); *Trois poèmes de guerre, Corona benignitatis anni Dei* (1915); *Autres poèmes durant la guerre* (1916); *Feuilles de Saints* (1925).

2. Autres ouvrages: Quatre volumes de drames: *Tête d'or, La jeune fille Violaine, L'annonce faite à Marie, L'Otage, L'Échange, Le Père humilié,* etc.; *Connaissance de l'Est; Art poétique.*

LE SOMBRE MAI

C'est un des premiers poèmes de Claudel, écrit en 1887.　Il appartient à l'époque où le poète était sous l'influence du symbolisme et il rappelle à la fois la sauvage étrangeté de certaines visions de Rimbaud et les évocations mystiques des préraphaélites anglais.

Les Princesses aux yeux de chevreuil [1] passaient
A cheval sur le chemin entre les bois.
　　Dans les forêts sombres chassaient
　　Les meutes aux sourds abois.

Dans les branches s'étaient pris leurs cheveux fins,
Des feuilles étaient collées sur leurs visages.
Elles écartaient les branches avec leurs mains,
Elles regardaient autour avec des yeux sauvages.

Reines des bois où chante l'oiseau du hêtre
　　Et où traîne le jour livide,[2]
　　Levez vos yeux, levez vos têtes,
　　Vos jeunes têtes humides! [3]

Hélas! je suis trop petit pour que vous m'aimiez,
O mes amies, charmantes Princesses du soir!
　　Vous écoutiez le chant des ramiers,
　　Vous me regardiez sans me voir.

Courez! les abois des meutes s'élèvent!
　　Et les lourds nuages roulent.
Courez! la poussière des routes s'élève!
　　Les sombres feuillées roulent.[4]

[1] aux yeux de chevreuil: les yeux des princesses sont à la fois doux et sauvages, comme ceux d'un chevreuil ("roe").
[2] le jour livide: la lumière verdâtre qui filtre entre les feuilles.
[3] humides: humides de pluie ou de rosée.
[4] Les sombres feuillées roulent: la cime des arbres ondule et se plie sous l'effort du vent.

Le ruisseau est bien loin.   Les troupeaux bêlent.
   Je cours, je pleure.
Les nuages aux montagnes se mêlent.
   La pluie tombe sur les forêts de six heures.

Corona benignitatis anni Dei

LA VIERGE A MIDI

Il est midi.   Je vois l'église ouverte.   Il faut entrer.
Mère de Jésus-Christ, je ne viens pas prier.

Je n'ai rien à offrir et rien à demander.
Je viens seulement, Mère, pour vous regarder.

Vous regarder, pleurer de bonheur, savoir cela
Que je suis votre fils et que vous êtes là.

Rien que pour un moment pendant que tout s'arrête.   Midi!
Être avec vous, Marie, en ce lieu où vous êtes.

Ne rien dire, regarder votre visage,
Laisser le cœur chanter dans son propre langage,

Ne rien dire, mais seulement chanter parce qu'on a le cœur trop
   plein,
Comme le merle qui suit son idée en ces espaces de couplets
   soudains.

Parce que vous êtes belle, parce que vous êtes immaculée,
La femme dans la Grâce enfin restituée,

La créature dans son honneur premier et dans son épanouisse-
   ment final,
Telle qu'elle est sortie de Dieu au matin de sa splendeur
   originale.

Intacte ineffablement parce que vous êtes la Mère de Jésus-
  Christ,
Qui est la vérité entre vos bras, et la seule espérance et le seul
  fruit,

Parce que vous êtes la femme, l'Éden de l'ancienne tendresse
  oubliée,
Dont le regard trouve le cœur tout à coup et fait jaillir les
  larmes accumulées,

Parce que vous m'avez sauvé, parce que vous avez sauvé la
  France,
Parce qu'elle aussi, comme moi, pour vous fut cette chose à
  laquelle on pense,

Parce qu'à l'heure où tout craquait, c'est alors que vous êtes
  intervenue,
Parce que vous avez sauvé la France une fois de plus,
Parce qu'il est midi, parce que nous sommes en ce jour d'aujourd'hui.

Parce que vous êtes là pour toujours, simplement parce que
  vous êtes Marie, simplement parce que vous existez,
Mère de Jésus-Christ, soyez remerciée!

Poèmes de guerre

XVI. PAUL VALÉRY (1871–   )

Paul Valéry est né à Cette en 1871. Il collabora d'abord à plusieurs revues, puis après s'être signalé par une *Introduction à la méthode de Léonard de Vinci* (1895), il disparaît du monde littéraire pendant plus de vingt ans jusqu'en 1917 où il publie un recueil *La jeune Parque* qui le met au premier rang des poètes. Il représente aujourd'hui avec Henri de Régnier la poésie française à l'Académie.

A. PRINCIPALES ŒUVRES DE VALÉRY

1. Poésie: *Album de vers anciens* (1890–1900); *La jeune Parque* (1917); *Aurore* (1917); *Odes* (1920); *Le Cimetière marin* (1920); *Le serpent* (1921); *Charmes* (1922).

2. Prose: *Introduction à la méthode de Léonard de Vinci* (1895); *La soirée avec Monsieur Teste* (1896); *Eupalinos* (1923); *Variété* (1924).

B. LA POÉSIE DE VALÉRY

Paul Valéry est un poète philosophe: ses premiers vers sont dans la tradition parnassienne dont il gardera toujours l'impersonnalité. Il est surtout disciple de Mallarmé et comme lui recherche la poésie pure, mais il a l'imagination d'un savant plus que d'un poète, et ce que son maître demandait à la musique, il le demande à l'architecture. Il y a chez lui un ordre, une méthode constructive qui satisfont l'esprit plutôt que la sensibilité. Sa poésie est pourtant obscure comme celle de Mallarmé parce qu'elle est condensée à l'extrême et toute chargée de symboles, mais la forme, d'une simplicité presque classique, donne un charme particulier à cette sorte de lyrisme métaphysique. Paul Valéry, dont la gloire est aujourd'hui reconnue, ne peut être cependant que le poète d'une élite.

LES GRENADES

Dures grenades [1] entr'ouvertes
Cédant à l'excès de vos grains,
Je crois voir des fronts souverains
Eclatés de leurs découvertes!

Si les soleils par vous subis,
O grenades entrebaillées,
Vous ont fait d'orgueil travaillées
Craquer les cloisons de rubis,

Et que si l'or sec de l'écorce
A la demande d'une force
Crève en gemmes rouges de jus,

Cette lumineuse rupture
Fait rêver une âme que j'eus
De sa secrète architecture.

Charmes

LE CIMETIÈRE MARIN

Les quelques strophes que nous donnons ici ne peuvent avoir la prétention de résumer ce célèbre poème; elles permettent cependant d'apprécier l'atmosphère particulière de la poésie de Paul Valéry, obscure, mais très riche et très belle. Le texte complet comprend vingt-quatre strophes et il n'est guère possible de l'étudier convenablement sans un commentaire [2] détaillé.

"Le Cimetière marin" est une méditation philosophique, dans un cimetière [3] au bord de la mer. Le poète oppose l'immobilité et l'identité du monde matériel, auquel appartiennent aussi les morts tombés en poussière, et le changement perpétuel qui caractérise

[1] grenades: "pomegranates."
[2] commentaire: par exemple celui de M. Frédéric Lefèvre dans son livre *Entretiens avec Paul Valéry;* ou encore l'"Essai d'explication" du *Cimetière marin* de M. Gustave Cohen dans la *Nouvelle Revue Française* (février 1929).
[3] un cimetière: il existe réellement, près de Cette.

la vie humaine.   C'est notre âme qui, en projetant sur tout ses
inquiétudes et ses doutes, trouble la paix sereine de l'Univers.

Ce toit tranquille,[4] où marchent des colombes,[5]
Entre les pins palpite, entre les tombes;
Midi le juste [6] y compose [7] de feux
La mer, la mer, toujours recommencée!
O récompense [8] après une pensée
Qu'un long regard sur le calme des dieux!

* * *

Fermé, sacré, plein d'un feu sans matière,
Fragment terrestre offert à la lumière,
Ce lieu me plaît, dominé de flambeaux,
Composé d'or, de pierre et d'arbres sombres,
Où tant de marbre est tremblant sur tant d'ombres;
La mer fidèle y dort sur mes tombeaux!

Chienne [9] splendide, écarte l'idolâtre!
Quand solitaire au sourire de pâtre,
Je pais [10] longtemps, moutons mystérieux,
Le blanc troupeau de mes tranquilles tombes,
Éloignes-en les prudentes colombes,
Les songes vains, les anges curieux!

* * *

[4] toit tranquille: la mer.
[5] colombes: les barques aux voiles blanches.
[6] Midi le juste: à midi le soleil est au méridien et ses rayons semblent se
répartir également.
[7] compose: la mer toujours en mouvement est "composée," c'est-à-dire
calmée par la lumière aveuglante.
[8] O récompense: la contemplation de la mer repose les yeux, comme l'idée
de l'éternel repos de l'univers, symbolisé par "le calme des dieux," est un repos
pour la pensée.
[9] Chienne: la mer, dont la rumeur emplit le cimetière comme l'aboiement
d'une chienne.
[10] Je pais: "Je fais paître": "I feed."   Le poète se compare à un pâtre
dont les moutons seraient les tombes, ou plutôt les pensées qu'elles font naître
en lui.

Les morts cachés sont bien dans cette terre
Qui les réchauffe et sèche leur mystère.
Midi là-haut, Midi [11] sans mouvement
En soi se pense [12] et convient à soi-même . . .
Tête complète et parfait diadème,
Je suis en toi le secret changement.

Tu n'as que moi pour contenir tes craintes!
Mes repentirs, mes doutes, mes contraintes
Sont le défaut [13] de ton grand diamant! . . .
Mais dans leur nuit toute lourde de marbres,
Un peuple vague aux racines des arbres [14]
A pris déjà ton parti [15] lentement.

Ils ont fondu dans une absence épaisse,
L'argile rouge a bu la blanche espèce,[16]
Le don de vivre a passé dans les fleurs!
Où sont des morts les phrases familières,
L'art personnel, les âmes singulières?
La larve file où se formaient les pleurs.

* * *

Et vous,[17] grande âme, espérez-vous un songe
Qui n'aura plus ces couleurs de mensonge
Qu'aux yeux de chair l'onde et l'or [18] font ici?
Chanterez-vous quand serez vaporeuse? [19]
Allez! Tout fuit! Ma présence est poreuse,[20]
La sainte impatience [21] meurt aussi!

[11] Midi: la Nature ensevelie dans le sommeil.
[12] En soi se pense: la Nature semble affranchie du temps.
[13] défaut: l'univers serait parfait s'il n'était gâté par l'existence de l'âme humaine, inquiète et tourmentée.
[14] Un peuple vague . . . arbres: les arbres se nourissent de la cendre des morts.
[15] ton parti: les morts s'identifient avec le monde matériel.
[16] la blanche espèce: la chair des morts.
[17] Et vous: le poète se demande maintenant si l'âme est, comme le corps, absorbée par la nature.
[18] l'onde et l'or: la lumière, créatrice des formes et des couleurs qui ne sont qu'illusions mensongères.
[19] quand serez vaporeuse: "quand vous serez séparée du corps."
[20] poreuse: "porous"; le corps laisse échapper l'âme comme un vase poreux laisse suinter l'eau.
[21] La sainte impatience: l'espérance de l'immortalité.

Maigre immortalité [22] noire et dorée,
Consolatrice affreusement laurée,
Qui de la mort fais un sein maternel,
Le beau mensonge et la pieuse ruse!
Qui ne connaît, et qui ne les refuse,
Ce crâne vide et ce rire éternel!

Pères profonds,[23] têtes inhabitées,
Qui sous le poids de tant de pelletées,[24]
Êtes la terre et confondez [25] nos pas,
Le vrai rongeur, le ver irréfutable [26]
N'est point pour vous qui dormez sous la table,
Il vit de vie, il ne me quitte pas!

Amour, peut-être, ou de moi-même haine?
Sa dent secrète est de moi si prochaine
Que tous les noms lui peuvent convenir!
Qu'importe!   Il voit, il veut, il songe, il touche!
Ma chair lui plaît, et jusque sur ma couche,
A ce vivant je vis d'appartenir! [27]

* * *

Oui! [28]   Grande mer de délires douée,
Peau de panthère et chlamyde [29] trouée
De mille et mille idoles [30] du soleil,
Hydre [31] absolue, ivre de ta chair bleue,
Qui te remords l'étincelante queue
Dans un tumulte au silence pareil,

[22] Maigre immortalité: si l'immortalité doit consister en un état éternellement semblable, elle n'est pas souhaitable et n'est qu'un mensonge derrière lequel la mort cache son horreur que symbolise le "rire éternel" du crâne.
[23] Pères profonds: les morts, profondément ensevelis.
[24] pelletées: "spadefuls."
[25] confondez: les morts ne peuvent reconnaître le pas de leurs amis.
[26] le ver irréfutable: le ver irrésistible est celui qui ronge, non la chair des morts, mais l'âme des vivants.
[27] je vis d'appartenir: je ne vis que parce que j'appartiens à ma conscience, condition de l'existence.
[28] Oui: après un moment de désespoir, le poète accepte la leçon d'énergie que lui propose la mer à la force inépuisable.
[29] chlamyde: manteau militaire grec.
[30] idoles: au sens primitif: "images."
[31] Hydre: les vagues de la mer renaissent sans cesse comme les têtes de l'hydre.

Le vent se lève![32] . . . Il faut tenter de vivre!
L'air immense ouvre et referme mon livre,
La vague en poudre ose jaillir des rocs!
Envolez-vous, pages tout éblouies![33]
Rompez, vagues!   Rompez d'eaux réjouies
Ce toit tranquille où picoraient des focs![34]

Charmes

[32] Le vent se lève: le vent symbolise la leçon d'énergie que donne la mer.
[33] pages tout éblouies: le livre que le poète va écrire.
[34] picoraient des focs: les focs sont les voiles d'avant des barques ("jibs").
Quand l'avant de la barque s'incline vers la mer la barque ressemble à un oiseau
qui picore ("pecks").

XVII. LA COMTESSE DE NOAILLES (1876–   )

Anna-Élisabeth de Brancovan, Comtesse de Noailles, est née à Paris en 1876. Grecque par sa mère et roumaine par son père, elle fut élevée en France; elle écrivit ses premiers vers à l'âge de 10 ans, et publia son premier ouvrage, *Le cœur innombrable*, en 1901.

Profondément romantique, Madame de Noailles se chante elle-même avec une sincérité et une exubérance qu'on lui a parfois reprochées, mais qu'expliquent en partie ses origines orientales. Son œuvre est dominée par un intense amour de la vie sous toutes ses formes, amour souvent mêlé de quelque sensualité. La mort lui inspire une inquiétude passionnée et ses dernières pièces sont empreintes des regrets mélancoliques de la vie qui s'écoule. Elle exprime avec un rare bonheur la joie de communier avec la nature, de s'identifier même complètement avec elle; cet amour de la nature et des choses rustiques lui a valu le titre de "Muse des jardins" et fait parfois naître chez elle un réalisme pittoresque qui s'allie d'une façon originale à son romantisme naturel.

Très riche de sensations, sa poésie, d'une grande valeur musicale, tient une place importante dans le mouvement poétique contemporain.

A. ŒUVRES DE MADAME DE NOAILLES

1. Poésie: *Le cœur innombrable* (1901); *L'ombre des jours* (1902); *Les éblouissements* (1907); *Les vivants et les morts* (1913); *Les forces éternelles* (1920); *Le poème de l'amour* (1924); *L'honneur de souffrir* (1927).

2. Romans: *La nouvelle espérance* (1903); *Le visage émerveillé* (1904); *La domination* (1905).

LE PAYS

Ma France, quand on a nourri son cœur latin
    Du lait de votre Gaule,
Quand on a pris sa vie en vous, comme le thym,
    La fougère et le saule,

Quand on a bien aimé vos forêts et vos eaux,
    L'odeur de vos feuillages,
La couleur de vos jours, le chant de vos oiseaux,
    Dès l'aube de son âge;

Quand amoureux du goût de vos bonnes saisons
    Chaudes comme la laine,
On a fixé son âme et bâti sa maison
    Au bord de votre Seine;

Quand on n'a jamais vu se lever le soleil
    Ni la lune renaître
Ailleurs que sur vos champs, que sur vos blés vermeils,
    Vos chênes et vos hêtres,

Quand jaloux de goûter le vin de vos pressoirs,[1]
    Vos fruits et vos châtaignes,[2]
On a bien médité dans la paix de vos soirs
    Les livres de Montaigne,[3]

Quand pendant vos étés luisants, où les lézards
    Sont verts comme des fèves,
On a senti fleurir les chansons de Ronsard [4]
    Au jardin de son rêve,

Quand on a respiré les automnes sereins
    Où coulent vos résines,
Quand on a senti vivre et pleurer dans son sein
    Le cœur de Jean Racine,[5]

[1] pressoirs: "wine-presses."
[2] châtaignes: "chestnuts."
[3] Montaigne: philosophe et moraliste, auteur des *Essais* (1533–1592).
[4] Ronsard: grand poète de la Renaissance (1524–1585).
[5] Racine: poète tragique français (1639–1699).

Quand votre nom, miroir de toute vérité,
    Émeut comme un visage,
Alors on a conclu avec votre beauté
    Un si fort mariage

Que l'on ne sait plus bien, quand l'azur de votre œil
    Sur le monde flamboie,
Si c'est dans sa tendresse ou bien dans son orgueil
    Qu'on a le plus de joie. . . .

Le cœur innombrable

LE VERGER

Dans le jardin, sucré d'œillets et d'aromates,
Lorsque l'aube a mouillé le serpolet touffu,
Et que les lourds frelons, suspendus aux tomates,
Chancellent, de rosée et de sève pourvus,

Je viendrai, sous l'azur et la brume flottante,
Ivre du temps vivace et du jour retrouvé.
Mon cœur se dressera comme le coq qui chante
Insatiablement vers le soleil levé.

L'air chaud sera laiteux sur toute la verdure,
Sur l'effort généreux et prudent des semis,[6]
Sur la salade vive et le buis [7] des bordures,
Sur la cosse [8] qui gonfle et qui s'ouvre à demi.

La terre labourée où mûrissent les graines
Ondulera, joyeuse et douce, à petits flots,
Heureuse de sentir dans sa chair souterraine
Le destin de la vigne et du froment enclos.

[6] semis: "seed-beds."
[7] buis: "box-wood."
[8] cosse: "pod."

Des brugnons [9] roussiront sur leurs feuilles, collées
Au mur où le soleil s'écrase chaudement;
La lumière emplira les étroites allées
Sur qui l'ombre des fleurs est comme un vêtement.

Un goût d'éclosion et de choses juteuses
Montera de la courge [10] humide et du melon,
Midi fera flamber l'herbe silencieuse,
Le jour sera tranquille, inépuisable et long.

Et la maison, avec sa toiture d'ardoises,
Laissant sa porte sombre et ses volets ouverts,
Respirera l'odeur des coings et des framboises
Éparse lourdement autour des buissons verts.

Mon cœur, indifférent et doux, aura la pente
Du feuillage flexible et plat des haricots
Sur qui l'eau de la nuit se dépose et serpente
Et coule sans troubler son rêve et son repos.

Je serai libre enfin de crainte et d'amertume;
Lasse comme un jardin sur lequel il a plu,
Calme comme l'étang qui luit dans l'aube et fume,
Je ne souffrirai plus, je ne penserai plus,

Je ne saurai plus rien des choses de ce monde,
Des peines de ma vie et de ma nation,
J'écouterai chanter dans mon âme profonde
L'harmonieuse paix des germinations.

Je n'aurai pas d'orgueil, et je serai pareille,
Dans ma candeur nouvelle et ma simplicité,
A mon frère le pampre et ma sœur la groseille
Qui sont la jouissance aimable de l'été.

[9] brugnons: espèce de pêches: "nectarines."
[10] courge: espèce de potiron: "gourd."

Je serai si sensible et si jointe à la terre
Que je pourrai penser avoir connu la mort,
Et me mêler, vivante, au reposant mystère
Qui nourrit et fleurit les plantes par les corps.

Et ce sera très bon et très juste de croire
Que mes yeux ondoyants sont à ce lin [11] pareils,
Et que mon cœur, ardent et lourd, est cette poire
Qui mûrit doucement sa pelure au soleil. . . .

Le cœur innombrable

OFFRANDE

Mes livres, je les fis pour vous, ô jeunes hommes,
    Et j'ai laissé dedans,
Comme font les enfants qui mordent dans des pommes,
    La marque de mes dents.

J'ai laissé mes deux mains sur la page étalées,
    Et la tête en avant
J'ai pleuré comme pleure au milieu de l'allée
    Un orage crevant.

Je vous laisse, dans l'ombre amère de ce livre,
    Mon regard et mon front,
Et mon âme toujours ardente et toujours ivre
    Où vos mains traîneront.

Je vous laisse le clair soleil de mon visage,
    Ses millions de rais,[12]
Et mon cœur faible et doux, qui eut tant de courage
    Pour ce qu'il désirait.

Je vous laisse mon cœur et toute son histoire,
    Et sa douceur de lin,
Et l'aube de ma joue, et la nuit bleue et noire
    Dont mes cheveux sont pleins.

[11] lin: "flax."
[12] rais: "rays."

Voyez comme vers vous, en robe misérable,
    Mon Destin est venu.
Les plus humbles errants, sur les plus tristes sables,
    N'ont pas les pieds si nus.

—Et je vous laisse, avec son feuillage et sa rose,
    Le chaud jardin verni
Dont je parlais toujours;—et mon chagrin sans cause
    Qui n'est jamais fini. . . .

                                Les éblouissements

LES VIVANTS SE SONT TUS . . .

Les vivants se sont tus, mais les morts m'ont parlé;
Leur silence infini m'enseigne le durable.
Loin du cœur des humains, vaniteux et troublé,
J'ai bâti ma maison pensive sur leur sable.

—Votre sommeil, ô morts déçus et sérieux,
Me jette, les yeux clos, un long regard farouche;
Le vent de la parole emplit encore ma bouche,
L'univers fugitif s'insère dans mes yeux.

Morts austères, légers, vous ne sauriez prétendre
A toujours occuper, par vos muets soupirs,
La race des vivants, qui cherche a se défendre
Contre le temps, qu'on voit déjà se rétrécir; [13]

Mais mon cœur, chaque soir, vient contempler vos cendres,
Je ressemble au passé et vous à l'avenir.
On ne possède bien que ce qu'on peut attendre:
Je suis morte déjà, puisque je dois mourir. . . .

                                Les vivants et les morts

[13] se rétrécir: "shrink."

OUVRAGES A CONSULTER

Ouvrages Généraux:

Bédier et Hazard, *Histoire de la littérature française illustrée,* 1923. F. Brunetière, *L'évolution de la poésie lyrique en France au XIXe siècle,* 1893. R. Doumic, *La poésie lyrique en France au XIXe siècle,* 1898. E. Faguet, *Le XIXe siècle,* 1887. B. Faÿ, *Panorama de la littérature contemporaine,* 1925. R. Lalou, *Histoire de la littérature française contemporaine,* 1925. G. Lanson, *Histoire de la littérature française,* 1894. G. Lanson, *Manuel bibliographique de la littérature française moderne, XIXe siècle,* 1912. C. Mendès, *Le mouvement poétique français de 1867 à 1900,* 1903. D. Mornet, *Histoire de la littérature et de la pensée françaises contemporaines,* 1927. Nitze and Dargan, *History of French Literature,* 1927. G. Pellissier, *Le mouvement littéraire au XIXe siècle,* 1889. F. Strowski, *Tableau de la littérature française au XIXe siècle,* 1912. H. Thieme, *Guide bibliographique de la littérature française de 1800 à 1906,* 1908. C. H. C. Wright, *A History of French Literature,* 1912.

Le Romantisme:

G. Brandes, *L'école romantique en France,* 1902. E. Estève, *Byron et le romantisme français,* 1907. Th. Gautier, *Histoire du romantisme,* 1874. P. Lasserre, *Le romantisme français,* 1919. Louis Maigron, *Le romantisme et la mode,* 1911. P. Van Tieghem, *Le mouvement romantique,* 1912. P. Van Tieghem, *Le préromantisme,* 1924. P. Van Tieghem, *Ossian en France,* 1917.

Le Parnasse:

A. Beaunier, *La poésie nouvelle,* 1902. P. Martino, *Parnasse et symbolisme,* 1925. A. Schaffer, *Parnassus in France,* 1929. A. Thérive, *Parnasse,* 1929.

Le Symbolisme:

A. Barre, *Le symbolisme,* 1911. Mme Duclaux, *20th Century French Writers,* 1920. P. Dufay, *Bibliographie du symbolisme,* 1923. G. Duhamel, *Les poètes et la poésie,* 1912. Ch. Morice, *La littérature de tout à l'heure*, 1889.   A. Poizat, *Le symbolisme de Baudelaire à Claudel*, 1919–1924.   A. Symons, *The Symbolist Movement in Literature*, 1919.   V. Thompson, *French Portraits*, 1900.

LAMARTINE:

F. Brunetière, *La poésie de Lamartine* (*Revue des Deux Mondes*), 1886.   C. De Pomairols, *Lamartine*, 1890.   E. Deschanel, *Lamartine*, 1893.   R. Doumic, *Lamartine*, 1912.   J. Lemaître, *Les Contemporains*, VI, 1895.   E. Rod, *Lamartine*, 1893.   Sainte-Beuve, *Portraits contemporains*, I, 1832.   Henry Whitehouse, *The Life of Lamartine*, 1918.   E. Zyromski, *Lamartine, poète lyrique*, 1898.

VIGNY:

L. Dorison, *Alfred de Vigny, poète philosophe*, 1892.   E. Dupuy, *Alfred de Vigny, ses amitiés, son rôle littéraire*, 1910–1912.   P. Flottes, *Alfred de Vigny*, 1926.   E. Lauvrière, *Alfred de Vigny: sa vie et son œuvre*, 1910.   J. Lemaître, *Les Contemporains*, VII, 1899.   M. Paléologue, *Alfred de Vigny*, 1891.   Sainte-Beuve, *Portraits contemporains*, II, 1835.   L. Séché, *Alfred de Vigny et son temps*, 1902.

HUGO:

L. Barthou, *Les amours d'un poète*, 1919.   P. Berret, *Victor Hugo*, 1927.   E. Biré, *Victor Hugo avant 1830; Victor Hugo après 1830; Victor Hugo après 1852*. (4 volumes, 1883–1894).   E. Dupuy, *Victor Hugo, l'homme et le poète*, 1887.   R. Escholier, *La vie glorieuse de Victor Hugo*, 1928.   W. F. Giese, *Victor Hugo: The Man and the Poet*, 1926.   A. Le Breton, *La jeunesse de Victor Hugo*, 1928.   J. Lemaître, *Les Contemporains*, IV, 1890.   L. Mabilleau, *Victor Hugo*, 1893.   C. Renouvier, *Victor Hugo, le poète*, 1893; *Victor Hugo, le philosophe*, 1900.   E. Rigal, *Victor Hugo, poète épique*, 1900.   R. L. Stevenson, *Familiar Studies of Men and Books*, 1891.   A. C. Swinburne, *A Study of Victor Hugo*, 1886.

MUSSET:

A. Barine, *Alfred de Musset*, 1893.   Gauthier Ferrières, *Musset*, 1909.   C. Hémon, *Alfred de Musset*.   Henriot, *Musset*, 1929.   Paul de Musset, *Lui et Elle*, 1859.   Sainte-Beuve, *Portraits con-*

temporains, II, 1833; *Causeries du Lundi*, I, 1850. L. Séché, *Alfred de Musset*, 1907.

GAUTIER:

E. Bergerat, *Théophile Gautier*, 1879. M. du Camp, *Théophile Gautier*, 1890. Jasinski, *Les années romantiques de Théophile Gautier*, 1929. J. G. Palache, *Gautier and the Romantics*, 1926. E. Richet, *Théophile Gautier, l'homme, la vie et l'œuvre*, 1893. Sainte-Beuve, *Premiers Lundis*, II, 1838; *Portraits contemporains*, V, 1844; *Nouveaux Lundis*, VI, 1863.

BAUDELAIRE:

Ch. Asselineau, *Charles Baudelaire, sa vie et son œuvre*, 1869. L. Barthou, *Autour de Baudelaire*, 1917. P. Flotte, *Baudelaire, l'homme et le poète*, 1922. J. Lemaître, *Les Contemporains*, IV, 1893. C. Mauclair, *Charles Baudelaire*, 1916. F. Porché, *La vie douloureuse de Baudelaire*. S. A. Rhodes, *The Cult of Beauty in Charles Baudelaire*, 1929. Lewis Shanks, *Baudelaire, Flesh and Spirit*, 1930.

LECONTE DE LISLE:

F. Calmettes, *Leconte de Lisle et ses amis*, 1902. J. Dornis, *Leconte de Lisle*, 1909. Elsemberg, *Le sentiment religieux chez Leconte de Lisle*, 1909. E. Estève, *Leconte de Lisle, l'homme et l'œuvre*, 1923. J. Lemaître, *Les Contemporains*, II, 1886.

HEREDIA:

A. Fontaine, *J.-M. de Heredia*, 1905. M. Ibrovac, *J.-M. de Heredia*, 1923. J. Lemaître, *Les Contemporains*, II, 1886.

SULLY PRUDHOMME:

E. Champion, *Entretiens avec Sully Prudhomme*, 1900. E. Estève, *Sully Prudhomme, poète sentimental et poète philosophe*, 1925. C. Hémon, *La philosophie de Sully Prudhomme*, 1907. J. Lemaître, *Les Contemporains*, I, 1885 et IV, 1888. H. Morice, *L'esthétique de Sully Prudhomme*, 1920; *La poésie de Sully Prudhomme*, 1920. G. Paris, *Penseurs et poètes*, 1896. H. Poincaré, *Savants et écrivains*, 1910. E. Zyromski, *Sully Prudhomme*, 1907.

VERLAINE:

L. Aressy, *La dernière bohème*, 1922. R. Doumic, *Hommes et idées*, 1903. J. Lemaître, *Les Contemporains*, IV, V, 1888. E. Lepelletier, *Paul Verlaine, sa vie, son œuvre*, 1907. P. Martino, *Verlaine*, 1924. C. Morice, *Paul Verlaine, l'homme et l'œuvre*, 1887. A. Symons, *The Symbolist Movement in Literature*, 1919.

RIMBAUD:

Paterne Berrichon, *La vie de Jean Arthur Rimbaud*, 1897; *Jean Arthur Rimbaud*, 1912; *Lettres de Jean Arthur Rimbaud*, 1899. J.-M. Carré, *La vie aventureuse de Jean Arthur Rimbaud*, 1926. M. Coulon, *Le problème de Rimbaud, poète maudit*, 1924; *Au cœur de Verlaine et de Rimbaud*, 1925. G. Moore, *Impressions and Opinions: Two Unknown Poets*, 1891. Isabelle Rimbaud, *Mon frère Arthur*, 1920.

MALLARMÉ:

C. Mauclair, *Stéphane Mallarmé*, 1898. A. Mockel, *Stéphane Mallarmé: un Héros*, 1899. H. de Régnier, *Étude sur Mallarmé*, 1912. J. Royère, *La poésie de Mallarmé*, 1920. C. Souda, *Essai sur l'hermétisme mallarméen*, 1925. A. Thibaudet, *La poésie de Stéphane Mallarmé*, 1913.

SAMAIN:

L. Bocquet, *Albert Samain, sa vie et son œuvre*, 1905. G. Bonneau, *Albert Samain (Essai de bibliographie); Albert Samain, poète symboliste*, 1925. F. Gohin, *L'œuvre poétique d'Albert Samain*, 1919. Edmund Gosse, *French Profiles*, 1902. A. Jarry, *Albert Samain, Souvenirs*, 1907. Amy Lowell, *Six French Poets*, 1921. A. Vallette, *Albert Samain* (dans *Portraits du prochain siècle*, 1894).

H. DE RÉGNIER:

H. Berton, *Henri de Régnier, le poète et le romancier*, 1910. J. de Gourmond, *Henri de Régnier et son œuvre*, 1908. R. Hohnert, *Henri de Régnier: son œuvre*, 1923. P. Léautaud, *Henri de Régnier, biographie*, 1904. Amy Lowell, *Six French Poets*, 1921. C. Mauclair, *Henri de Régnier* (dans *Portraits du prochain siècle*, 1894).

Vance Thompson, *French Portraits*, 1900. Pierre Viguié, *Sur Henri de Régnier* (*Mercure de France*, 15 juin, 1924).

CLAUDEL:

G. Duhamel, *Paul Claudel* (*Mercure de France*), 1913. Mme Sainte-Marie Perrin, *Introduction à l'œuvre de Paul Claudel*, 1926. Gonzague Truc, *Paul Claudel*, 1925.

VALÉRY:

A. Droin, *Paul Valéry et la tradition poétique française*, 1924. F. Lefèvre, *Entretiens avec Paul Valéry*, 1926. A. Thibaudet, *Paul Valéry*, 1923.

LA COMTESSE DE NOAILLES:

H. Buffenoir, *Les grandes dames contemporaines: La comtesse de Noailles et ses poésies*, 1903. P. Flat, *Nos femmes de lettres*, 1908. G. Masson, *La comtesse de Noailles: son œuvre*, 1922.